펼쳐 보면 느껴집니다

단 한 줄도 배움의 공백이 생기지 않도록
문장 한 줄마다 20년이 넘는
해커스의 영어교육 노하우를 담았음을

덮고 나면 확신합니다

수많은 선생님의 목소리와
정확한 출제 데이터 분석으로 꽉 찬
교재 한 권이면 충분함을

해커스북 중·고등
HackersBook.com

해커스

쓰기 쓰자신감과 함께하면
쓰기가 쉬워지는 이유!

쓰기에 꼭 필요한 핵심 포인트를 모두 담았으니까!

1

교과서와 내신
기출 빅데이터에서 뽑아낸
서술형 출제 포인트

2

대표 문제와 쉬운 설명으로
확실하게 학습하는
필수 문법 개념

해커스 쓰기 자신감

Level 1

Level 2

Level 3

충분한 훈련으로 완전히 내 것으로 만드니까!

3

문법 포인트별
풍부한 빈출 유형 문제로
서술형 집중 훈련

4

다양한 유형으로
다시는 틀리지 않도록 해주는
기출문제 & 짝문제

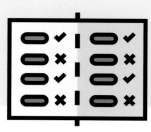

해커스 쓰기 자신감 시리즈를 검토해주신 선생님들

강원
황선준 청담어학원(춘천)

경기
강무정 광교EIE고려대학교어학원
금성은 플래닛학원
김민성 빨리강해지는학원
김현주 이존영어학원
원다혜 IMI영어학원
이창석 정현영어학원

경북
정창용 엑소더스어학원

광주
정영철 정영철영어전문학원

대구
구현정 헬렌영어학원

부산
최지은 하이영어학원

서울
방준호 생각하는 황소영어학원
편영우 자이언학원

세종
한나경 윈힐(WINHILL)영수전문학원

충북
남장길 에이탑정철어학원

해커스 어학연구소 자문위원단 3기

강원
박정선 잉글리쉬클럽
최현주 최샘영어

경기
강민정 YLP김진성열정어학원
강상훈 평촌RTS학원
강지인 강지인영어학원
권계미 A&T+ 영어
김미아 김쌤영어학원
김설화 업라이트잉글리쉬
김성재 스윗스터디학원
김세훈 모두의학원
김수아 더스터디(The STUDY)
김영아 백송고등학교
김유경 벨트어학원
김유경 포시즌스어학원
김유동 이스턴영어학원
김지숙 위디벨럽학원
김지현 이지프레임영어학원
김해빈 해빛영어학원
김현지 지앤비영어학원
박가영 한민고등학교
박영서 스윗스터디학원
박은별 더킹영수학원
박재홍 록키어학원
성승민 SDH어학원 불당캠퍼스
신소연 Ashley English
오귀연 루나영어학원
유신애 에듀포커스학원
윤소정 ILP이화어학원
이동진 이룸학원
이상미 버밍엄영어교습소
이연경 명품M비욘드수학영어학원
이은수 광주세종학원
이지혜 리케이온
이진희 이엠원영수학원
이충기 영어나무
이효명 갈매리드앤톡영어독서학원
임한글 Apsun앞선영어학원
장광명 엠케이영어학원
전상호 평촌이지어학원
정선영 코어플러스영어학원
정준 고양외국어고등학교
조연아 카이트학원
채기림 고려대학교EIE영어학원
최지영 다른영어학원
최한나 석사영수전문
최희정 SJ클쌤영어학원
현지환 모두의학원
홍태경 공감국어영어전문학원

경남
강다원 더(the)오르다영어학원
라승희 아이작잉글리쉬
박주언 유니크학원
배송현 두잇영어교습소
안윤서 어썸영어학원
임진희 어썸영어학원

경북
권현민 삼성영어석적우방교실
김으뜸 EIE영어학원 옥계캠퍼스
배세왕 비케이영수전문고등관학원
유영선 아이비티어학원

광주
김유희 김유희영어학원
서희연 SDL영어수학학원
오진우 SLT어학원수학원
정영철 정영철영어전문학원
최경옥 봉선중학교

대구
권익재 제이슨영어
김명일 독학인학원
김보곤 베스트영어
김연정 달서고등학교
김혜란 김혜란영어학원
문애주 프렌즈입시학원
박정근 공부의힘pnk학원
박희숙 열공열강영어수학학원
신동기 신통외국어학원
위영선 위영선영어학원
윤창원 공터영어학원 상인센터
이승현 학문당입시학원
이주현 이주현영어학원
이헌욱 이헌욱영어학원
장준현 장쌤독해종결영어학원
최윤정 최강영어학원

대전
곽선영 위드유학원
김지운 더포스둔산학원
박미현 라시움영어대동학원
박세리 EM101학원

부산
김건희 레지나잉글리쉬 영어학원
김미나 위드중고등영어학원
박수진 정모클영어국어학원
박수진 지니잉글리쉬
박인숙 리더스영어전문학원
옥지윤 더센텀영어학원
윤진희 위니드영어전문교습소
이종혁 진수학원
정혜인 엠티엔영어학원
조정래 알파카의영어농장
주태양 솔라영어학원

서울
Erica Sull 하버드브레인영어학원
강고은 케이앤학원
강신아 교우학원
공현미 이은재어학원
권영진 경동고등학교
김나영 프라임클래스영어학원
김달수 대일외국어고등학교
김대니 채움학원
김문영 창문여자고등학교
김정은 강북뉴스터디학원
김혜경 대동세무고등학교
남혜원 함영원입시전문학원
노시은 케이앤학원
박선정 강북세일학원
박수진 이은재어학원
박지수 이플러스영수학원
서승희 함영원입시전문학원
양세희 양세희수능영어학원
우정용 제임스영어앤드학원
이박원 이박원어학원
이승혜 스텔라영어
이정욱 이은재어학원
이지연 중계케이트영어학원
임예찬 학습컨설턴트
장지희 고려대학교사범대학부속고등학교
정미라 미라정영어학원
조민규 조민규영어
채가희 대성세그루영어학원

울산
김기태 그라티아어학원
이민주 로이아카데미
홍영민 더이안영어전문학원

인천
강재민 스터디위드제이쌤
고현순 정상학원
권효진 Genie's English
김솔 전문과외
김정아 밀턴영어학원
서상천 최정서학원
이윤주 트리플원
최예영 영웅아카데미

전남
강희진 강희진영어학원
김두환 해남맨체스터영수학원
송승연 송승연영수학원
윤세광 비상구영어학원

전북
김길자 맨투맨학원
김미영 링크영어학원
김효성 연세입시학원
노빈나 노빈나영어전문학원
라성남 하포드어학원
박재훈 위니드수학지앤비영어학원
박향숙 STA영어전문학원
서종원 서종원영어학원
이상훈 나는학원
장지원 링컨더글라스학원
지근영 한솔영어수학학원
최성령 연세입시학원
최혜영 이든영어수학학원

제주
김랑 KLS어학원
박자은 KLS어학원

충남
김예지 더배움프라임영수학원
김철홍 청경학원
노태겸 최상위학원

충북
라은경 이화윤스영어교습소
신유정 비타민영어클리닉학원

해커스
쓰기자신감 Level 2

Ⅲ 해커스 어학연구소

목차

쓰기가 쉬워지는 기초 문법   7

CHAPTER 01 시제

POINT 1 현재시제, 과거시제, 미래시제   16

POINT 2 현재진행시제, 과거진행시제   17

POINT 3 현재완료시제의 형태   18

POINT 4 현재완료시제의 용법: 계속   19

POINT 5 현재완료시제의 용법: 경험   20

POINT 6 현재완료시제의 용법: 완료, 결과   21

기출문제 풀고 짝문제로 마무리!   22

CHAPTER 02 조동사

POINT 1 can, may   28

POINT 2 should, had better   29

POINT 3 must, have to   30

POINT 4 would like to, used to   31

기출문제 풀고 짝문제로 마무리!   32

CHAPTER 03 동사의 종류

POINT 1 감각동사   38

POINT 2 수여동사   39

POINT 3 목적격 보어로 명사나 형용사를 쓰는 동사   40

POINT 4 목적격 보어로 to부정사를 쓰는 동사   41

POINT 5 사역동사   42

POINT 6 지각동사   43

기출문제 풀고 짝문제로 마무리!   44

CHAPTER 04 수동태

POINT 1 수동태 문장 만드는 법   50

POINT 2 수동태의 시제   51

POINT 3 수동태의 부정문과 의문문   52

POINT 4 by 이외의 전치사를 쓰는 수동태   53

기출문제 풀고 짝문제로 마무리!   54

CHAPTER 05 to부정사

POINT 1 명사 역할을 하는 to부정사: 주어와 주격 보어   60

POINT 2 명사 역할을 하는 to부정사: 목적어   61

POINT 3 명사 역할을 하는 to부정사: 의문사 + to부정사   62

POINT 4 형용사 역할을 하는 to부정사   63

POINT 5 부사 역할을 하는 to부정사   64

POINT 6 to부정사 구문   65

기출문제 풀고 짝문제로 마무리!   66

CHAPTER 06 동명사

POINT 1 동명사의 형태와 쓰임   72

POINT 2 동명사를 목적어로 쓰는 동사   73

POINT 3 동명사와 to부정사를 모두 목적어로 쓰는 동사   74

POINT 4 동명사 관용 표현   75

기출문제 풀고 짝문제로 마무리!   76

CHAPTER 07 분사

POINT 1 분사의 형태와 쓰임   82

POINT 2 현재분사와 과거분사   83

POINT 3 감정을 나타내는 분사   84

POINT 4 분사구문   85

기출문제 풀고 짝문제로 마무리!   86

CHAPTER 08 대명사

POINT 1	부정대명사: some, any	92
POINT 2	부정대명사: one, another, other	93
POINT 3	부정대명사: all, every, each, both	94
POINT 4	재귀대명사	95
기출문제 풀고 **짝문제**로 마무리!		96

CHAPTER 09 형용사와 부사

POINT 1	형용사의 쓰임	102
POINT 2	수량형용사: many, much, a lot of	103
POINT 3	수량형용사: (a) few, (a) little	104
POINT 4	빈도부사	105
기출문제 풀고 **짝문제**로 마무리!		106

CHAPTER 10 비교구문

POINT 1	as + 원급 + as	112
POINT 2	비교급 + than	113
POINT 3	the + 비교급, the + 비교급	114
POINT 4	the + 최상급	115
기출문제 풀고 **짝문제**로 마무리!		116

CHAPTER 11 접속사

POINT 1	등위접속사와 상관접속사	122
POINT 2	부사절을 이끄는 접속사: 조건, 양보	123
POINT 3	부사절을 이끄는 접속사: 이유, 결과	124
POINT 4	부사절을 이끄는 접속사: 시간	125
POINT 5	명사절을 이끄는 접속사: that	126
POINT 6	간접의문문	127
기출문제 풀고 **짝문제**로 마무리!		128

CHAPTER 12 관계사

POINT 1	관계대명사의 역할과 종류	134
POINT 2	주격 관계대명사	135
POINT 3	목적격 관계대명사	136
POINT 4	소유격 관계대명사	137
POINT 5	관계대명사 that, what	138
POINT 6	관계부사	139
기출문제 풀고 **짝문제**로 마무리!		140

| 쓰기가 쉬워지는 암기 리스트 | 145 |
| <해커스 쓰기 자신감> 문법 인덱스 | 152 |

구성 및 특징

한 페이지로 개념 이해부터 쓰기 훈련까지 완벽하게 끝내는 POINT 학습

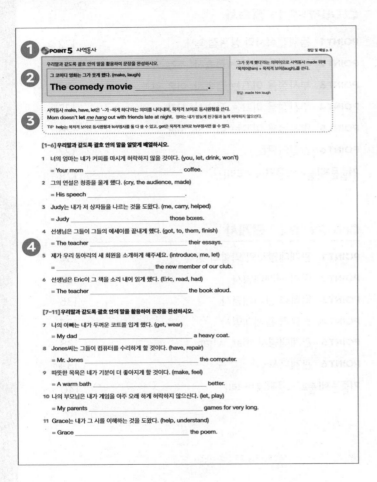

① 출제 포인트

교과서와 전국 내신 기출 빅데이터에서 뽑아낸 서술형 출제 포인트를 빠짐없이 학습할 수 있습니다.

② 대표 문제

각 출제 포인트가 실제 문제로 어떻게 출제되는지 먼저 확인하여 서술형에 익숙해지고 실전 감각도 기를 수 있습니다.

③ 개념 학습

쉽고 간결한 설명을 통해 서술형 대비에 꼭 필요한 문법 개념을 정확히 이해할 수 있습니다.

④ 연습 문제

포인트별로 가장 많이 출제되는 서술형 문제를 바로 풀어 봄으로써 쓰기 연습을 충분히 할 수 있습니다.

학습 효과를 더욱 높이는 부록

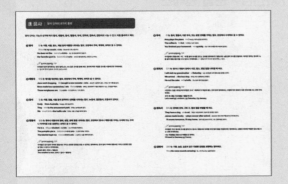

쓰기가 쉬워지는 기초 문법

중학 수준의 영어 문장을 쓰기 위해 꼭 알아야 하는 기초 문법과 주의해야 할 포인트가 정리되어 있어, 기초가 부족한 학습자도 기본기를 다지고 본 학습을 시작할 수 있습니다.

다시는 틀리지 않도록 철저하게 대비하는 **기출문제 풀고 짝문제로 마무리!**

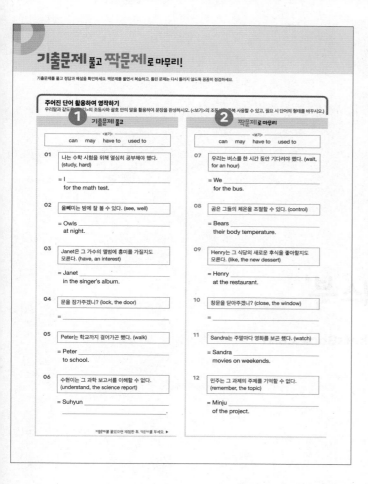

❶ 기출문제

실제 내신 시험에 출제되는 다양한 유형의 서술형 문제를 유형별로 충분히 풀어 볼 수 있습니다.

고난도

중간중간 고난도 문제를 수록하여 실수하기 쉬운 까다로운 문제에도 완벽하게 대비할 수 있습니다.

❷ 짝문제

기출문제를 푼 다음 동일한 출제 포인트의 짝문제를 한 번 더 풀어 봄으로써 맞힌 문제는 확실히 다지고, 틀린 문제는 왜 틀렸는지 바로 점검하며 다시는 틀리지 않는 탄탄한 실력을 쌓을 수 있습니다.

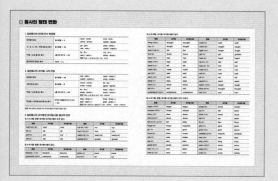

쓰기가 쉬워지는 암기 리스트

틀리기 쉬운 변화형 및 관사의 쓰임 등이 따로 정리되어 있어 용이하게 암기할 수 있습니다.

1. 동사의 형태 변화
2. 명사의 형태 변화와 관사의 쓰임
3. 형용사와 부사의 형태 변화

쓰기가 쉬워지는
기초 문법

1. 품사: 영어 단어의 8가지 종류

2. 문장의 성분: 영어 문장을 만드는 재료

3. 문장의 형식: 영어 문장의 5가지 형태

4. 구와 절: 말 덩어리

영어 단어는 기능과 성격에 따라 **명사, 대명사, 동사, 형용사, 부사, 전치사, 접속사, 감탄사**로 나눌 수 있고, 이를 **품사**라고 해요.

---

❶ 명사 명사는 사람, 사물, 장소, 개념 등의 이름을 나타내는 말로, 문장에서 **주어, 목적어, 보어**로 쓸 수 있어요.

Steven is my cousin. <주어> Steven은 나의 사촌이다.

He does not like **carrots**. <목적어> 그는 당근을 좋아하지 않는다.

Her favorite sport is **basketball**. <보어> 그녀가 가장 좋아하는 운동은 농구이다.

> ✏️ **쓰기가 쉬워지는 TIP**
> 우리말과 달리 영어에서는 명사 앞에 a/an, the 같은 관사를 함께 써요. 명사에 따라 적절한 관사를 사용하도록 주의하세요.
> (→ 명사의 형태 변화와 관사의 쓰임 p.148)

---

❷ 대명사 대명사는 명사를 대신하는 말로, 문장에서 **주어, 목적어, 보어**로 쓸 수 있어요.

Jane went shopping. **She** bought a new sweater. <주어> Jane은 쇼핑하러 갔다. 그녀는 새 스웨터를 샀다.

Mom made two sandwiches. I ate **them**. <목적어> 엄마는 샌드위치 두 개를 만들었다. 나는 그것들을 먹었다.

Those sunglasses are **his**. <보어> 저 선글라스는 그의 것이다.

---

❸ 동사 동사는 사람, 동물, 사물 등의 동작이나 상태를 나타내는 말로, be동사, 일반동사, 조동사가 있어요.

Emily **is** from Australia. Emily는 호주 출신이다.

They **went** to the amusement park. 우리는 놀이동산에 갔다.

We **must follow** the traffic rule. 우리는 교통 규칙을 따라야 한다.

---

❹ 형용사 형용사는 명사나 대명사의 형태, 성질, 상태 등을 나타내는 말로, 문장에서 명사나 대명사를 꾸미는 **수식어** 또는 주어나 목적어를 보충 설명하는 **보어**로 쓸 수 있어요.

He is a **diligent** student. <수식어> 그는 부지런한 학생이다.

The pumpkin pie is **delicious**. <주격 보어> 그 호박 파이는 맛있다.

The blanket kept me **warm**. <목적격 보어> 그 담요는 나를 따뜻하게 했다.

> ✏️ **쓰기가 쉬워지는 TIP**
> 우리말은 동사 없이 주어와 형용사만 가지고 완전한 문장을 만들 수 있지만, 영어에서는 동사 없이 주어와 형용사만 가지고 완전한 문장을 만들 수 없으니 주의하세요.
> 날씨가 좋다. (주어 + 형용사)
> The weather is nice. (주어 + 동사 + 형용사)

❺ 부사   부사는 동사, 형용사, 다른 부사, 또는 문장 전체를 꾸미는 말로, 문장에서 수식어로 쓸 수 있어요.

Amy plays the piano **well**. Amy는 피아노를 잘 연주한다.

The coffee is **too** hot. 그 커피는 너무 뜨겁다.

You finished your homework **very** quickly. 너는 너의 숙제를 매우 빠르게 끝냈다.

> ✏️ **쓰기가 쉬워지는 TIP**
>
> 우리말에서 형용사에 '-이', '-히'를 붙여 부사를 만드는 것처럼 영어에서도 형용사에 -ly를 붙여 부사를 만들어요. 하지만 영어는 명사에 -ly 를 붙여 형용사를 만들 수도 있으니 주의하세요. (→ 형용사와 부사의 형태 변화 p.150)

❻ 전치사   전치사는 명사나 대명사 앞에서 **시간, 장소, 방법 등을 나타낼 때** 써요.

I will visit my grandmother **on** Saturday. 나는 토요일에 나의 할머니를 방문할 것이다.

We arrived **at** the bus stop. 우리는 버스 정류장에 도착했다.

He cut the cake **with** a knife. 그는 칼로 케이크를 잘랐다.

> ✏️ **쓰기가 쉬워지는 TIP**
>
> 시간/장소 등을 나타낼 때 우리말은 조사 '~에/에서'가 똑같이 붙는 것과 달리 영어에서는 쓰임에 따라 형태가 다른 전치사를 쓰는 것에 주의하세요.
>
> 우리 세 시**에** / 토요일**에** / 1월**에** 만나자.
> Let's meet **at** 3 o'clock / **on** Saturday / **in** January.

❼ 접속사   접속사는 단어와 단어, 구와 구, 절과 절을 연결할 때 써요.

They have a dog **and** a cat. 그들은 개 한 마리와 고양이 한 마리를 기른다.

James reads books **or** plays soccer after school. James는 방과 후에 책을 읽거나 축구를 한다.

If it snows tomorrow, I'll stay home. 만약 내일 눈이 온다면, 나는 집에 머물 것이다.

> ✏️ **쓰기가 쉬워지는 TIP**
>
> 우리말은 주로 명사에 조사를 붙이거나 동사나 형용사의 어미를 바꿔 말과 말을 연결하지만, 영어에서는 상황과 의미에 적절한 접속사를 쓰는 것에 주의하세요.
>
> 나는 독일**이나** 프랑스로 여행을 갈 것이다.
> I'll travel to Germany **or** France.

❽ 감탄사   감탄사는 기쁨, 놀람, 슬픔과 같은 **다양한 감정을 표현하는 말**이에요.

Wow, his voice sounds amazing! 와, 그의 목소리는 놀랍게 들려!

2 문장의 성분 | 영어 문장을 만드는 재료

영어에는 문장을 만드는 재료로 **주어, 동사, 목적어, 보어, 수식어**가 있고, 이를 **문장의 성분**이라고 해요.

❶ 주어　주어는 동작이나 상태의 주체가 되는 말로, '누가, 무엇이'에 해당해요.

Nick wants to go to bed.　Nick은 자러 자기를 원한다.

❷ 동사　동사는 주어의 동작이나 상태를 나타내는 말로, '~하다, ~이다'에 해당해요.

I **received** many gifts from friends.　나는 친구들에게 많은 선물을 받았다.

　🖉 **쓰기가 쉬워지는 TIP**
우리말은 동사를 문장의 끝에 써요. 하지만 영어에서는 주로 주어 뒤에 써야 하고 반드시 문장의 끝에 오지 않을 수도 있어요.

❸ 목적어　목적어는 동작의 대상이 되는 말로, '무엇을'에 해당해요.

She cleaned **her room**.　그녀는 그녀의 방을 청소했다.
Dad gave **me a cup of water**.　아빠는 나에게 물 한 잔을 주셨다.

❹ 보어　보어는 주어나 목적어를 보충 설명하는 말로, 주어나 목적어의 성질, 특성, 상태 등을 나타내요.

The hat looked **small**.　<주격 보어>　그 모자는 작아 보였다.
The movie made me **sad**.　<목적격 보어>　그 영화는 나를 슬프게 만들었다.

　🖉 **쓰기가 쉬워지는 TIP**
우리말의 보어는 조사 '이/가'가 붙어 '-되다/아니다' 앞에 나오는 말이지만, 영어에서는 주로 동사 뒤나 목적어 뒤에 써야 해요.
소미는 **선생님**이 되었다.
Somi became **a teacher**.

❺ 수식어　수식어는 문장에서 반드시 필요하지는 않지만 다양한 위치에서 **문장에 여러 의미를 더해주는 역할**을 해요.

The **white** car is my mom's.　그 하얀 자동차는 나의 엄마의 것이다.
Paul and I studied **in the library**.　Paul과 나는 도서관에서 공부했다.

영어 문장은 크게 다음의 **다섯 가지 형식**으로 나눌 수 있어요.

1형식: 주어 + 동사

2형식: 주어 + 동사 + 주격 보어

3형식: 주어 + 동사 + 목적어

4형식: 주어 + 동사 + 간접 목적어 + 직접 목적어

5형식: 주어 + 동사 + 목적어 + 목적격 보어

❶ 1형식　　1형식은 **주어와 동사**만으로도 의미가 통하는 문장이에요. **수식어**가 함께 쓰이기도 해요.

<u>Sofia</u> <u>smiled</u>.　Sofia는 미소 지었다.
　주어　　동사

<u>He</u> <u>is eating</u> <u>at the café</u>.　그는 카페에서 식사하고 있다.
주어　　동사　　　수식어구

❷ 2형식　　2형식은 **주어, 동사**와 주어를 보충 설명하는 **주격 보어**를 가지는 문장이에요. **주격 보어** 자리에는 **명사**나 **형용사**를 쓸 수 있어요.

<u>Eric</u> <u>became</u> <u>a middle school student</u>.　Eric은 중학생이 되었다.
주어　　동사　　　주격 보어(명사)

<u>This pasta</u> <u>tastes</u> <u>good</u>.　이 파스타는 좋은 맛이 난다.
　주어　　　동사　주격 보어(형용사)

❸ 3형식　　3형식은 **주어, 동사**와 동작의 대상이 되는 **목적어**를 가지는 문장이다. **목적어** 자리에는 **(대)명사**를 쓸 수 있어요.

<u>Mr. Smith</u> <u>painted</u> <u>the wall</u>.　Smith씨는 벽을 페인트칠 했다.
　　주어　　　동사　　목적어(명사)

<u>She</u> <u>called</u> <u>me</u> last night.　그녀는 어젯밤에 나에게 전화했다.
주어　　동사　　목적어(대명사)

✏️ **쓰기가 쉬워지는 TIP**

우리말은 조사를 사용하여 문장의 어순을 자유롭게 쓸 수 있지만, 영어는 단어의 위치에 따라 역할이 바뀌니 어순을 지켜 써야 해요.

The dog ate my sandwich. 내 샌드위치를 그 개가 먹었다. (O)
My sandwich ate the dog. 내 샌드위치가 그 개를 먹었다. (X)

❹ 4형식　4형식은 **주어, 동사와 간접 목적어, 직접 목적어**를 가지는 문장이에요. 4형식 문장은 「주어 + 동사 + 직접 목적어 + 전치사(to/for/of) + 간접목적어」 형태의 3형식 문장으로 바꿔 쓸 수 있어요.

Sam lent Elizabeth an umbrella.　→　Sam lent an umbrella to Elizabeth.
　주어　　동사　　간접 목적어　　직접 목적어　　　　　　주어　　동사　　직접 목적어　　전치사　간접 목적어
Sam은 Elizabeth에게 우산을 빌려줬다.

Ms. Brown bought her daughter a necklace.　→　Ms. Brown bought a necklace for her daughter.
　　주어　　　동사　　　간접 목적어　　직접 목적어　　　　　　주어　　　동사　　　직접 목적어　　전치사　간접 목적어
Brown씨는 그녀의 딸에게 목걸이를 사줬다.

> ✏️ **쓰기가 쉬워지는 TIP**
>
> 우리말은 간접/직접 목적어의 어순이 바뀌어도 자연스럽지만, 영어의 4형식 문장에서는 정해진 어순으로 쓰지 않으면 의미가 어색해 질 수 있으니 주의하세요.
> My mom baked me cookies. 나의 엄마는 나에게 쿠키를 구워줬다. (O)
> My mom baked some cookies me. 나의 엄마는 쿠키에게 나를 구워줬다. (X)

❺ 5형식　5형식은 **주어, 동사, 목적어**와 목적어를 보충 설명하는 **목적격 보어**를 가지는 문장이에요. **목적격 보어 자리**에는 동사에 따라 **명사, 형용사**를 쓸 수 있어요. 명사 역할을 하는 **to부정사**나 **동사원형**, 형용사 역할을 하는 **분사**를 쓰기도 해요.

명사　　　They call their dog Milo. 그들은 그들의 개를 Milo라고 부른다.
　　　　　　　　주어　동사　　목적어　　목적격 보어

형용사　　She found the comic book funny. 그녀는 그 만화책이 재미있다고 생각했다.
　　　　　　　　주어　동사　　　목적어　　　　목적격 보어

to부정사　Mom told my little sister to sleep. 엄마는 나의 여동생에게 자라고 말하셨다.
　　　　　　　　주어　동사　　　목적어　　　　목적격 보어

동사원형　The movie made the audience cry. 그 영화는 관객을 울게 했다.
　　　　　　　　주어　　동사　　　목적어　　　목적격 보어

분사　　　Jessica had her bike fixed. Jessica는 그녀의 자전거를 수리되게 했다.
　　　　　　　　주어　동사　목적어　목적격 보어

> ✏️ **쓰기가 쉬워지는 TIP**
>
> 5형식 문장의 목적격 보어 자리에 형용사가 오면 우리말로는 '(목적어를) ~하게 -하다' 라는 의미로 해석되어 부사를 써야 할 것 같지만 보어 자리에 부사는 쓸 수 없으니 주의하세요.
> The mud made my shoes dirty. (O)
> The mud made my shoes dirtily. (X)

4 구와 절 | 말 덩어리

두 개 이상의 단어가 모여 하나의 의미를 나타내는 말 덩어리를 **구**나 **절**이라고 해요. **구**는 「주어 + 동사」를 포함하지 않고 **절**은 「주어 + 동사」를 포함해요. 구와 절은 문장에서 **명사, 형용사, 부사 역할**을 할 수 있어요.

❶ 명사 역할
명사 역할을 하는 명사구와 명사절은 문장 안에서 명사처럼 **주어, 목적어, 보어**로 쓰여요.

명사구 The tourists from Japan will gather in the square. <주어>
일본에서 온 관광객들은 광장에서 모일 것이다.

명사절 I think that you need to take a taxi. <목적어> 나는 네가 택시를 탈 필요가 있다고 생각한다.

❷ 형용사 역할
형용사 역할을 하는 형용사구와 형용사절은 형용사처럼 **(대)명사**를 꾸며요.

형용사구 The bag on the sofa belongs to me. 소파 위에 있는 가방은 나의 것이다.

형용사절 This is the book which Susan recommended. 이것은 Susan이 추천했던 책이다.

❸ 부사 역할
부사 역할을 하는 부사구와 부사절은 부사처럼 **동사, 형용사, 다른 부사, 또는 문장 전체**를 꾸며요.

부사구 They went to the park to take a walk. 그들은 산책을 하기 위해 공원에 갔다.

부사절 He was late for school because he woke up late. 그는 늦게 일어났기 때문에 학교에 지각했다.

CHAPTER

01

시제

⬡ **POINT 1**   현재시제, 과거시제, 미래시제

⬡ **POINT 2**   현재진행시제, 과거진행시제

⬡ **POINT 3**   현재완료시제의 형태

⬡ **POINT 4**   현재완료시제의 용법: 계속

⬡ **POINT 5**   현재완료시제의 용법: 경험

⬡ **POINT 6**   현재완료시제의 용법: 완료, 결과

기출문제 **풀고** 짝문제**로 마무리!**

우리말과 같도록 괄호 안의 말을 활용하여 문장을 완성하시오.

> 그는 어제 그의 친구와 함께 박물관을 방문했다. (visit, the museum)
>
> He _____ with his friend yesterday.

과거를 나타내는 표현(yesterday)이 쓰였고 '박물관을 방문했다'라는 의미이므로 과거의 동작을 나타내는 과거시제를 쓴다. 과거시제는 동사의 과거형으로 나타낸다.

정답: visited the museum

- 현재시제(~이다, ~하다)는 현재의 상태, 습관이나 반복되는 일, 일반적 사실을 나타내며, 동사의 현재형을 쓴다.
- 과거시제(~이었다, ~했다)는 과거의 동작이나 상태, 역사적 사실을 나타내며, 동사의 과거형을 쓴다. 이때, yesterday(어제), last month(지난달), two weeks ago(2주 전에), in 2010(2010년에) 등 과거를 나타내는 표현을 자주 함께 쓴다.
- 미래시제(~일 것이다, ~할 것이다)는 미래의 일을 나타내며, 「will + 동사원형」이나 「be going to + 동사원형」을 쓴다.

[1-5] 우리말과 같도록 괄호 안의 말을 알맞게 배열하시오.

1 그는 5년 전에 부산에서 살았다. (five years, Busan, lived in, ago)

= He _____.

2 Sue는 오늘 저녁에 그녀의 일기장에 쓰지 않을 것이다. (in her diary, write, this evening, won't)

= Sue _____.

3 나의 여동생과 나는 주말마다 도서관에 간다. (on, the library, go to, weekends)

= My sister and I _____.

4 Sandra는 어제 그녀의 개와 함께 달렸다. (her dog, yesterday, ran with)

= Sandra _____.

5 Jake는 곧 그의 숙제를 할 것이다. (soon, will, his homework, do)

= Jake _____.

[6-10] 우리말과 같도록 괄호 안의 말을 활용하여 문장을 완성하시오.

6 식물은 자라기 위해 빛과 물이 필요하다. (need, light and water)

= Plants _____ to grow.

7 내가 집에 도착했을 때 Tyler는 나에게 전화했다. (call, me)

= Tyler _____ when I arrived home.

8 나의 어머니는 매일 아침 사과를 드신다. (eat, an apple)

= My mother _____ every morning.

9 Rachel은 지난주에 그녀의 조부모님을 만났다. (meet, grandparents)

= Rachel _____ last week.

10 나는 아침 식사 후에 쿠키를 구울 것이다. (bake, cookies)

= I _____ after breakfast.

우리말과 같도록 괄호 안의 말을 활용하여 문장을 완성하시오.

희수와 수민이는 그들의 교실을 청소하고 있었다. (clean)

Heesu and Sumin _____ their classroom.

'청소하고 있었다'라는 의미이므로 과거의 특정시점에 진행되고 있던 동작을 나타내는 과거진행시제를 쓴다. 과거진행시제는 「was/were + V-ing」로 나타낸다.

정답: were cleaning

- 현재진행시제(~하고 있다, ~하는 중이다)는 지금 진행되고 있는 동작을 나타내며, 「am/is/are + V-ing」의 형태로 쓴다.
- 과거진행시제(~하고 있었다, ~하는 중이었다)는 과거의 특정 시점에 진행되고 있던 동작을 나타내며, 「was/were + V-ing」의 형태로 쓴다. 이때, at that time(그때), an hour ago(한 시간 전에) 등 과거의 특정 시점을 나타내는 표현을 자주 함께 쓴다.

[1-5] 우리말과 같도록 괄호 안의 말을 알맞게 배열하시오.

1 나의 오빠는 한 시간 전에 파스타를 만들고 있었다. (pasta, was, ago, making, an hour)

= My brother _____.

2 그녀는 그 시험을 위해 수학을 공부하고 있다. (math, is, for the exam, studying)

= She _____.

3 Janet은 그때 차를 마시고 있지 않았다. (that time, drinking, at, tea, wasn't)

= Janet _____.

4 Matt는 지금 그 춤을 연습하고 있니? (practicing, Matt, the dance, is)

= _____ now?

5 우리는 너의 생일 파티를 준비하고 있었다. (preparing for, were, your birthday party)

= We _____.

[6-10] 우리말과 같도록 괄호 안의 말을 활용하여 문장을 완성하시오.

6 그 영화가 끝났을 때 Chris는 울고 있었다. (cry)

= Chris _____ when the movie was over.

7 Mary는 그녀의 고양이의 사진들을 찍고 있다. (take, photos)

= Mary _____ of her cat.

8 그는 그의 친구들과 함께 축구를 하고 있다. (play, soccer)

= He _____ with his friends.

9 Aaron은 그때 운동하고 있었다. (exercise)

= Aaron _____ at that time.

10 선생님은 그 학생들의 에세이를 읽고 있다. (read, the student's essays)

= The teacher _____.

우리말과 같도록 괄호 안의 말을 활용하여 현재완료시제 문장을 완성하시오.

Donald는 전에 식물을 길러본 적이 있다. (grow)

Donald _____ plants before.

'전에 식물을 길러본 적이 있다'라는 의미이므로 과거에 발생한 일이 현재까지 영향을 미치고 있음을 나타내는 현재완료시제를 쓴다. 현재완료시제는 「have/has + p.p.」로 나타낸다.

정답: has grown

- 현재완료시제는 과거에 발생한 일이 현재까지 영향을 미치고 있음을 나타내며, 「have/has + p.p.」의 형태로 쓴다.
- 현재완료시제의 부정문은 「have/has + not + p.p.」의 형태로 쓴다.
- 현재완료시제의 의문문은 「Have/Has + 주어 + p.p. ~?」의 형태로 쓴다. 긍정의 대답은 「Yes, 주어 + have/has」로, 부정의 대답은 「No, 주어 + have/has + not」으로 쓴다.

[1-5] 우리말과 같도록 괄호 안의 말을 알맞게 배열하시오.

1 나는 스페인 음식을 먹어본 적이 있다. (eaten, Spanish food, have)

= I _____ .

2 그는 작년 이후로 일본에서 살아왔다. (lived, in Japan, has)

= He _____ since last year.

3 그들은 사생대회에서 우승한 적이 있니? (they, the drawing contest, won)

= Have _____ ?

4 우리는 오랜 시간 동안 서로를 보지 못해왔다. (seen, each other, haven't)

= We _____ for a long time.

5 너는 너의 컴퓨터에 있는 문제를 해결했니? (you, the problem, have, solved)

= _____ with your computer?

[6-10] 우리말과 같도록 괄호 안의 말을 활용하여 현재완료시제 문장을 완성하시오.

6 나는 전에 Joshua와 이야기해본 적이 있다. (talk, with)

= I _____ before.

7 그녀는 10년 동안 과학을 가르쳐왔다. (teach, science)

= She _____ for ten years.

8 나의 엄마는 아직 저녁 식사를 요리하지 않았다. (cook, dinner)

= My mom _____ yet.

9 Billy는 2020년 이후로 그 밴드의 구성원이었다. (be, a member)

= Billy _____ of the band since 2020.

10 Jessie는 그 가수의 목소리를 잊어본 적이 없다. (forget, the singer's voice)

= Jessie _____ .

● POINT4 현재완료시제의 용법: 계속

우리말과 같도록 괄호 안의 말을 활용하여 현재완료시제 문장을 완성하시오.

| Emma는 작년 이후로 발레를 배워왔다. (learn, ballet)
|
| Emma _____ last year.

'작년 이후로 발레를 배워왔다'라는 의미이므로 과거부터 현재까지 계속되는 일을 나타내는 현재완료시제를 쓴다. 현재완료시제는 「have/has + p.p.」로 나타내고, last year 앞에는 since(~ 이후로)를 쓴다.

정답: has learned ballet since

현재완료시제는 '~해왔다'라는 의미로 과거부터 현재까지 계속되는 일을 나타낼 수 있다. 이때, for(~ 동안), since(~ 이후로), how long(얼마나 오래) 등의 표현을 자주 함께 쓴다.

Dona **has been** sick *since* yesterday. Dona는 어제 이후로 아파왔다.
How long **have** you **studied** for the test? 너는 얼마나 오래 그 시험을 위해 공부해왔니?

[1-5] 현재완료시제를 이용하여 다음 두 문장을 한 문장으로 연결하시오.

1   I started to live in Daegu last month. I still live in Daegu.

→ I _____ last month.

2   The clerk began to work at the store three weeks ago. He still works at the store.

→ The clerk _____ three weeks.

3   Erin started to play the cello last year. She still plays the cello.

→ Erin _____ last year.

4   Jacob got a turtle seven years ago. He still has it.

→ Jacob _____ seven years.

5   Jane and I became friends five years ago. We are still friends.

→ Jane and I _____ five years.

[6-10] 우리말과 같도록 괄호 안의 말을 활용하여 현재완료시제 문장을 완성하시오.

6   나는 이 스마트폰을 2년 동안 사용해왔다. (use, this smartphone, two years)

= I _____.

7   Sarah는 오랜 시간 동안 그 배우를 좋아해왔다. (like, the actor, a long time)

= Sarah _____.

8   석유의 가격은 작년 이후로 상승해왔다. (increase, last year)

= The price of oil _____.

9   폭우는 어제 이후로 교통 문제를 초래해왔다. (cause, traffic problems, yesterday)

= The heavy rain _____.

10   Tom은 얼마나 오래 이 호텔에서 머물러왔니? (stay, at this hotel)

= _____

우리말과 같도록 괄호 안의 말을 활용하여 문장을 완성하시오.

그는 전에 인도 영화를 본 적이 있다. (watch, an Indian movie)

He _____ **before.**

'전에 인도 영화를 본 적이 있다'라는 의미이므로 과거부터 현재까지의 경험을 나타내는 현재완료시제를 쓴다.

정답: has watched an Indian movie

현재완료시제는 '~해본 적이 있다'라는 의미로 과거부터 현재까지의 경험을 나타낼 수 있다. 이때, once(한 번), ~ times(~번), ever(지금까지), never(결코 ~않다), before(전에) 등의 표현을 자주 함께 쓴다.

I have met Tom's sister *once*. 나는 Tom의 여동생을 한 번 만나본 적이 있다.
Have you *ever* **played** the guitar? 너는 기타를 쳐본 적이 있니?

[1-5] 우리말과 같도록 괄호 안의 말을 알맞게 배열하시오.

1 나는 전에 바다에서 돌고래를 본 적이 있다. (have, in the sea, before, dolphins, seen)

   = I _____.

2 그는 결코 낚시하러 가본 적이 없다. (never, gone fishing, has)

   = He _____.

3 Betty는 파리에 가본 적이 있니? (Betty, ever, Paris, been to)

   = Has _____?

4 나의 부모님은 그 산을 두 번 오른 적이 있다. (climbed, have, twice, the mountain)

   = My parents _____.

5 나의 사촌은 전에 그 아쿠아리움을 방문해본 적이 없다. (before, the aquarium, visited, hasn't)

   = My cousin _____.

[6-10] 우리말과 같도록 괄호 안의 말을 활용하여 현재완료시제 문장을 완성하시오

6 나는 결코 애완동물을 길러본 적이 없다. (never, have, a pet)

   = I _____.

7 Paul은 요가 수업을 들어본 적이 있다. (take, yoga lessons)

   = Paul _____.

8 우리는 그 노래를 한 번 들어본 적이 있다. (hear, the song)

   = We _____.

9 Karen은 전에 스케이트보드를 타본 적이 있다. (ride, a skateboard)

   = Karen _____.

10 너는 기후 변화에 대해 생각해본 적이 있니? (ever, think about)

   = _____ climate change?

POINT 6 현재완료시제의 용법: 완료, 결과

괄호 안의 말을 활용하여 현재완료시제 문장을 완성하시오.

나는 방금 Jack에게 나의 사진을 보냈다. (just, send)

I _____ my photos to Jack.

'방금 Jack에게 사진을 보냈다'라는 의미이므로 과거에 발생한 일이 현재에 완료되었음을 나타내는 현재완료시제를 쓴다. just(방금)는 have와 p.p. 사이에 쓴다.

정답: have just sent

- 현재완료시제는 '~했다'라는 의미로 과거에 발생하여 현재에 완료된 일을 나타낼 수 있다. 이때 just(방금), already(이미), yet(아직) 등의 표현을 자주 함께 쓴다.
- 현재완료시제는 '~했다 (지금은 ~이다)' 라는 의미로 과거에 발생한 일의 결과가 현재까지 영향을 미치고 있음을 나타낼 수도 있다.

TIP have/has gone to는 어디에 가서 지금은 여기에 없다는 결과를 나타내고, have/has been to는 어디에 가본 적이 있다는 경험을 나타낸다.

[1-5] 우리말과 같도록 괄호 안의 말을 알맞게 배열하시오.

1 나는 방금 나의 숙제를 끝냈다. (just, my homework, finished, have)

= I _____ .

2 유리는 호주에 갔다. (has, Australia, gone to)

= Yuri _____ .

3 나의 남동생은 이미 이 책을 읽었다. (this book, already, read, has)

= My brother _____ .

4 나는 방금 역에 도착했다. (arrived, at the station, just, have)

= I _____ .

5 그녀는 아직 그 편지를 쓰지 못했다. (the letter, yet, written, hasn't)

= She _____ .

[6-10] 우리말과 같도록 괄호 안의 말을 활용하여 현재완료시제 문장을 완성하시오.

6 Peter는 그리스에 가본 적이 있다. (be, Greece)

= Peter _____ .

7 Kelly는 그녀의 여행 가방을 잃어버렸다. (lose, her suitcase)

= Kelly _____ .

8 나는 아직 그 콘서트 입장권을 사지 않았다. (buy, the concert ticket)

= I _____ .

9 Ryan은 그의 고향을 떠났다. (leave, his hometown)

= Ryan _____ .

10 그는 이미 유명한 예술가가 되었다. (become, a famous artist)

= He _____ .

기출문제 풀고 짝문제로 마무리!

기출문제를 풀고 정답과 해설을 확인하세요. 짝문제를 풀면서 복습하고, 틀린 문제는 다시 틀리지 않도록 꼼꼼히 점검하세요.

주어진 단어 활용하여 영작하기
우리말과 같도록 괄호 안의 말을 활용하여 문장을 완성하시오.

기출문제 풀고

01 나는 학교에서 친구들이 많다. (have, many, at)

= I _____.

02 Charles는 공원에서 그의 개를 산책시키고 있다. (walk, in the park)

= Charles _____.

03 장영실은 1442년에 측우기를 발명했다. (invent, the rain gauge)

= Jang Youngsil _____
in 1442.

04 나의 아빠는 20년 동안 영어를 가르쳐왔다. (teach, English)

= _____
20 years.

05 그녀는 전에 우주 박물관을 방문해본 적이 있다. (visit, the space museum)

= She _____.

06 나는 작년에 초등학교를 졸업했다. (graduate, from elementary school)

= I _____
last year.

짝문제로 마무리

07 Joe는 역사 영화를 좋아한다. (historical films)

= Joe _____.

08 Tina는 그 식당에서 점심을 먹고 있다. (eat, at the restaurant)

= Tina _____.

09 베를린 장벽은 1989년에 무너졌다. (the Berlin Wall, come down)

= _____
in 1989.

10 Alice와 나는 2020년 이후로 서로를 알아왔다. (know, each other)

= Alice and I _____
2020.

11 William은 시험에서 한 번 떨어져본 적이 있다. (fail, the test)

= William _____.

12 나는 어제 Helen으로부터 선물을 받았다. (receive, a gift, from)

= I _____
yesterday.

틀린 부분 고쳐 쓰기
다음 글 또는 대화에서 어법상 틀린 부분을 바르게 고쳐 완전한 문장을 쓰시오.

| 기출문제 풀고 | 짝문제로 마무리 |

13

Have you ever grow a plant in your house? If you haven't, try it. Plants can clean the air and reduce your stress. Also, you'll feel happy when they grow well.

→ _____

_____

17

When I first went camping with my family, I wanted to remember the view. So I drew the birds and trees around me. Since then, I have draw many other things around me.

→ _____

_____

14

I saw some friends at the shopping mall yesterday. Edward was drinking a cup of juice. Alicia was looking around a clothing store. Emily and Ron are eating ice cream on a bench.

→ _____

_____

18

Who made the kitchen table dirty this morning? Alex was playing basketball outside. Rebecca is sleeping in her room. Were Alice and Nick eating in the kitchen? I think they made the table dirty.

→ _____

_____

15 고난도

A: What did you buy yesterday?
B: I bought a new game called *Shadow Country*.
A: It sounds fun. Can I try it sometime?
B: Sure. I lent you the game next week.

→ _____

_____

19 고난도

A: Why aren't you swimming?
B: I didn't bring my swimsuit.
A: Oh, I have an extra one in my room.
B: Really? May I borrow it?
A: Sure. I gave you the key.

→ _____

_____

16 고난도

A: You looked happy at the party.
B: It was a lot of fun.
A: It seemed like you had many good friends there.
B: I'll know most of them from school.

→ _____

_____

20 고난도

A: Your soup is delicious.
B: Thank you. I'm glad you like it.
A: Can you tell me your secret?
B: It's not a secret. I was always using fresh vegetables.

→ _____

_____

조건에 맞게 영작하기

우리말과 같도록 주어진 <조건>에 맞게 영작하시오.

기출문제 풀고	짝문제로 마무리

21

나는 내일 나의 방을 청소할 것이다.

— <조건> —
1. clean, tomorrow를 활용하시오.
2. 8단어로 쓰시오.

= _____

_____

22

그는 두 시간 전에 그 미술관에 있었다.

— <조건> —
1. in the art gallery, ago를 활용하시오.
2. 9단어로 쓰시오.

= _____

_____

23 고난도

그녀는 저녁에 그 야구 경기를 볼 것이다.

— <조건> —
1. watch, the baseball game을 활용하시오.
2. 9단어로 쓰시오.

= _____

_____

24 고난도

그는 아직 겨울 방학을 위한 그의 계획을 결정하지 않았다.

— <조건> —
1. 현재완료시제를 이용하시오.
2. decide on, plan for를 활용하시오.
3. 11단어로 쓰시오.

= _____

_____

25

그는 곧 일본어를 공부할 것이다.

— <조건> —
1. Japanese, soon을 활용하시오.
2. 7단어로 쓰시오.

= _____

_____

26

나의 언니는 3년 전에 간호사가 되었다.

— <조건> —
1. become, ago를 활용하시오.
2. 8단어로 쓰시오.

= _____

_____

27 고난도

나의 가족은 다음 여름에 남미로 여행할 것이다.

— <조건> —
1. travel to, South America를 활용하시오.
2. 9단어로 쓰시오.

= _____

_____

28 고난도

제주도에서 오는 비행기는 아직 공항에 도착하지 않았다.

— <조건> —
1. 현재완료시제를 이용하시오.
2. from Jejudo, arrive를 활용하시오.
3. 11단어로 쓰시오.

= _____

_____

기출문제를 풀었으면 채점한 후, 짝문제를 푸세요. ▶

그림 보고 영작하기

다음 그림을 보고 현재진행시제와 괄호 안의 말을 활용하여 문장을 완성하시오.

기출문제 풀고

29

They _____ to music. (listen)

30

She _____ on the sofa. (sleep)

짝문제로 마무리

31

They _____ in the park. (run)

32

He _____ for a bus. (wait)

기출문제를 풀었으면 채점한 후, 짝문제를 푸세요. ▶

두 문장을 한 문장으로 연결하기

현재완료시제를 이용하여 다음 두 문장을 한 문장으로 연결하시오.

기출문제 풀고

33

- David went to Germany.
- He isn't here now.

→ David _____.

34

- I began to learn Chinese two years ago.
- I still learn Chinese.

→ I _____ two years.

짝문제로 마무리

35

- Mina lost her earrings.
- She still can't find them.

→ Mina _____.

36

- We began to practice the violin five days ago.
- We still practice it.

→ We _____ five days.

기출문제를 풀었으면 채점한 후, 짝문제를 푸세요. ▶

CHAPTER 01 · 시제 해커스 쓰기 자신감 Level 2

보기에서 단어 골라 영작하기
주어진 우리말과 같도록 <보기>에서 알맞은 단어를 골라서 빈칸에 쓰시오. (<보기>의 단어는 중복 사용할 수 있고, 필요 시 단어의 형태를 바꾸시오.)

기출문제 풀고

<보기>

already	just	bake
come	yet	have

37 나는 아직 머핀을 굽지 않았다.

= I _____ not _____ the muffins _____.

38 나의 남동생은 이미 집에 돌아왔다.

= My brother _____ _____ _____ back home.

짝문제로 마무리

<보기>

call	just	already
wash	yet	have

39 그는 아직 그의 부모님께 전화하지 않았다.

= He _____ not _____ his parents _____.

40 Christina는 이미 설거지를 했다.

= Christina _____ _____ _____ the dishes.

기출문제를 풀었으면 채점한 후, 짝문제를 푸세요. ▶

표 보고 영작하기
다음 표를 보고 표에 나온 표현을 활용하여 현재완료시제 문장을 완성하시오.

기출문제 풀고

	Mijoo's Experiences	Yes/No
41	take a ship	Yes
42	play hockey	No
43	visit the museum	Yes

41 Mijoo _____ before.

42 Mijoo _____ before.

43 Mijoo _____ before.

짝문제로 마무리

	Junseo's Experiences	Yes/No
44	talk with a foreigner	Yes
45	have a party	No
46	swim in the ocean	Yes

44 Junseo _____ before.

45 Junseo _____ before.

46 Junseo _____ before.

기출문제를 풀었으면 채점한 후, 짝문제를 푸세요. ▶

CHAPTER

02

조동사

🔹 **POINT 1**   can, may

🔹 **POINT 2**   should, had better

🔹 **POINT 3**   must, have to

🔹 **POINT 4**   would like to, used to

기출문제 풀고 짝문제로 마무리!

우리말과 같도록 괄호 안의 말을 활용하여 문장을 완성하시오.

그녀는 매일 연습함으로써 중국어를 배울 수 있다. (learn)

She _____ Chinese by practicing every day.

'중국어를 배울 수 있다'라는 의미이므로 능력·가능(~할 수 있다)을 나타내는 can을 쓴다. can 뒤에는 동사원형을 쓴다.

정답: can learn

- can은 '~할 수 있다(능력·가능)', '~해도 된다(허가)', '~해주겠니?(요청)'라는 의미를 나타낼 때 쓴다. can이 있는 부정문은 「cannot[can't] + 동사원형」으로 쓰고, 의문문은 「Can + 주어 + 동사원형 ~?」으로 쓴다.
  TIP '~할 수 있다(능력·가능)'라는 의미의 can은 be able to로 바꿔 쓸 수 있다.
- may는 '~일지도 모른다(약한 추측)', '~해도 된다(허가)'라는 의미를 나타낼 때 쓴다. may가 있는 부정문은 「may not + 동사원형」으로 쓰고, 의문문은 「May + 주어 + 동사원형 ~?」으로 쓴다.

[1-5] 우리말과 같도록 괄호 안의 말을 알맞게 배열하시오.

1 소나무는 추운 날씨에서 자랄 수 있다. (grow, pine trees, can)

= _____ in cold weather.

2 내가 지금 휴식을 취해도 되니? (a break, may, take, I)

= _____ now?

3 그는 그 영어책을 읽을 수 있다. (is, he, read, to, able)

= _____ the English book.

4 나의 강아지를 돌봐주겠니? (you, can, take care of)

= _____ my puppy?

5 그 신발은 비싸지 않을지도 모른다. (expensive, not, be, may)

= The shoes _____ .

[6-10] 우리말과 같도록 can과 괄호 안의 말을 활용하여 문장을 완성하시오.

6 금붕어는 10년까지 살 수 있다. (live)

= Goldfish _____ up to ten years.

7 제가 이 선글라스를 써봐도 되나요? (try on)

= _____ these sunglasses?

8 그녀는 사과 파이를 만들 수 있다. (make, an apple pie)

= She _____ .

9 Brian은 플루트를 연주할 수 없다. (play, the flute)

=Brian _____ .

10 너는 여행함으로써 새로운 문화를 경험할 수 있다. (experience, new cultures)

= You _____ by traveling.

POINT 2 should, had better

우리말과 같도록 괄호 안의 말을 알맞게 배열하시오.

우리는 바닷가에 쓰레기를 두고 오면 안 된다. (trash, not, leave, should)

We _____ on the beach.

'쓰레기를 두고 오면 안 된다'라는 의미이므로 충고·의무(~해야 한다)를 나타내는 should를 쓴다. should가 있는 부정문은 「should + not + 동사원형」으로 쓴다.

정답: should not leave trash

- should는 '~해야 한다(충고·의무)'라는 의미를 나타낼 때 쓴다. should가 있는 부정문은 「should not[shouldn't] + 동사원형」으로 쓴다.
- had better는 '~하는 것이 낫다(강한 충고)'라는 의미를 나타낼 때 쓴다. had better가 있는 부정문은 「had better not + 동사원형」으로 쓴다.

[1-5] 우리말과 같도록 괄호 안의 말을 알맞게 배열하시오.

1 Billy는 일찍 일어나는 것이 낫다. (had, Billy, wake up, better)

= _____ early.

2 너는 우리의 약속을 기억해야 한다. (remember, should, our promise, you)

= _____

3 Helen은 매일 그녀의 약을 복용해야 한다. (Helen, take, should, her medicine)

= _____ every day.

4 너는 수업 도중에 친구와 잡담하면 안 된다. (with friends, you, chat, shouldn't)

= _____ during class.

5 너는 너의 고양이에게 초콜릿을 주지 않는 것이 낫다. (not, had, you, give, better)

= _____ chocolate to your cat.

[6-10] 우리말과 같도록 should와 괄호 안의 말을 활용하여 문장을 완성하시오.

6 너는 뜨거운 물을 마셔야 한다. (drink)

= _____ hot water.

7 그녀는 규칙적으로 운동해야 한다. (exercise)

= _____ regularly.

8 우리는 선생님의 조언을 잊으면 안 된다. (forget)

= _____ the teacher's advice.

9 너는 폭풍 때문에 실내에서 머물러야 한다. (stay)

= _____ indoors because of the storm.

10 Susan은 컴퓨터 게임들을 너무 오래 하면 안 된다. (play)

= _____ computer games too long.

POINT 3 must, have to

우리말과 같도록 괄호 안의 말을 알맞게 배열하시오.

너는 정기적으로 의사의 진찰을 받아야 한다. (see, to, have)

You _____ the doctor regularly.

'의사의 진찰을 받아야 한다'라는 의미이므로 의무(~해야 한다)를 나타내는 have to를 쓴다. have to 뒤에는 동사원형을 쓴다.

정답: have to see

- '~해야 한다(의무)'라는 의미를 나타낼 때는 must나 have/has to를 쓴다.

  TIP 의무를 나타내는 must의 과거형은 had to를 쓰고, 미래형은 will have to를 쓴다.

- must not은 '~하면 안 된다(강한 금지)'라는 의미이지만, don't/doesn't have to는 '~할 필요가 없다(불필요)'라는 의미이다.

[1-5] 우리말과 같도록 괄호 안의 말을 알맞게 배열하시오.

1 나는 면접을 위해 정장을 입어야 한다. (to, a suit, I, have, wear)

= _____ for an interview.

2 우리는 도서관에서 조용해야 한다. (must, quiet, we, be)

= _____ in the library.

3 Andrea는 나에게 도움을 요청해야 했다. (had, me, ask, Andrea, to)

= _____ for help.

4 너는 예약을 할 필요가 없다. (you, have, make, don't, to)

= _____ a reservation.

5 그녀는 그녀의 손님을 위한 식사를 준비해야 한다. (to, she, prepare, has)

= _____ a meal for her guest.

[6-10] 우리말과 같도록 have to와 괄호 안의 말을 활용하여 문장을 완성하시오.

6 Steve는 마지막 버스를 타야 한다. (take)

= _____ the last bus.

7 나는 어제 나의 집을 청소해야 했다. (clean)

= _____ my house yesterday.

8 너는 정오까지 역사 보고서를 끝내야 한다. (finish)

= _____ the history report by noon.

9 그는 그 책들을 오늘 반납할 필요가 없다. (return)

= _____ the books today.

10 너는 내일 너의 과제물을 제출해야 할 것이다. (submit)

= _____ your assignment tomorrow.

우리말과 같도록 괄호 안의 말을 알맞게 배열하시오.

나는 나의 꿈에 대해 이야기하기를 원한다. (talk, would, to, like)

I _____ about my dream.

'이야기하기를 원한다'라는 의미이므로 '~하기를 원하다'라는 의미를 나타내는 would like to를 쓴다. would like to 뒤에는 동사원형을 쓴다.

정답: would like to talk

- would like to는 '~하기를 원하다'라는 의미를 나타낼 때 쓴다.
- used to는 '~하곤 했다(과거의 반복적인 습관)', '전에는 ~이었다(과거의 상태)'라는 의미를 나타낼 때 쓴다.

[1-5] 우리말과 같도록 괄호 안의 말을 알맞게 배열하시오.

1 Sophia는 그 공원에서 달리곤 했다. (to, Sophia, used, run)

= _____ in the park.

2 전에는 이 건물에 은행이 있었다. (a bank, to, used, there, be)

= _____ in this building.

3 당신은 저희의 새로운 요리를 드셔보기를 원하시나요? (would, try, you, to, like)

= _____ our new dish?

4 우리는 그 파티에 참석하기를 원한다. (like, we, attend, to, would)

= _____ the party.

5 그의 고모는 전에는 인기 있는 가수였다. (used, be, to, his aunt)

= _____ a popular singer.

[6-10] 우리말과 같도록 would like to 또는 used to와 괄호 안의 말을 활용하여 문장을 완성하시오.

6 우리는 스페인에서 휴가를 보내기를 원한다. (spend)

= _____ our vacation in Spain.

7 전에는 Karen이 Philip보다 키가 더 컸다. (be)

= _____ taller than Philip.

8 나는 연설 대회에 참가하기를 원한다. (participate)

= _____ in the speech contest.

9 Tim은 매일 피아노를 연습하곤 했다. (practice)

= _____ piano every day.

10 당신은 이번 금요일에 미술관에 가기를 원하나요? (go)

= _____ to the gallery this Friday?

기출문제 풀고 짝문제로 마무리!

기출문제를 풀고 정답과 해설을 확인하세요. 짝문제를 풀면서 복습하고, 틀린 문제는 다시 틀리지 않도록 꼼꼼히 점검하세요.

주어진 단어 활용하여 영작하기
우리말과 같도록 <보기>의 조동사와 괄호 안의 말을 활용하여 문장을 완성하시오. (<보기>의 조동사는 중복 사용할 수 있고, 필요 시 단어의 형태를 바꾸시오.)

기출문제 풀고

<보기>

can   may   have to   used to

01 나는 수학 시험을 위해 열심히 공부해야 했다. (study, hard)

= I _____
for the math test.

02 올빼미는 밤에 잘 볼 수 있다. (see, well)

= Owls _____
at night.

03 Janet은 그 가수의 앨범에 흥미를 가질지도 모른다. (have, an interest)

= Janet _____
in the singer's album.

04 문을 잠가주겠니? (lock, the door)

= _____

05 Peter는 학교까지 걸어가곤 했다. (walk)

= Peter _____
to school.

06 수현이는 그 과학 보고서를 이해할 수 없다. (understand, the science report)

= Suhyun _____
_____.

짝문제로 마무리

<보기>

can   may   have to   used to

07 우리는 버스를 한 시간 동안 기다려야 했다. (wait, for an hour)

= We _____
for the bus.

08 곰은 그들의 체온을 조절할 수 있다. (control)

= Bears _____
their body temperature.

09 Henry는 그 식당의 새로운 후식을 좋아할지도 모른다. (like, the new dessert)

= Henry _____
at the restaurant.

10 창문을 닫아주겠니? (close, the window)

= _____

11 Sandra는 주말마다 영화를 보곤 했다. (watch)

= Sandra _____
movies on weekends.

12 민주는 그 과제의 주제를 기억할 수 없다. (remember, the topic)

= Minju _____
of the project.

기출문제를 풀었으면 채점한 후, **짝문제**를 푸세요. ▶

단어 배열하여 영작하기
우리말과 같도록 괄호 안의 말을 알맞게 배열하시오.

기출문제 풀고

13
Jenna는 Sean만큼 빠르게 달릴 수 있다. (run, to, is, able)

= Jenna _____
   as fast as Sean.

14
우리는 학급 규칙을 따라야 한다. (should, the classroom rules, follow, we)

= _____
  _____

15
당신은 이 조각상을 만지면 안 된다. (touch, can't, this statue, you)

= _____
  _____

16
그는 학교에서 예의 바르게 행동하는 것이 낫다. (well, had, he, behave, better)

= _____
   in school.

17
나는 Kevin과 Anna를 그 파티에 초대하기를 원한다. (like, invite, I, would, to)

= _____
   Kevin and Anna to the party.

18
우리는 비행기에서 안전벨트를 착용해야 한다. (seatbelts, we, wear, should)

= _____
   on the plane.

짝문제로 마무리

19
Nicole은 혼자서 이 퍼즐을 완성할 수 있다. (to, is, complete, able)

= Nicole _____
   this puzzle alone.

20
영화가 시작하기 전에 우리는 자리에 앉아야 한다. (our seats, we, take, should)

= _____
   before the movie starts.

21
당신은 그 가게의 제품의 사진을 찍으면 안 된다. (you, take, can't, a picture)

= _____
   of the store's products.

22
그녀는 일찍 잠자리에 드는 것이 낫다. (had, to, better, bed, go, she)

= _____
   early.

23
Jack은 이번 일요일에 쇼핑하러 가기를 원한다. (go shopping, would, to, Jack, like)

= _____
   this Sunday.

24
운전자들은 비 오는 날에 조심해야 한다. (should, drivers, careful, be)

= _____
   on rainy days.

기출문제를 풀었으면 채점한 후, 짝문제를 푸세요. ▶

틀린 부분 고쳐 쓰기
다음 문장에서 틀린 부분을 바르게 고쳐 완전한 문장을 쓰시오.

25
It's noisy outside, so I can't to fall asleep.
(바깥이 시끄러워서 나는 잠들 수 없다.)

→ _____

31
Can Jenny to finish the painting today?
(Jenny는 오늘 그 그림을 끝낼 수 있니?)

→ _____

26
Mary would like buy a new bed.
(Mary는 새 침대를 사기를 원한다.)

→ _____

32
Ryan would like look at the artwork.
(Ryan은 그 예술 작품을 보기를 원한다.)

→ _____

27
Nicholas had better got advice from his teacher.
(Nicholas는 그의 선생님으로부터 조언을 구하는 것이 낫다.)

→ _____

33
You had better spent more time with your parents.
(너는 부모님과 함께 더 많은 시간을 보내는 것이 낫다.)

→ _____

28 고난도
Lisa may be not from America.
(Lisa는 미국 출신이 아닐지도 모른다.)

→ _____

34 고난도
You may be not satisfied with the score.
(너는 그 점수에 만족스럽지 않을지도 모른다.)

→ _____

29 고난도
You had not better park your car here.
(너는 이곳에 너의 차를 주차하지 않는 것이 낫다.)

→ _____

35 고난도
He had not better drink too much juice.
(그는 너무 많은 주스를 마시지 않는 것이 낫다.)

→ _____

30
I used to getting up late in the past.
(나는 과거에 늦게 일어나곤 했다.)

→ _____
_____

36
There used to being a bookstore across from the school.
(전에는 학교 건너편에 서점이 있었다.)

→ _____

그림/표지판 보고 영작하기
다음 그림 또는 표지판을 보고 괄호 안의 말을 활용하여 문장을 완성하시오.

기출문제 풀고	짝문제로 마무리

37

You _____ .
(should, a coat)

39

You _____ .
(should, the radio)

38

You _____ here.
(must, eat food)

40

You _____ .
(must, use a cell phone)

기출문제를 풀었으면 채점한 후, 짝문제를 푸세요. ▶

대화 영작하기
다음 대화의 밑줄 친 우리말과 같도록 can 또는 should와 괄호 안의 말을 활용하여 문장을 완성하시오.

기출문제 풀고	짝문제로 마무리

41

A: I studied a lot for this test.
B: Do you have everything you need?
A: 나에게 지우개를 빌려주겠니? (lend)
B: Sure. I've got an extra one.

= _____ me an eraser?

43

A: I'm moving furniture.
B: Do you want some help?
A: 저 의자들을 옮겨주겠니? (move)
B: That won't be a problem.

= _____ those chairs?

42

A: Have you talked to Dave?
B: I heard he's in the hospital.
A: Yeah, he is. 우리는 그를 방문해야 해 to cheer him up. (visit)
B: That's a good idea.

= _____

44

A: Do you want to see a movie tonight?
B: I can't. I have to wake up early tomorrow.
A: You sometimes oversleep. 너는 알람을 맞춰야 해 to wake up early. (set, an alarm)
B: Yeah. I'll go to bed early, too.

= _____

기출문제를 풀었으면 채점한 후, 짝문제를 푸세요. ▶

조건에 맞게 영작하기
우리말과 같도록 주어진 <조건>에 맞게 영작하시오.

기출문제 풀고	짝문제로 마무리

45

제가 그 화장실을 사용해도 되나요?

―――――― <조건> ――――――
1. may, use를 활용하시오.
2. 5단어로 쓰시오.

= _____

46

너는 저녁 식사 전에 집에 와야 한다.

―――――― <조건> ――――――
1. should, come을 활용하시오.
2. 6단어로 쓰시오.

= _____
_____

47

제가 그 수프를 맛봐도 되나요?

―――――― <조건> ――――――
1. may, taste를 활용하시오.
2. 5단어로 쓰시오.

= _____

48

너는 지금 그 기차역으로 떠나야 한다.

―――――― <조건> ――――――
1. should, leave for를 활용하시오.
2. 8단어로 쓰시오.

= _____
_____

기출문제를 풀었으면 채점한 후, 짝문제를 푸세요. ▶

표 보고 영작하기
다음 표를 보고 have to와 표에 나온 표현을 활용하여 문장을 완성하시오.

기출문제 풀고	짝문제로 마무리

Kate가 할 일	James가 할 일
• wash the dishes	• bring in the laundry
• remove the empty bottles	• bake a pumpkin pie

49 [Kate가 해야 할 일]
(1) Kate _____ .
(2) Kate _____ .

50 [Kate가 할 필요가 없는 일]
(1) Kate _____
_____ .
(2) Kate _____
_____ .

Sarah가 할 일	Thomas가 할 일
• water the plants	• buy some milk
• clean the living room	• write a letter to Dad

51 [Thomas가 해야 할 일]
(1) Thomas _____ .
(2) Thomas _____ .

52 [Thomas가 할 필요가 없는 일]
(1) Thomas _____
_____ .
(2) Thomas _____
_____ .

기출문제를 풀었으면 채점한 후, 짝문제를 푸세요. ▶

CHAPTER

03

동사의 종류

🔹 **POINT 1**   감각동사

🔹 **POINT 2**   수여동사

🔹 **POINT 3**   목적격 보어로 명사나 형용사를 쓰는 동사

🔹 **POINT 4**   목적격 보어로 to부정사를 쓰는 동사

🔹 **POINT 5**   사역동사

🔹 **POINT 6**   지각동사

기출문제 풀고 짝문제로 마무리!

우리말과 같도록 괄호 안의 말을 활용하여 문장을 완성하시오.

그의 새로운 선생님은 친절해 보인다. (kind)

His new teacher _____.

'친절해 보인다'라는 의미이므로 '~하게 보이다'라는 의미의 감각동사 looks를 쓴다. 감각동사 뒤에는 주격 보어로 형용사를 쓴다.

정답: looks kind

- 감각동사 look, sound, smell, taste, feel은 뒤에 주격 보어가 와야 하며, 주격 보어로는 형용사만 쓴다.
  Your story sounds interesting. 너의 이야기는 흥미롭게 들린다.
- 감각동사 뒤에 명사가 오려면 「감각동사 + like + 명사」의 형태로 써야 한다.
  That man looks like your father. 저 남자는 너의 아버지처럼 보인다.

[1-5] 우리말과 같도록 괄호 안의 말을 알맞게 배열하시오.

1 바닷물은 짠 맛이 난다. (salty, the seawater, tastes)

   = _____

2 이 향수는 장미 같은 향이 난다. (smells, this perfume, roses, like)

   = _____

3 그 커피는 매우 뜨거워 보인다. (very, the coffee, hot, looks)

   = _____

4 수빈이는 그 영화를 보는 동안 슬프게 느꼈다. (sad, Subin, felt)

   = _____ while she watched the movie.

5 저 구름은 솜사탕처럼 보인다. (like, looks, that cloud, cotton candy)

   = _____

[6-10] 우리말과 같도록 괄호 안의 말을 활용하여 문장을 완성하시오.

6 그녀의 제안은 좋게 들린다. (good)

   = Her suggestion _____.

7 그 섬은 거북이처럼 보인다. (a turtle)

   = The island _____.

8 이 쿠키는 땅콩 같은 맛이 난다. (peanuts)

   = This cookie _____.

9 그 축구 선수는 피곤해 보였다. (tired)

   = The soccer player _____.

10 나는 중요한 사람처럼 느껴졌다. (an important person)

   = I _____.

우리말과 같도록 괄호 안의 말을 활용하여 문장을 완성하시오.

> 그녀는 Tim에게 가족 앨범을 보여주었다. (the family album)
>
> ## She showed _____.

> '~에게 -을 보여주다'라는 의미의 수여동사 show는 뒤에 「간접 목적어(~에게) + 직접 목적어(-을)」의 형태가 와야 하므로 showed 뒤에 Tim the family album을 쓴다. 또는 「직접 목적어(~을) + to + 간접 목적어(~에게)」의 형태인 the family album to Tim을 써도 된다.
>
> 정답: Tim the family album[the family album to Tim]

- 수여동사는 '~에게 -을 (해)주다'라는 의미를 나타내며, 「수여동사 + 간접 목적어(~에게) + 직접 목적어(~을)」의 형태로 쓴다.
  The teacher always **gives** *students useful advice*. 그 선생님은 항상 학생들에게 유익한 조언을 해준다.
- 수여동사는 「동사 + 직접 목적어(-을) + to/for/of + 간접 목적어(~에게)」의 형태로도 쓸 수 있다.

to를 쓰는 동사	give, lend, tell, show 등	for를 쓰는 동사	buy, make 등	of를 쓰는 동사	ask 등

The teacher always **gives** *useful advice* **to** *students*. 그 선생님은 항상 학생들에게 유익한 조언을 해준다.

[1-5] 우리말과 같도록 괄호 안의 말을 알맞게 배열하시오.

1 Betty는 Bruce에게 그녀의 걱정거리를 말했다. (her worries, told, Bruce)

= Betty _____.

2 그녀는 그녀의 아들에게 모자를 사줬다. (her son, for, a cap, bought)

= She _____.

3 나는 Roy에게 크리스마스 카드를 줬다. (to, gave, a Christmas card, Roy)

= I _____.

4 누군가가 나에게 은행까지 가는 길을 물어봤다. (me, asked, the way to the bank)

= Someone _____.

5 박 선생님은 학생들에게 한국 역사를 가르친다. (Korean history, students, teaches)

= Ms. Park _____.

[6-10] 우리말과 같도록 괄호 안의 말을 활용하여 빈칸에 쓰시오.

6 나는 너에게 수건을 가져다주겠다. (bring, a towel)

= I'll _____.

7 나는 그에게 나의 여권을 보여줬다. (show, my passport)

= I _____.

8 Sean은 그녀에게 꽃바구니를 보냈다. (send, a flower basket)

= Sean _____.

9 그 면접관은 나에게 몇 가지 질문을 했다. (ask, some questions)

= The interviewer _____.

10 Emily는 그녀의 친구에게 생일 선물을 줬다. (give, a birthday gift)

= Emily _____.

우리말과 같도록 괄호 안의 말을 활용하여 문장을 완성하시오.

아침 식사를 하는 것은 너를 건강하게 만들 것이다. (make, healthy)
Having breakfast will _____.

'너를 건강하게 만들 것이다'라는 의미이므로 동사 make 뒤에 「목적어(you) + 목적격 보어(healthy)」를 쓴다.

정답: make you healthy

- 「동사 + 목적어 + 목적격 보어」 형태의 문장에서 목적격 보어 자리에는 동사에 따라 명사, 형용사, to부정사, 동사원형 등을 쓸 수 있다.
- make, call 등의 동사는 목적격 보어로 명사를 쓰고, make, keep, find 등의 동사는 목적격 보어로 형용사를 쓴다.
  This movie **made** *her a top actress*. 이 영화는 그녀를 최고의 배우로 만들었다.
  The new container will **keep** *food warm*. 그 새로운 용기는 음식을 따뜻하게 유지할 것이다.

[1-5] 우리말과 같도록 괄호 안의 말을 알맞게 배열하시오.

1 너의 노래는 나를 행복하게 만들었다. (me, happy, made)

= Your song _____.

2 Joshua는 나의 조언을 도움이 된다고 생각했다. (found, helpful, my advice)

= Joshua _____.

3 Sarah는 항상 그녀의 책상을 정돈되게 유지한다. (tidy, keeps, her desk)

= Sarah always _____.

4 그는 창문을 열린 채로 두기를 원한다. (the window, open, leave)

= He wants to _____.

5 우리는 Michael을 대표로 선출했다. (elected, the leader, Michael)

= We _____.

[6-10] 우리말과 같도록 괄호 안의 말을 활용하여 문장을 완성하시오.

6 우리는 우리의 고양이를 Coco라고 부른다. (call, Coco)

= We _____.

7 그들은 그들의 딸을 Dorothy라고 이름을 지었다. (name, Dorothy)

= They _____.

8 많은 학생들이 과학 시험을 쉽다고 생각했다. (find, the science test)

= Many students _____.

9 너는 그 접시들을 건조하게 유지할 필요가 있다. (keep, the plates)

= You need to _____.

10 이 책은 그를 인기 있는 작가로 만들었다. (make, a popular writer)

= This book _____.

우리말과 같도록 괄호 안의 말을 알맞게 배열하시오.

엄마는 나에게 설거지를 하라고 말하셨다. (wash, me, told, to)

Mom _____ the dishes.

'나에게 설거지를 하라고 말하셨다'라는 의미이므로 동사 told 뒤에 「목적어(me) + 목적격 보어(to wash)」를 쓴다.

정답: told me to wash

tell, ask, allow, permit, advise, order, want, expect 등의 동사는 목적격 보어로 to부정사를 쓴다.
The host **asked** *the audience members to take* their seats. 진행자는 청중들에게 그들의 자리에 앉을 것을 요청했다.

TIP 목적격 보어에 부정의 의미가 있다면 to부정사 앞에 not을 쓴다.
He advised Nancy **not to eat** candy often. 그는 Nancy에게 사탕을 자주 먹지 말라고 조언했다.

[1-5] 우리말과 같도록 괄호 안의 말을 알맞게 배열하시오.

1 그들은 내가 휴식을 취하는 것을 허락했다. (me, allowed, take, to)

= They _____ a break.

2 우리는 방문객들이 이 방에 들어가는 것을 허용하지 않는다. (enter, don't, visitors, to, permit)

= We _____ this room.

3 그는 나에게 매일 달리라고 조언했다. (to, advised, run, me)

= He _____ every day.

4 경찰은 그에게 그의 차를 멈추라고 명령했다. (to, him, stop, ordered)

= The police _____ his car.

5 나는 그녀에게 회의에 늦지 않을 것을 요청할 것이다. (ask, be, her, to, not)

= I'll _____ late for the meeting.

[6-10] 우리말과 같도록 괄호 안의 말을 활용하여 문장을 완성하시오.

6 우리는 당신이 이곳에서 재미있게 보내기를 기대한다. (expect, have fun)

= We _____ here.

7 나는 그에게 메뉴를 보여줄 것을 요청했다. (ask, show)

= I _____ me the menu.

8 Jason은 그녀에게 소음을 내지 말라고 말했다. (tell, make noise)

= Jason _____.

9 나의 아빠는 내가 더 많은 야채를 먹기를 원하신다. (want, eat)

= My dad _____ more vegetables.

10 그들은 내가 내일 바깥에서 노는 것을 허락하지 않을 것이다. (allow, play)

= They _____ outside tomorrow.

우리말과 같도록 괄호 안의 말을 활용하여 문장을 완성하시오.

> 그 코미디 영화는 그가 웃게 했다. (make, laugh)
>
> **The comedy movie** _____.

'그가 웃게 했다'라는 의미이므로 사역동사 made 뒤에 「목적어(him) + 목적격 보어(laugh)」를 쓴다.

정답: made him laugh

사역동사 make, have, let은 '~가 -하게 하다'라는 의미를 나타내며, 목적격 보어로 동사원형을 쓴다.
Mom doesn't **let** _me hang_ out with friends late at night. 엄마는 내가 밤늦게 친구들과 놀게 허락하지 않으신다.

TIP help는 목적격 보어로 동사원형과 to부정사를 둘 다 쓸 수 있고, get은 목적격 보어로 to부정사만 쓸 수 있다.

[1-6] 우리말과 같도록 괄호 안의 말을 알맞게 배열하시오.

1 너의 엄마는 네가 커피를 마시게 허락하지 않을 것이다. (you, let, drink, won't)

= Your mom _____ coffee.

2 그의 연설은 청중을 울게 했다. (cry, the audience, made)

= His speech _____.

3 Judy는 내가 저 상자들을 나르는 것을 도왔다. (me, carry, helped)

= Judy _____ those boxes.

4 선생님은 그들이 그들의 에세이를 끝내게 했다. (got, to, them, finish)

= The teacher _____ their essays.

5 제가 우리 동아리의 새 회원을 소개하게 해주세요. (introduce, me, let)

= _____ the new member of our club.

6 선생님은 Eric이 그 책을 소리 내어 읽게 했다. (Eric, read, had)

= The teacher _____ the book aloud.

[7-11] 우리말과 같도록 괄호 안의 말을 활용하여 문장을 완성하시오.

7 나의 아빠는 내가 두꺼운 코트를 입게 했다. (get, wear)

= My dad _____ a heavy coat.

8 Jones씨는 그들이 컴퓨터를 수리하게 할 것이다. (have, repair)

= Mr. Jones _____ the computer.

9 따뜻한 목욕은 네가 기분이 더 좋아지게 할 것이다. (make, feel)

= A warm bath _____ better.

10 나의 부모님은 내가 게임을 아주 오래 하게 허락하지 않으신다. (let, play)

= My parents _____ games for very long.

11 Grace는 내가 그 시를 이해하는 것을 도왔다. (help, understand)

= Grace _____ the poem.

 **POINT 6** 지각동사

우리말과 같도록 괄호 안의 말을 알맞게 배열하시오.

> 나는 나의 친구가 전화 통화하는 것을 봤다. (my friend, saw, talk)
>
> I _____ **on the phone.**

'나의 친구가 전화 통화하는 것을 봤다'라는 의미이므로 지각동사 saw 뒤에 「목적어(my friend) + 목적격 보어(talk)」를 쓴다.

정답: saw my friend talk

see, hear, smell, feel 등의 지각동사는 '~가 -하는 것을 보다/듣다/냄새 맡다/느끼다'라는 의미를 나타내며, 목적격 보어로 동사원형 또는 V-ing형을 쓴다. 목적격 보어로 V-ing형을 쓰면 진행 중인 동작이 강조된다.
We **heard** *Jessica speaking* on the street. 우리는 Jessica가 거리에서 연설하고 있는 것을 들었다.

[1–12] 우리말과 같도록 괄호 안의 말을 알맞게 배열하시오.

1 Emma는 그 아기가 자는 것을 봤다. (the baby, sleep, watched)

= Emma _____ .

2 나는 땀이 나의 얼굴을 따라 흐르고 있는 것을 느꼈다. (running, felt, the sweat)

= I _____ down my face.

3 너는 누군가가 위층에서 걷고 있는 것을 들을 수 있니? (someone, hear, walking)

= Can you _____ upstairs?

4 나는 바깥에서 나무들이 타고 있는 것을 냄새 맡았다. (burning, smelled, trees)

= I _____ outside.

5 나는 그 고양이가 침대 아래에 숨는 것을 봤다. (the cat, saw, hide)

= I _____ under the bed.

6 학생들은 Mark가 피아노를 연주하는 것을 들었다. (play, listened to, Mark)

= The students _____ the piano.

7 나는 네가 현수와 이야기하고 있는 것을 봤다. (you, talking, saw)

= I _____ with Hyunsu.

8 나는 Ashley가 나의 이름을 큰 소리로 부르는 것을 들었다. (Ashley, heard, shout)

= I _____ out my name.

9 Gary는 수프가 요리되고 있는 것을 냄새 맡았다. (smelled, cooking, the soup)

= Gary _____ .

10 그들은 내가 그 노래를 부르는 것을 들었다. (sing, listened to, me)

= They _____ the song.

11 우리는 어젯밤에 우리의 집이 흔들리는 것을 느꼈다. (our house, shake, felt)

= We _____ last night.

12 Lisa의 가족은 그녀가 자전거를 타는 것을 봤다. (ride, her, watched)

= Lisa's family _____ the bike.

기출문제 풀고 짝문제로 마무리!

기출문제를 풀고 정답과 해설을 확인하세요. 짝문제를 풀면서 복습하고, 틀린 문제는 다시 틀리지 않도록 꼼꼼히 점검하세요.

주어진 단어 활용하여 영작하기
우리말과 같도록 괄호 안의 말을 활용하여 문장을 완성하시오.

기출문제 풀고	짝문제로 마무리

01 그의 반 친구들은 그를 천재라고 부른다. (call, a genius)

= His classmates _____.

07 그 경연대회는 그녀를 유명한 가수로 만들었다. (make, a famous singer)

= The contest _____.

02 그녀는 나에게 그녀의 헤드폰을 빌려줬다. (lend, headphones)

= She _____

_____.

08 저에게 당신의 입장권을 보여주세요. (show, ticket)

= Please _____

_____.

03 고객들은 그 점원이 친절하다고 생각했다. (find, the clerk)

= The customers _____.

09 이 가방은 너의 도시락을 신선하게 유지해줄 것이다. (keep, lunch)

= This bag _____.

04 나는 나의 삼촌이 그의 자동차를 닦는 것을 봤다. (see, wash)

= I _____

_____.

10 우리는 Laura가 신문을 읽는 것을 봤다. (see, read)

= We _____

_____.

05 Helen은 그 화가가 그녀를 그리게 했다. (get, the painter, draw)

= Helen _____

_____.

11 Ronald는 내가 나의 숙제를 하는 것을 도왔다. (help, homework)

= Ronald _____

_____.

06 나의 부모님은 나에게 기말고사를 위해 열심히 공부하라고 말하셨다. (tell, study hard)

= My parents _____

_____ for the final exam.

12 선생님은 그 학생들에게 수업이 끝난 후 그 공들을 주우라고 지시했다. (order, pick up)

= The teacher _____

_____ after class.

기출문제를 풀었으면 채점한 후, 짝문제를 푸세요. ▶

단어 배열하여 영작하기

우리말과 같도록 괄호 안의 말을 알맞게 배열하시오.

기출문제를 풀고

13 나는 오늘 아침에 일어났을 때 아프게 느꼈다.
(sick, felt, I)

= _____ when I woke
up this morning.

14 그의 할머니는 이번 겨울에 그에게 목도리를
만들어줄 것이다. (him, make, will, a muffler)

= His grandma _____
this winter.

15 Evelyn은 그녀의 딸이 잠들게 하려고 노력했다.
(make, fall asleep, her daughter)

= Evelyn tried to _____
_____ .

16 사람들은 이 꽃을 라일락이라고 부른다. (call,
lilac, people, this flower)

= _____
_____

17 나의 남동생은 침대를 더럽게 만들었다. (the
bed, made, my little brother, dirty)

= _____
_____

18 그들은 방문객들이 미술관에서 사진을 찍는 것을
허락하지 않는다. (don't, photos, they, visitors,
to, allow, take)

= _____
in the gallery.

작문제로 마무리

19 Tom은 숲 속에 있을 때 행복해 보였다. (looked,
Tom, happy)

= _____ when he was
in the forest.

20 David는 나에게 그의 장래의 꿈을 말해줬다. (his
dreams, told, me)

= David _____
for the future.

21 너는 치과의사가 너의 치아를 살펴보게 해야 한다.
(look at, a dentist, your teeth, have)

= You should _____
_____ .

22 다년간의 연습은 그를 위대한 예술가로 만들었다.
(him, made, a great artist, years of practice)

= _____
_____

23 우리는 이 소파가 편안하다고 생각했다.
(comfortable, we, this sofa, found)

= _____
_____

24 우리는 네가 공공장소에서 예의 바르게
행동하기를 기대한다. (expect, to, we, behave
well, you)

= _____
in public places.

기출문제를 풀었으면 채점한 후, 작문제를 푸세요. ▶

CHAPTER 03 동사의 종류 해커스 쓰기 지성남 Level 2

틀린 부분 고쳐 쓰기

다음 ⓐ~ⓔ 중 어법상 틀린 것의 기호를 쓰고 틀린 부분을 바르게 고쳐 완전한 문장을 쓰시오.

25 고난도
> ⓐ This blanket kept me warmly.
> ⓑ James saw her catch a taxi.
> ⓒ We asked him to come to the party.
> ⓓ She let me buy the black dress.
> ⓔ I heard a bee to fly near my ear.

(1) _____ → _____

_____

(2) _____ → _____

_____

26
> ⓐ My juice tastes strawberries.
> ⓑ The night sky looks beautiful.
> ⓒ Mom wants to keep our house clean.
> ⓓ Ms. Green gave a piece of cake for me.
> ⓔ He advised her to go to bed early.

(1) _____ → _____

_____

(2) _____ → _____

_____

27 고난도
> ⓐ She told me to take a bus.
> ⓑ I felt someone touch my back.
> ⓒ My teacher let me to go home early.
> ⓓ Dad made me drink a cup of milk after school.
> ⓔ The manager asked people wait in line.

(1) _____ → _____

_____

(2) _____ → _____

_____

28 고난도
> ⓐ I told her to arrive on time.
> ⓑ My lies made them angrily.
> ⓒ He made me study last night.
> ⓓ They saw him lock the door.
> ⓔ We smelled the chef to fry chicken.

(1) _____ → _____

_____

(2) _____ → _____

_____

29
> ⓐ Your holiday plans sound exciting.
> ⓑ This pasta smells cheese.
> ⓒ Adam and I bought a watch to Amy.
> ⓓ The story about the war made me sad.
> ⓔ Dad allowed me to hang out with them.

(1) _____ → _____

_____

(2) _____ → _____

_____

30 고난도
> ⓐ Nancy will have him to cut her hair.
> ⓑ Teresa made her son sit at his desk.
> ⓒ Carl wants her apologize to him.
> ⓓ Mr. Lee told us to focus on the class.
> ⓔ Did you hear someone knocking on the door last night?

(1) _____ → _____

_____

(2) _____ → _____

_____

기출문제를 풀었으면 채점한 후, 짝문제를 푸세요. ▶

그림 보고 영작하기

다음 그림을 보고 괄호 안의 말을 활용하여 문장을 완성하시오. (단, 과거시제로 쓰시오.)

| 기출문제 풀고 | 짝문제로 마무리 |

31

Brian _____

_____. (see, walk the dog)

32

Mirae _____

_____. (hear, ring)

33

Angela _____

_____. (watch, feed the birds)

34

Minsu _____

_____. (listen to, beat the drum)

기출문제를 풀었으면 채점한 후, 짝문제를 푸세요. ▶

두 문장을 한 문장으로 연결하기

<보기>와 같이 다음 두 문장을 한 문장으로 연결하시오.

기출문제 풀고

— <보기> —
I watched Scott. He was acting on the stage.
→ I *watched Scott act[acting] on the stage*.

35

He watched Sean and Ann. They were playing tennis.

→ He _____.

36

I went camping with Paul. Mom allowed me to do it.

→ Mom _____.

기출문제를 풀었으면 채점한 후, 짝문제를 푸세요. ▶

짝문제로 마무리

— <보기> —
I watched Scott. He was acting on the stage.
→ I *watched Scott act[acting] on the stage*.

37

She saw the kids. They were swimming in the pool.

→ She _____.

38

Sandra bought some eggs. Her dad told her to do it.

→ Sandra's dad _____.

조건에 맞게 영작하기
우리말과 같도록 주어진 <조건>에 맞게 영작하시오.

기출문제 풀고	짝문제로 마무리

39

나의 할아버지는 나에게 그 사다리를 잡아달라고 말하셨다.

―――――<조건>―――――
1. tell, hold, ladder를 활용하시오.
2. 8단어로 쓰시오.

= _____

_____

40 _{고난도}

우리는 그들이 그들의 차량을 여기에 주차하는 것을 허락한다.

―――――<조건>―――――
1. allow, vehicles를 활용하시오.
2. 8단어로 쓰시오.

= _____

_____

41

그 의사는 그에게 규칙적으로 운동하라고 조언했다.

―――――<조건>―――――
1. advise, exercise, regularly를 활용하시오.
2. 7단어로 쓰시오.

= _____

_____

42 _{고난도}

Jane은 그에게 그녀와 함께 그 콘서트에 갈 것을 요청했다.

―――――<조건>―――――
1. ask, concert를 활용하시오.
2. 10단어로 쓰시오.

= _____

_____

기출문제를 풀었으면 채점한 후, 짝문제를 푸세요. ▶

빈칸 완성하기
다음 대화의 내용과 일치하도록 빈칸에 알맞은 말을 쓰시오.

기출문제 풀고	짝문제로 마무리

43

Rachel: Dad, may I watch a movie this weekend?
Dad: Sure. What movie?

→ Rachel's dad will let her _____ _____ _____ this weekend.

44

Aaron: Kelly, what should I do on Mother's Day?
Kelly: How about writing a letter to Mom?

→ Kelly told Aaron _____ _____ _____ _____ to Mom.

45

Steven: Mom, can I go skiing with my friends?
Mom: Sorry, but you'd better stay inside.

→ Steven's mom won't let him _____ _____ with his friends.

46

Louis: Alice, you look busy. Do you want some help?
Alice: Yes. Can you move those chairs?

→ Alice wants Louis _____ _____ _____ _____ .

기출문제를 풀었으면 채점한 후, 짝문제를 푸세요. ▶

CHAPTER
04

수동태

- 🔹 **POINT 1** 수동태 문장 만드는 법
- 🔹 **POINT 2** 수동태의 시제
- 🔹 **POINT 3** 수동태의 부정문과 의문문
- 🔹 **POINT 4** by 이외의 전치사를 쓰는 수동태

기출문제 풀고 짝문제로 마무리!

POINT 1 수동태 문장 만드는 법

다음 능동태 문장을 수동태로 바꿔 쓰시오.

My uncle repaired the chairs.

→ **The chairs** _____
my uncle.

능동태 동사 repaired를 「be동사 + p.p.」의 형태로 바꾸는데, 수동태의 주어(The chairs)가 복수이고 능동태의 시제가 과거시제이므로 were repaired를 쓴다. 문장 뒤로 보내진 능동태의 주어(my uncle) 앞에는 by를 쓴다.

정답: were repaired by
해석: 나의 삼촌은 그 의자들을 수리했다.
  → 그 의자들은 나의 삼촌에 의해 수리되었다.

'~되다/해지다, 당하다'라는 의미를 나타낼 때는 수동태 「be동사 + p.p.」를 쓴다. 수동태 문장을 만드는 법은 다음과 같다.

③ ② ①
We use a laptop. 우리는 노트북을 사용한다.

A laptop is used by us. 노트북이 우리에 의해 사용된다.

① 능동태의 목적어를 주격으로 바꿔 수동태의 주어로 쓴다.
② 능동태의 동사를 「be동사 + p.p.」의 형태로 바꾼다. 이때, be동사는 수동태 주어의 인칭과 수에 일치시키고, 능동태의 시제를 그대로 쓴다.
③ 능동태의 주어를 「by + 목적격」의 형태로 바꾼다.

TIP 행위자가 일반인이거나 중요하지 않을 때에는 「by + 목적격」을 생략할 수 있다.

[1-5] 다음 능동태 문장을 수동태로 바꿔 쓰시오.

1 Carol broke the window. → _____

2 Justin wrote the poems. → _____

3 The chef cooked this pizza. → _____

4 Many people visit the museum. → _____

5 My brother made this model car. → _____

[6-11] 우리말과 같도록 괄호 안의 말을 알맞게 배열하시오.

6 영어는 호주에서 말해진다. (is, spoken, English)
= _____ in Australia.

7 주현이는 그녀의 친구들에 의해 사랑받는다. (loved, her friends, is, by, Juhyun)
= _____

8 그녀의 앨범은 지난달에 발매되었다. (released, her album, was)
= _____ last month.

9 이 편지는 Daniel에 의해 보내졌다. (was, Daniel, this letter, by, sent)
= _____

10 그 옷 가게는 월요일마다 문이 닫힌다. (the clothing store, closed, is)
= _____ on Mondays.

11 배터리들이 그 공장에서 생산된다. (produced, batteries, are)
= _____ in the factory.

다음 능동태 문장을 수동태로 바꿔 쓰시오.

Van Gogh painted *The Starry Night*.

→ ***The Starry Night*** _____
by Van Gogh.

능동태 동사 painted를 「be동사 + p.p.」의 형태로 바꾸는데, 수동태의 주어(*The Starry Night*)가 단수이고 능동태의 시제가 과거시제이므로 was painted를 쓴다.

정답: was painted
해석: 반 고흐는 '별이 빛나는 밤'을 그렸다.
→ '별이 빛나는 밤'은 반 고흐에 의해 그려졌다.

수동태의 현재시제는 「am/is/are + p.p.」로, 과거시제는 「was/were + p.p.」로, 미래시제는 「will be + p.p.」의 형태로 쓴다.
This comic book **is read** by children. <현재시제> 이 만화책은 어린이들에 의해 읽힌다.
Some milk **was spilled** by her. <과거시제> 약간의 우유가 그녀에 의해 엎질러졌다.
My cat **will be washed** by Dad. <미래시제> 나의 고양이는 아빠에 의해 씻겨질 것이다. * 수동태 문장에서도 will/can/must 등의 조동사가 올 수 있으며, 「조동사 + be + p.p.」의 형태로 쓴다.

[1-5] 우리말과 같도록 괄호 안의 말을 알맞게 배열하시오.

1 나의 인형들은 그 상자 안으로 넣어졌다. (put, my dolls, into the box, were)

= _____

2 이 컴퓨터는 그 학생들에 의해 사용된다. (the students, is, this computer, by, used)

= _____

3 Hill 박사님의 책은 2000년에 출판되었다. (was, Dr. Hill's book, published)

= _____ in 2000.

4 이 한복은 유명한 배우에 의해 입어졌다. (a famous actor, this hanbok, by, worn, was)

= _____

5 그 밴드의 콘서트는 다음 토요일에 열릴 것이다. (be, will, the band's concert, held)

= _____ next Saturday.

[6-10] 우리말과 같도록 괄호 안의 말을 활용하여 문장을 완성하시오.

6 나의 스마트폰은 어제 수리되었다. (my smartphone, fix)

= _____ yesterday.

7 많은 물고기들이 이 강에서 잡힌다. (many fish, catch)

= _____ in this river.

8 새로운 다리는 내년에 지어질 것이다. (the new bridge, build)

= _____ next year.

9 이 사진 액자는 Joshua에 의해 구입되었다. (this picture frame, buy)

= _____

10 고구마들이 그 농부에 의해 재배된다. (sweet potatoes, grow)

= _____

POINT 3 수동태의 부정문과 의문문

우리말과 같도록 괄호 안의 말을 알맞게 배열하시오.

바닥은 언제 Mary에 의해 쓸렸니? (swept, when, the floor, was)

_____ **by Mary?**

'바닥은 언제 쓸렸니?'라는 의미의 수동태 의문문이므로, 「의문사(When) + be동사(was) + 주어(the floor) + p.p.(swept)」를 쓴다.

정답: When was the floor swept

수동태의 부정문은 「be동사 + not + p.p.」의 형태로 쓰고, 의문문은 「(의문사 +) be동사 + 주어 + p.p. ~?」의 형태로 쓴다. 단, 미래시제 수동태의 부정문은 「will not[won't] be + p.p.」의 형태로 쓰고, 의문문은 「(의문사 +) will + 주어 + be + p.p. ~?」의 형태로 쓴다.

The cake **wasn't[was not] baked** by me. 그 케이크는 나에 의해 구워지지 않았다.
When was the vase **broken**? 그 꽃병은 언제 깨졌니?
Will their dog **be walked** this evening? 그들의 개는 오늘 저녁에 산책시켜질 것이니?

[1-5] 우리말과 같도록 괄호 안의 말을 알맞게 배열하시오.

1 그 문은 Linda에 의해 잠기지 않았다. (locked, Linda, the door, by, wasn't)

= _____

2 이 로봇은 어떻게 만들어졌니? (this robot, how, made, was)

= _____

3 그 크리스마스 트리는 Kate에 의해 장식되었니? (by, decorated, the Christmas tree, Kate, was)

= _____

4 책상 위에 있는 사진은 James에 의해 찍히지 않았다. (taken, James, the photo on the desk, by, wasn't)

= _____

5 교실 벽은 언제 페인트칠 될 것이니? (will, when, painted, the classroom walls, be)

= _____

[6-10] 우리말과 같도록 괄호 안의 말을 활용하여 문장을 완성하시오.

6 너의 지갑은 어디에서 발견되었니? (your wallet, find)

= _____

7 나의 방은 매일 청소되지 않는다. (my room, clean)

= _____ every day.

8 그녀의 초상화는 Joseph에 의해 그려졌니? (her portrait, draw)

= _____

9 그의 자동차는 그의 집 앞에 주차되지 않았다. (his car, park)

= _____ in front of his house.

10 이 나무들은 나의 부모님에 의해 심어지지 않았다. (these trees, plant)

= _____

POINT 4 by 이외의 전치사를 쓰는 수동태

우리말과 같도록 괄호 안의 말을 활용하여 문장을 완성하시오.

그 병은 물로 가득 차 있었다. (fill)

The bottle _____ water.

'물로 가득 차 있었다'라는 의미이므로 was filled with 를 쓴다.

정답: was filled with

다음 수동태는 「be동사 + p.p.」 뒤에 by 이외의 전치사를 쓴다.

be interested in ~에 흥미가 있다	be disappointed with[by] ~에 실망하다	be pleased with ~에 기뻐하다
be filled with ~으로 가득 차 있다	be known to ~에게 알려져 있다	be crowded with ~로 붐비다
be covered with ~으로 덮여 있다	be known for ~으로 유명하다	be made of ~으로 만들어지다(재료의 성질이 변하지 않음)
be satisfied with ~에 만족하다	be known as ~으로서 알려져 있다	be made from ~으로 만들어지다(재료의 성질이 변함)

[1-5] 우리말과 같도록 괄호 안의 말을 알맞게 배열하시오.

1 Taylor씨는 좋은 선생님으로 알려져 있다. (as, a good teacher, known, is)

= Mr. Taylor _____ .

2 Anna는 프랑스 영화에 흥미가 있다. (interested, French films, in, is)

= Anna _____ .

3 이 잼은 딸기로 만들어진다. (is, from, strawberries, made)

= This jam _____ .

4 Judy는 그녀의 성적에 기뻐했다. (delighted, was, her grades, with)

= Judy _____ .

5 그 집의 지붕은 눈으로 덮여 있었다. (covered, snow, with, was)

= The roof of the house _____ .

[6-10] 우리말과 같도록 괄호 안의 말을 활용하여 문장을 완성하시오.

6 이 수건은 면으로 만들어진다. (cotton)

= This towel _____ .

7 Kevin은 그 경기의 결과에 실망했다. (the result of the game)

= Kevin _____ .

8 불고기는 많은 외국인들에게 알려져 있다. (a lot of foreigners)

= Bulgogi _____ .

9 Sam은 그 신발의 가격에 놀랐다. (the price of the shoes)

= Sam _____ .

10 우리는 우리의 노래 공연에 만족한다. (our singing performance)

= We _____ .

기출문제 풀고 짝문제로 마무리!

기출문제를 풀고 정답과 해설을 확인하세요. 짝문제를 풀면서 복습하고, 틀린 문제는 다시 틀리지 않도록 꼼꼼히 점검하세요.

문장 바꿔 쓰기
다음 능동태 문장을 수동태로 바꿔 쓰시오.

기출문제 풀고

01 She purchased the artwork.

→ _____

02 Did he chop the meat?

→ _____

03 My dad feeds the chicks.

→ _____

04 They didn't ignore your opinion.

→ _____

05 A local guide will lead the tourists.

→ _____

06 Taehun paid the price of the ticket.

→ _____

07 Antonio Meucci invented the telephone.

→ _____

짝문제로 마무리

08 He discovered the treasure.

→ _____

09 Did you open the can of peaches?

→ _____

10 Many students respect the principal.

→ _____

11 My dog didn't bite Bobby.

→ _____

12 We will greet all the guests.

→ _____

13 Minju ordered this cheesecake.

→ _____

14 Stan Lee created many Marvel characters.

→ _____

기출문제를 풀었으면 채점한 후, 짝문제를 푸세요. ▶

주어진 단어 활용하여 영작하기
우리말과 같도록 괄호 안의 말을 활용하여 수동태 문장을 완성하시오.

기출문제 풀고	작문제로 마무리

15 너의 여행 가방은 어디에서 도난당했니? (your suitcase, steal)

= _____

16 그 축제는 나쁜 날씨 때문에 취소되었다. (the festival, cancel)

= _____
due to bad weather.

17 그의 영화는 많은 사람들에 의해 관람되지 않았다. (his movie, watch, many people)

= _____

18 Jack의 옷장은 청바지로 가득 차 있다. (Jack's closet, blue jeans)

= _____

19 많은 골동품들이 벼룩시장에서 팔린다. (many antiques, sell)

= _____
at the flea market.

20 부정확한 정보는 편집자에 의해 삭제될 것이다. (the incorrect information, delete, the editor)

= _____

21 그녀의 엽서는 언제 배달되었니? (her postcard, deliver)

= _____

22 몇몇 오래된 가구가 지하실에 보관되었다. (some old furniture, store)

= _____
in the basement.

23 그 일정은 Baker씨에 의해 변경되지 않았다. (the schedule, change, Mr. Baker)

= _____

24 그 놀이동산은 방문객들로 붐빈다. (the amusement park, visitors)

= _____

25 후식이 식사의 마지막에 제공된다. (dessert, serve)

= _____
at the end of the meal.

26 새로운 교통 법규는 운전자들에 의해 따라질 것이다. (the new traffic laws, follow, drivers)

= _____

틀린 부분 고쳐 쓰기

다음 문장에서 어법상 틀린 부분을 찾아 쓰고 바르게 고쳐 쓰시오.

기출문제 풀고

27 The forest was damage by fire.

_____ → _____

28 We were surprised for Brian's grades.

_____ → _____

29 Eric and Sara was invited to my birthday party.

_____ → _____

30 Many sheep raise in New Zealand.

_____ → _____

31 This table moved by Ryan yesterday.

_____ → _____

32 고난도
The book will be publishing after Mr. Smith reviews it.

_____ → _____

33 고난도
How will plastic recycle by the factory?

_____ → _____

짝문제로 마무리

34 That red dress was choose by Kelly.

_____ → _____

35 My computer was covered from dust.

_____ → _____

36 Black tea were introduced into England in the 16th century.

_____ → _____

37 Soccer enjoys by people around the world.

_____ → _____

38 The oranges picked last week.

_____ → _____

39 고난도
The cake will be making before Laura comes home.

_____ → _____

40 고난도
When will the calendars provide by the staff?

_____ → _____

기출문제를 풀었으면 채점한 후, 짝문제를 푸세요. ▶

조건에 맞게 영작하기
우리말과 같도록 주어진 <조건>에 맞게 영작하시오.

기출문제 풀고

41 빈 병들이 소풍 이후에 모아졌다.

<조건>
1. empty bottles, collect, the picnic을 활용하시오.
2. 7단어로 쓰시오.

= _____

42 이 식당은 그곳의 다양한 스테이크로 유명하다.

<조건>
1. its various steaks를 활용하시오.
2. 8단어로 쓰시오.

= _____

짝문제로 마무리

43 그 환경 문제는 회의에서 다뤄졌다.

<조건>
1. the environmental issue, address, the meeting을 활용하시오.
2. 8단어로 쓰시오.

= _____

44 우리는 부산에서의 우리의 휴가에 만족했다.

<조건>
1. our vacation을 활용하시오.
2. 8단어로 쓰시오.

= _____

기출문제를 풀었으면 채점한 후, 짝문제를 푸세요. ▶

단어 배열하여 영작하기
우리말과 같도록 괄호 안의 말을 알맞게 배열하시오.

기출문제 풀고

45 그 하프는 그녀의 연주회에서 연주될 것이다.
(will, played, be, the harp)

= _____ at her concert.

46 그 오래된 차는 나의 할아버지에 의해 운전되었다.
(by, the old car, driven, my grandfather, was)

= _____

짝문제로 마무리

47 그 주스는 너의 냉장고에 보관될 것이다. (the juice, kept, be, will)

= _____ in your refrigerator.

48 그 자선 행사는 정부에 의해 후원되었다.
(supported, the government, was, by, the charity event)

= _____

기출문제를 풀었으면 채점한 후, 짝문제를 푸세요. ▶

보기에서 단어 골라 영작하기
주어진 우리말과 같도록 <보기>에서 알맞은 말을 한 번씩만 골라서 빈칸에 쓰시오. (필요 시, 단어의 형태를 바꾸시오.)

기출문제 풀고

<보기>

design	are	by	water
disappoint	was	with	

49 그 꽃들은 매일 아침에 물이 뿌려진다.

= The flowers _____ _____ every morning.

50 Mike는 그 소설에 실망했다.

= Mike was _____ _____ the novel.

51 이 도서관은 유명한 건축가에 의해 설계되었다.

= This library _____ _____ _____ a famous architect.

짝문제로 마무리

<보기>

recommend	of	is	was
destroy	by	make	

52 우리의 요가 수업이 너에게 추천된다.

= Our yoga class _____ _____ for you.

53 이 꽃병은 유리로 만들어진다.

= This vase is _____ _____ glass.

54 그 마을 전체는 지진에 의해 파괴되었다.

= The whole town _____ _____ _____ an earthquake.

기출문제를 풀었으면 채점한 후, 짝문제를 푸세요. ▶

대화 영작하기
다음 대화의 밑줄 친 우리말을 영작하시오.

기출문제 풀고

55 고난도
A: How about playing games with me?
B: Sorry, but 나는 게임들에 흥미가 있지 않아.

= _____

56
A: Did you buy this bread?
B: No. (1) 그것은 Ben에 의해 구입되었어.
A: (2) 그것은 어디에서 구입되었어?
B: At the new bakery across the street.

(1) = _____
(2) = _____

짝문제로 마무리

57 고난도
A: Did your mom like your gift?
B: Yes. 그녀는 그 장갑들에 기뻐하셨어.

= _____

58
A: Who sent this letter?
B: (1) 그것은 Anne에 의해 보내졌어.
A: (2) 그것은 언제 보내졌어?
B: Last week, I believe.

(1) = _____
(2) = _____

기출문제를 풀었으면 채점한 후, 짝문제를 푸세요. ▶

CHAPTER

05

to부정사

🌀 **POINT 1**   명사 역할을 하는 to부정사: 주어와 주격 보어

🌀 **POINT 2**   명사 역할을 하는 to부정사: 목적어

🌀 **POINT 3**   명사 역할을 하는 to부정사: 의문사 + to부정사

🌀 **POINT 4**   형용사 역할을 하는 to부정사

🌀 **POINT 5**   부사 역할을 하는 to부정사

🌀 **POINT 6**   to부정사 구문

기출문제 풀고 짝문제로 마무리!

우리말과 같도록 괄호 안의 말을 활용하여 문장을 완성하시오.

많은 야채를 먹는 것은 좋다. (good, eat)

It _____ a lot of vegetables.

'많은 야채를 먹는 것은'이라는 의미의 주어는 to부정사로 나타낼 수 있는데, 문장의 주어 자리에 가주어 it이 왔으므로 진주어인 to부정사구(to eat a lot of vegetables)는 문장 뒤에 와야 한다.

정답: is good to eat

to부정사는 '~하는 것, ~하기'라는 의미의 주어나 주격 보어로 쓸 수 있다. 주어로 쓰일 때는 주로 주어 자리에 가주어 it을 쓰고 진주어인 to부정사는 문장 뒤로 보낸다.

TIP to부정사가 나타내는 동작의 주체가 문장의 주어와 다르면 의미상 주어가 필요하며, 주로 to부정사 앞에 「for + 목적격」의 형태로 쓴다. 의미상 주어가 사람의 성격을 나타내는 형용사 뒤에 온다면 「of + 목적격」의 형태로 쓴다.
It wasn't easy **for Eunbi** *to knit* a sweater. 은비가 스웨터를 짜는 것은 쉽지 않았다.

[1-6] 다음 문장을 가주어 it을 사용한 문장으로 바꿔 쓰시오.

1 To watch animations is fun. → _____

2 To exercise regularly is necessary. → _____

3 To talk to my teacher was helpful. → _____

4 To learn a new language is difficult. → _____

5 To climb the Himalayas is my dream. → _____

6 To ride a skateboard is not easy. → _____

[7-13] 우리말과 같도록 to부정사와 괄호 안의 말을 활용하여 문장을 완성하시오.

7 그의 계획은 서울로 이사하는 것이다. (his plan, move)

= _____ to Seoul.

8 바다 속으로 다이빙하는 것은 신이 난다. (exciting, dive)

= It _____ into the ocean.

9 그 영화를 이해하는 것은 어려웠다. (hard, understand)

= It _____ the movie.

10 내가 그 국립공원에 가는 것은 쉬웠다. (easy, get)

= It _____ to the national park.

11 Karen의 직업은 학교에서 영어를 가르치는 것이다. (Karen's job, teach)

= _____ English at a school.

12 어린이들이 다양한 것을 경험하는 것은 중요하다. (important, experience)

= It _____ many things.

13 Henry가 그 작가의 새 책을 읽는 것은 흥미로웠다. (interesting, read)

= It _____ the author's new book.

우리말과 같도록 괄호 안의 말을 활용하여 문장을 완성하시오.

그들은 스페인으로 여행을 가기를 바란다. (hope, take)

They _____ a trip to Spain.

'여행을 가기를 바란다'라는 의미이므로 동사 hope와 hope의 목적어로 to부정사(to take)를 쓴다.

정답: hope to take

다음 동사 뒤에 '~하기를, ~하기로'라는 의미의 목적어가 필요하면 to부정사를 쓴다.

| want | hope | decide | wish | plan | need | agree | would like | expect |

I *want* **to drink** a cup of water. 나는 물 한 잔을 마시기를 원한다.
My uncle *decided* **not to sell** his car. 나의 삼촌은 그의 차를 팔지 않기로 결정했다. * to부정사의 부정형은 「not + to부정사」의 형태로 쓴다.

[1-5] 우리말과 같도록 괄호 안의 말을 알맞게 배열하시오.

1 나는 아침에 일찍 일어날 필요가 있다. (to, I, get up, need)

= _____ early in the morning.

2 우리는 그 축구 경기에서 이기기를 기대했다. (win, expected, we, to)

= _____ the soccer game.

3 그들은 병원에서 자원봉사를 하기를 바란다. (they, to, wish, volunteer)

= _____ at a hospital.

4 Susan은 그 아파트로 이사하지 않기로 결정했다. (to, Susan, decided, move, not)

= _____ into the apartment.

5 나의 여동생은 젓가락을 사용하는 것을 배울 것이다. (my little sister, to, will, use, learn)

= _____ chopsticks.

[6-10] 우리말과 같도록 괄호 안의 말을 활용하여 문장을 완성하시오.

6 Matt는 우주 비행사가 되기를 원한다. (want, be)

= _____ an astronaut.

7 Emily는 그 공포 영화를 보는 것을 거부했다. (refuse, watch)

= _____ the horror movie.

8 나는 좋은 친구들을 갖고 싶다. (would like, have)

= _____ good friends.

9 그녀는 그 역사 박물관을 방문하기로 계획했다. (plan, visit)

= _____ the history museum.

10 그는 나의 생일을 잊지 않기로 약속했다. (promise, forget)

= _____ my birthday.

우리말과 같도록 괄호 안의 말을 활용하여 빈칸에 쓰시오.

나는 그 문제를 어떻게 해결할지 확실히 알지 못한다. (solve)

I'm not sure _____ _____ _____ **the problem.**

'어떻게 해결할지'라는 의미이므로 「의문사 how + to부정사(to solve)」를 쓴다.

정답: how to solve

「의문사 how/what/when/where + to부정사」는 '어떻게/무엇을/언제/어디에(서) ~할지'라는 의미로 명사 역할을 하며, 주로 목적어로 쓰인다.
The man showed me **where to put** the bags. 그 남자는 나에게 그 가방들을 어디에 둘지 알려줬다.

TIP 「의문사 + to부정사」는 「의문사 + 주어 + should + 동사원형」으로 바꿔 쓸 수 있다.
I don't know **what to do**. = I don't know **what I should do**. 나는 무엇을 할지 모른다.

[1-5] 우리말과 같도록 괄호 안의 말을 알맞게 배열하시오.

1 너는 그 자동차를 어디에 반납할지 아니? (return, where, know, to)

= Do you _____ the car?

2 그녀는 그녀의 에세이를 위해 무엇을 쓸지 결정할 수 없었다. (decide, write, to, couldn't, what)

= She _____ for her essay.

3 그는 스파게티를 어떻게 요리할지 설명했다. (how, explained, cook, to)

= He _____ spaghetti.

4 의사는 나에게 그 약을 언제 복용할지 말해줬다. (me, take, when, to, told)

= The doctor _____ the medicine.

5 나의 엄마는 나에게 수영하는 방법을 가르쳐주셨다. (how, taught, swim, me, to)

= My mom _____.

[6-10] 우리말과 같도록 괄호 안의 말을 활용하여 빈칸에 쓰시오.

6 나는 나의 강아지를 어디에 맡길지 모른다. (leave)

= I don't know _____ _____ _____ my puppy.

7 그녀는 나에게 공항에 언제 도착할지 말해줬다. (arrive)

= She told me _____ _____ _____ at the airport.

8 그들은 그 대회를 위해 무엇을 부를지 논의할 것이다. (sing)

= They'll discuss _____ _____ _____ for the contest.

9 저에게 그 도서관에 어떻게 가는지 알려주세요. (get)

= Please show me _____ _____ _____ to the library.

10 나는 그의 생일 선물로 무엇을 살지 결정할 수 없다. (buy)

= I can't decide _____ _____ _____ for his birthday gift.

POINT 4 형용사 역할을 하는 to부정사

우리말과 같도록 괄호 안의 말을 알맞게 배열하시오.

> 나는 점심으로 먹을 약간의 빵을 사고 싶다. (eat, some bread, to)
>
> **I want to buy** _____
> **for lunch.**

'먹을 약간의 빵'이라는 의미이므로 some bread를 뒤에서 꾸미는 형용사 역할을 하는 to부정사(to eat)를 쓴다.

정답: some bread to eat

to부정사는 '~할, ~하는'이라는 의미로 (대)명사를 뒤에서 꾸미는 형용사 역할을 할 수 있다. to부정사구가 꾸미는 (대)명사가 to부정사가 아닌 전치사의 목적어인 경우에는 to부정사 뒤에 전치사를 반드시 쓴다.

Please lend me _a pen_ **to write with**. (← write with a pen) 저에게 쓸 펜을 빌려주세요.

TIP -thing/-body/-one으로 끝나는 대명사를 형용사와 to부정사가 동시에 꾸밀 때는 「-thing/-body/-one + 형용사 + to부정사」의 형태로 쓴다.

[1-5] 우리말과 같도록 괄호 안의 말을 알맞게 배열하시오.

1 너의 컴퓨터를 끌 시간이다. (time, it, turn off, is, to)

= _____ your computer.

2 나는 비 오는 날에 신을 부츠가 필요하다. (wear, to, need, I, boots)

= _____ on rainy days.

3 너는 쓸 약간의 종이를 가지고 있니? (on, have, write, any paper, to)

= Do you _____ ?

4 세탁할 셔츠들은 어디에 있니? (to, the shirts, are, wash)

= Where _____ ?

5 그녀는 그녀의 아들에게 가지고 놀 장난감을 줬다. (her son, with, gave, to, a toy, play)

= She _____ .

[6-10] 우리말과 같도록 괄호 안의 말을 활용하여 문장을 완성하시오.

6 Linda는 읽을 책 한 권을 가져왔다. (bring, read)

= Linda _____ .

7 나는 마실 따뜻한 무언가를 원한다. (something, drink)

= I _____ .

8 그는 말할 누군가를 찾고 있었다. (look for, someone, talk)

= He _____ .

9 우리는 앉을 어떤 자리도 찾을 수 없다. (find, any seats, sit)

= We _____ .

10 봄은 소풍을 갈 계절이다. (the season, go)

= Spring _____ on a picnic.

우리말과 같도록 괄호 안의 말을 활용하여 문장을 완성하시오.

그는 책 한 권을 사기 위해 서점에 갔다. (buy)

He went to the bookstore _____.

'책 한 권을 사기 위해'라는 의미이므로 목적을 나타내는 부사 역할을 하는 to부정사(to buy a book)를 쓴다.

정답: to buy a book

to부정사는 동사·형용사·부사·문장 전체를 수식하는 부사 역할을 할 수 있다. 이때 to부정사는 '~하기 위해(목적)', '~해서, ~하니(감정의 원인)', '~하다니(판단의 근거)', '(…해서 결국) ~하다(결과)' 등 다양한 의미를 나타낸다.

[1-6] 우리말과 같도록 괄호 안의 말을 알맞게 배열하시오.

1 나는 너에게 편지를 받아서 기쁘다. (receive, glad, to)

= I'm _____ a letter from you.

2 Chris는 더 좋은 성적을 받기 위해 열심히 공부했다. (hard, to, studied, get)

= Chris _____ better grades.

3 우리는 지구를 구하기 위해 종이를 재활용해야 한다. (paper, should, save, recycle, to)

= We _____ Earth.

4 Clark 선생님은 사셔서 99세가 되셨다. (be, lived, to)

= Mr. Clark _____ 99 years old.

5 그녀의 친구들과 어울리다니 Jessica는 행복함에 틀림없다. (happy, must, hang out, to, be)

= Jessica _____ with her friends.

6 나는 그 콘서트에 가지 못해서 실망스러웠다. (to, disappointed, go, not, was)

= I _____ to the concert.

[7-11] 우리말과 같도록 괄호 안의 말을 활용하여 문장을 완성하시오.

7 그녀는 한국에 돌아와서 행복했다. (happy, come back)

= She _____ to Korea.

8 그는 몸무게를 늘리지 않기 위해 매일 줄넘기를 한다. (jump rope, gain)

= He _____ weight.

9 그의 딸은 자라서 프로그래머가 되었다. (grow up, be)

= His daughter _____ a programmer.

10 Robert는 계좌를 개설하기 위해 은행에 갔다. (go, open)

= Robert _____ an account.

11 그녀는 텔레비전에서 그를 봐서 놀랐다. (surprised, see)

= She _____ on television.

다음 두 문장의 의미가 같도록 문장을 완성하시오.

The boy is so young that he can't watch this movie.

The boy is _____ this movie.

「so + 형용사(young) + that + 주어(he) + can't + 동사원형(watch)」은 「too + 형용사(young) + to부정사 (to watch)」로 바꿔 쓸 수 있다.

정답: too young to watch
해석: 그 소년은 너무 어려서 이 영화를 볼 수 없다.
→ 그 소년은 이 영화를 보기에 너무 어리다.

- 「too + 형용사/부사 + to부정사」는 '…하기에 너무 ~한/하게'라는 의미이며, 「so + 형용사/부사 + that + 주어 + can't + 동사원형」으로 바꿔 쓸 수 있다.
- 「형용사/부사 + enough + to부정사」는 '…할 만큼 충분히 ~한/하게'라는 의미이며, 「so + 형용사/부사 + that + 주어 + can + 동사원형」으로 바꿔 쓸 수 있다.

TIP too ~ to, enough to 문장에서도 to부정사가 나타내는 동작의 주체와 문장의 주어가 다르면 to부정사 앞에 의미상 주어를 써야 한다.

[1-5] 다음 두 문장의 의미가 같도록 문장을 완성하시오.

1 The coffee is so hot that I can't drink it.

→ The coffee _____.

2 I was so busy that I couldn't talk on the phone.

→ I _____.

3 He is so smart that he can understand this book.

→ He _____.

4 She got up so late that she couldn't arrive on time.

→ She _____.

5 The mouse is so small that it can go into the hole.

→ The mouse _____.

[6-10] 우리말과 같도록 too 또는 enough와 괄호 안의 말을 활용하여 문장을 완성하시오.

6 Sophie는 외출하기에 너무 피곤했다. (tired, go out)

= Sophie _____.

7 Daniel은 맨 위 선반에 닿을 만큼 충분히 키가 크다. (tall, reach)

= Daniel _____ the top shelf.

8 이 소파는 혼자서 나르기에 너무 무겁다. (heavy, carry)

= This sofa _____ alone.

9 나의 할머니는 하루 종일 걸으실 만큼 충분히 건강하시다. (healthy, walk)

= My grandmother _____ all day.

10 그 모자는 그가 사기에 충분히 저렴했다. (cheap, buy)

= The cap _____.

기출문제 풀고 짝문제로 마무리!

기출문제를 풀고 정답과 해설을 확인하세요. 짝문제를 풀면서 복습하고, 틀린 문제는 다시 틀리지 않도록 꼼꼼히 점검하세요.

주어진 단어 활용하여 영작하기
우리말과 같도록 to부정사와 괄호 안의 말을 활용하여 문장을 완성하시오.

기출문제 풀고	짝문제로 마무리

01 나는 이 수프의 요리법을 알고 싶다. (want, the recipe)

= _____
_____ for this soup.

06 나의 오빠는 그가 가장 좋아하는 가수를 만나기를 바란다. (hope, his favorite singer)

= _____
_____

02 나의 자동차 트렁크는 그 상자들을 실어 나를 만큼 충분히 크다. (big, carry)

= My car trunk _____
_____ .

07 Lisa는 진실을 말할 만큼 충분히 정직했다. (honest, tell, the truth)

= Lisa _____
_____ .

03 고난도 그들은 학교 근처에 살 집이 필요하다. (need, a house, live)

= They _____
_____ near school.

08 고난도 나의 엄마는 나에게 쓸 일기장을 사주셨다. (buy, a diary, write)

= My mom _____
_____ .

04 그의 목표는 기말고사에서 좋은 점수를 받는 것이다. (goal, get, a good score)

= _____
_____ on the final exam.

09 내가 선호하는 것은 나의 가족과 함께 시간을 보내는 것이다. (my preference, spend)

= _____
_____ with my family.

05 우리는 어려움에 처한 사람들을 돕는 방법에 대해 이야기할 것이다. (talk about, the way)

= We'll _____
_____ in need.

10 너는 그 경기장을 볼 기회를 가질 것이다. (a chance, the stadium)

= You'll _____
_____ .

기출문제를 풀었으면 채점한 후, 짝문제를 푸세요. ▶

문장 바꿔 쓰기

다음 두 문장의 의미가 같도록 문장을 완성하시오.

기출문제 풀고	짝문제로 마무리

11

To experience a new culture is interesting.

→ It _____

_____ .

17

To walk on this street at night is dangerous.

→ It _____

_____ .

12

I'm not sure what to do during my summer vacation.

→ I'm not sure _____

_____ .

18

She doesn't know when to water the plants in the garden.

→ She doesn't know _____

_____ .

13

Sharon is so shy that she can't speak in public.

→ Sharon _____

_____ .

19

George is so weak that he can't climb this mountain.

→ George _____

_____ .

14

The sofa is so wide that my entire family can sit on it.

→ The sofa _____

_____ .

20

The room was so dark that I could sleep well.

→ The room _____

_____ .

15

He was so clever that he could understand the science class.

→ He _____

_____ .

21

The laptop is so thin that it can fit in your bag.

→ The laptop _____

_____ .

16

This jacket is so small that Nancy can't wear it.

→ This jacket _____

_____ .

22

The watch was so expensive that he couldn't buy it.

→ The watch _____

_____ .

기출문제를 풀었으면 채점한 후, 짝문제를 푸세요. ▶

CHAPTER 05

to부정사 해커스 쓰기 자신감 Level 2

단어 배열하여 영작하기

우리말과 같도록 괄호 안의 말을 알맞게 배열하시오.

23 내가 먹을 무언가를 준비할 필요가 있나요? (eat, prepare, to, anything)

= Do I need to _____

_____ ?

24 Samuel과 나는 언젠가 화성에 가기를 바란다. (go, Samuel and I, to, Mars, to, hope)

= _____

someday.

25 그는 질문을 하기 위해 그의 손을 들었다. (ask, his hand, a question, to, raised)

= He _____

_____ .

26 [고난도] 그들이 그 축제를 일주일 연기하는 것은 가능하다. (for, the festival, it, delay, to, them, possible, is)

= _____

_____ for a week.

27 [고난도] Janice는 그릴 스케치북을 가져왔다. (draw, a sketchbook, in, to, brought)

= Janice _____

_____ .

28 나는 이제부터 아침 식사를 거르지 않기로 결심했다. (not, skip, decided, to, breakfast)

= I _____

from now on.

29 나는 방과 후에 읽을 책 몇 권을 빌렸다. (borrowed, to, some books, read)

= I _____

_____ after school.

30 Peter는 그의 차에 약간의 설탕을 넣기를 원한다. (would like, Peter, add, some sugar, to)

= _____

to his tea.

31 너는 박물관에 들어가기 위해 입장권이 필요하다. (to, need, the museum, enter, a ticket)

= You _____

_____ .

32 [고난도] Jenny와 내가 매일 비타민을 섭취하는 것은 필요하다. (vitamins, is, Jenny and me, to, for, it, take, necessary)

= _____

_____ every day.

33 [고난도] 곰 한 마리가 잠잘 동굴을 찾고 있다. (in, looking for, sleep, is, to, a cave)

= A bear _____

_____ .

34 우리는 이 방에서 약간의 소음도 내지 않기로 동의했다. (any noise, to, not, agreed, make)

= We _____

in this room.

보기에서 단어 골라 영작하기

우리말과 같도록 <보기>의 단어를 활용하여 문장을 완성하시오. (필요 시, 단어를 추가하거나 형태를 바꾸시오.)

기출문제 풀고

<보기>

| plan | perform | make | easy | travel |

35 그들은 그 연극을 공연하기 위해 무대 위로 오를 것이다.

= They'll come onto the stage _____ the play.

36 Helen을 웃게 만드는 것은 쉽다.

= _____ Helen laugh.

37 예린이는 졸업 후에 해외로 여행하기로 계획한다.

= Yerin _____ abroad after graduation.

<보기>

| try | forget | money | excited | purchase |

38 우리는 새로운 자동차를 구매할 돈이 없다.

= We don't have _____ a new car.

39 나는 그의 전화번호를 잊지 않기 위해 그것을 적어놨다.

= I wrote down his phone number _____ _____ it.

40 그는 혼자서 그 퍼즐을 시도해서 신이 났다.

= He was _____ the puzzle by himself.

짝문제로 마무리

<보기>

| take | wish | be | protect | difficult |

41 그녀는 그녀의 머리를 보호하기 위해 헬멧을 쓰고 있다.

= She's wearing a helmet _____ her head.

42 나의 고양이의 사진을 찍는 것은 어렵다.

= _____ pictures of my cat.

43 민성이는 내년에 반장이 되기를 바란다.

= Minsung _____ class president next year.

<보기>

| miss | shop | hear | time | shocked |

44 그들은 시장에서 쇼핑할 시간이 약간 있었다.

= They had some _____ at the market.

45 그녀는 그녀의 비행편을 놓치지 않기 위해 택시를 탔다.

= She took a taxi _____ her flight.

46 나는 전쟁에 대한 소식을 들어서 충격을 받았다.

= I was _____ the news about the war.

대화 영작하기
다음 대화의 밑줄 친 우리말과 같도록 괄호 안의 말을 활용하여 문장을 완성하시오.

기출문제 풀고

47
A: You made a lot of noise last night.
B: Did I wake you up?
A: Yes, and it was very late.
B: I'm sorry. 나는 다음번에는 조용할 거라고 약속해. (promise, quiet)

= _____ next time.

짝문제로 마무리

48
A: What time should I pick you up?
B: How about two hours before the movie?
A: Why? It won't take that long to get there.
B: Yeah, but 나는 또다시 늦고 싶지 않아. (want, late)

= _____ again.

기출문제를 풀었으면 채점한 후, 짝문제를 푸세요. ▶

그림 보고 영작하기
다음 그림을 보고 괄호 안의 말을 알맞게 배열하시오.

기출문제 풀고

49

She _____.
(drink, wants, to, something)

50

He _____.
(his room, sleep, to, entered)

짝문제로 마무리

51

He's _____.
(to, a coat, looking for, wear)

52

She _____.
(run, the park, to, to, went)

기출문제를 풀었으면 채점한 후, 짝문제를 푸세요. ▶

CHAPTER

06

동명사

🔵 **POINT 1**   동명사의 형태와 쓰임

🔵 **POINT 2**   동명사를 목적어로 쓰는 동사

🔵 **POINT 3**   동명사와 to부정사를 모두 목적어로 쓰는 동사

🔵 **POINT 4**   동명사 관용 표현

기출문제 풀고 짝문제로 마무리!

우리말과 같도록 동명사와 괄호 안의 말을 활용하여 문장을 완성하시오.

남들을 돕는 것은 사회를 바꿀 수 있다. (help, others)

_____ **can change society.**

'남들을 돕는 것'이라는 의미이므로 주어 자리에 동명사(Helping)를 쓴다.

정답: Helping others

동명사는 V-ing의 형태로 '~하는 것, ~하기'라는 의미이며, 문장 안에서 주어·주격 보어·목적어로 쓸 수 있다.
Learning a new language is interesting. <주어> 새로운 언어를 배우는 것은 흥미롭다.   * 동명사(구)가 주어로 쓰이면 단수동사를 쓴다.
My hobby is **collecting** toy cars. <주격 보어> 나의 취미는 장난감 자동차를 수집하는 것이다.
I apologize for **not answering** your call. <전치사의 목적어> 너의 전화를 받지 못한 것을 사과한다.   * 동명사의 부정형은 「not + 동명사」의 형태로 쓴다.

[1-5] 우리말과 같도록 괄호 안의 말을 알맞게 배열하시오.

1 롤러코스터를 타는 것은 재미있다. (is, a roller coaster, riding)

= _____ fun.

2 책을 읽는 것은 너를 더 똑똑하게 만든다. (makes, reading, books)

= _____ you smarter.

3 Laura는 그녀의 오빠와 테니스 치는 것을 즐긴다. (enjoys, tennis, playing, Laura)

= _____ with her brother.

4 수업 중에 휴대폰을 사용하는 것은 예의 바르지 않다. (using, in class, is, a cell phone)

= _____ not polite.

5 Eric과 함께 영화를 보는 것은 좋은 생각이다. (with Eric, is, a movie, watching)

= _____ a good idea.

[6-10] 우리말과 같도록 동명사와 괄호 안의 말을 활용하여 문장을 완성하시오.

6 Betty는 인사를 하지 않고 나를 지나쳤다. (without, say hello)

= Betty passed by me _____.

7 재활용하는 것은 환경에 좋다. (recycle, good)

= _____ for the environment.

8 진정한 친구를 만드는 것은 많은 시간이 걸린다. (make true friends, take)

= _____ a lot of time.

9 그녀의 취미는 록 음악을 듣는 것이다. (listen to rock music)

= Her hobby _____.

10 산책하는 것은 네가 건강을 유지하는 것을 돕는다. (take walks, help)

= _____ you stay healthy.

우리말과 같도록 괄호 안의 말을 활용하여 문장을 완성하시오.

우리 조는 발표를 준비하는 것을 끝냈다. (prepare, the presentation)

Our group finished _____.

finish는 동명사를 목적어로 쓰는 동사이므로 finished 뒤에 동명사(preparing)를 쓴다.

정답: preparing the presentation

다음 동사 뒤에 '~하는 것을, ~하기를'라는 의미의 목적어가 필요하면 동명사를 쓴다.

| enjoy finish keep mind avoid give up imagine stop quit practice |

Would you *mind* **opening** the window? 당신은 창문을 여는 것을 꺼리시나요?

TIP stop 뒤에는 to부정사도 올 수 있으며, 이때 to부정사는 '~하기 위해'라는 의미로 목적을 나타내는 부사 역할을 한다.

[1-5] 우리말과 같도록 괄호 안의 말을 알맞게 배열하시오.

1 나는 비닐봉지를 사용하는 것을 피한다. (using, avoid, plastic bags)

= I _____.

2 나는 스마트폰 없이 사는 것을 상상할 수 없다. (imagine, without a smartphone, can't, living)

= I _____.

3 Lori는 그 개와 노는 것을 즐겼다. (enjoyed, with the dog, playing)

= Lori _____.

4 그는 우리와 함께 그 케이크를 나눠 먹는 것을 제안했다. (sharing, suggested, the cake)

= He _____ with us.

5 Jacob은 더 많은 과일을 먹는 것을 고려해야 한다. (consider, more fruit, eating, should)

= Jacob _____.

[6-10] 우리말과 같도록 괄호 안의 말을 활용하여 문장을 완성하시오.

6 Roy는 그의 방을 청소하는 것을 미뤘다. (put off, clean)

= Roy _____ his room.

7 그는 그 소문을 퍼뜨린 것을 부인했다. (deny, spread)

= He _____ the rumor.

8 나는 나의 친구와 수다 떠는 것을 멈췄다. (stop, chat)

= I _____ with my friend.

9 그들은 그 대회를 위해 노래하는 것을 연습했다. (practice, sing)

= They _____ for the contest.

10 그녀는 마라톤을 뛰는 것을 포기하지 않을 것이다. (give up, run)

= She _____ marathons.

POINT 3 동명사와 to부정사를 모두 목적어로 쓰는 동사

우리말과 같도록 괄호 안의 말을 활용하여 문장을 완성하시오.

Sally는 Tim을 깨워야 할 것을 잊었다. (wake)

Sally forgot _____ Tim up.

'깨워야 할 것을 잊었다'라는 의미이므로 동사 forgot 뒤에 to부정사(to wake)를 쓴다. 동명사를 쓰면 '깨운 것을 잊었다'라는 의미가 된다.

정답: to wake

- 다음 동사는 동명사와 to부정사를 모두 목적어로 쓰는데, 무엇을 쓰는지에 따라 의미가 달라진다.

forget/remember + 동명사 forget/remember + to부정사	(과거에) ~한 것을 잊다/기억하다 (미래에) ~할 것을 잊다/기억하다	I *forgot* meeting him. 나는 그는 만난 것을 잊었다. I *remembered* to meet him. 나는 그를 만날 것을 기억했다.
try + 동명사 try + to부정사	(시험 삼아) ~해보다 ~하려고 노력하다	He *tried* drawing flowers. 그는 꽃을 그려봤다. He *tried* to draw flowers. 그는 꽃을 그리려고 노력했다.

- like/love, hate, begin/start, continue는 동명사와 to부정사를 모두 목적어로 쓰며, 무엇을 써도 의미가 달라지지 않는다.

[1-5] 우리말과 같도록 괄호 안의 말을 알맞게 배열하시오.

1 Cathy는 사진을 찍는 것을 좋아한다. (pictures, taking, likes)

= Cathy _____.

2 나는 창문을 닫은 것을 기억한다. (closing, remember, the window)

= I _____.

3 전등을 끌 것을 잊지 마라. (forget, the light, turn off, to)

= Don't _____.

4 소방관들은 더 많은 사람들을 구하려고 노력했다. (more people, tried, save, to)

= The firefighters _____.

5 그는 오늘 아침에 나에게 전화한 것을 잊었다. (me, forgot, calling)

= He _____ this morning.

[6-10] 우리말과 같도록 괄호 안의 말을 활용하여 문장을 완성하시오.

6 Adam은 나무에 오르기 시작했다. (begin, climb)

= Adam _____ up the tree.

7 너의 여권을 가져올 것을 기억해라. (remember, bring)

= _____ your passport.

8 Sara는 자연에 대한 시를 쓰려고 노력했다. (try, write)

= Sara _____ a poem about nature.

9 그녀는 하와이에서 휴가를 보낸 것을 결코 잊지 않을 것이다. (forget, spend)

= She'll never _____ her vacation in Hawaii.

10 나는 대기 오염에 대한 기사를 읽은 것을 기억한다. (remember, read)

= I _____ an article about air pollution.

POINT 4 동명사 관용 표현

우리말과 같도록 괄호 안의 말을 활용하여 문장을 완성하시오.

Thomas는 그의 숙제를 도와준 것에 대해 나에게 감사했다. (thank, help)

Thomas _____
with his homework.

'도와준 것에 대해 나에게 감사했다'라는 의미이므로, 「thank … for + V-ing(thanked me for helping)」를 쓴다.

정답: thanked me for helping

다음은 동명사를 쓰는 관용 표현이다.

look forward to + V-ing ~하는 것을 기대하다	spend + 시간/돈 + V-ing ~하는 데 시간/돈을 쓰다
be good/bad at + V-ing ~하는 것을 잘하다/못하다	go + V-ing ~하러 가다
thank … for + V-ing ~에 대해 …에게 감사하다	be busy + V-ing ~하느라 바쁘다
think of + V-ing ~하는 것을 생각하다	be worth + V-ing ~할 가치가 있다

[1-5] 우리말과 같도록 괄호 안의 말을 알맞게 배열하시오.

1 그는 만화를 그리는 것을 잘한다. (at, cartoons, good, drawing, is)

= He _____.

2 Jamie는 이번 주말에 래프팅하러 갈 것이다. (rafting, will, go)

= Jamie _____ this weekend.

3 그는 여행을 위해 짐을 싸느라 바빴다. (busy, was, packing)

= He _____ for the trip.

4 그들은 시골로 이사하는 것을 생각하고 있다. (to the country, of, moving, thinking)

= They're _____.

5 나는 그 코미디언에 웃지 않을 수 없다. (laughing at, help, the comedian, cannot)

= I _____.

[6-10] 우리말과 같도록 괄호 안의 말을 활용하여 문장을 완성하시오.

6 피라미드는 방문할 가치가 있다. (worth, visit)

= The pyramids _____.

7 우리는 그 배에 타는 것을 기대한다. (look forward to, get)

= We _____ on the ship.

8 Brian은 매일 아침 요가를 하는 데 익숙해졌다. (get used to, do)

= Brian _____ yoga every morning.

9 우리는 종이컵을 사용하지 않음으로써 쓰레기를 줄일 수 있다. (reduce waste, by, use)

= We _____ paper cups.

10 Cindy는 잡지를 읽는 데 약간의 시간을 썼다. (spend, read)

= Cindy _____ a magazine.

기출문제 풀고 짝문제로 마무리!

기출문제를 풀고 정답과 해설을 확인하세요. 짝문제를 풀면서 복습하고, 틀린 문제는 다시 틀리지 않도록 꼼꼼히 점검하세요.

주어진 단어 활용하여 영작하기
우리말과 같도록 괄호 안의 말을 활용하여 문장을 완성하시오.

기출문제 풀고	짝문제로 마무리

01

아침에 스트레칭하는 것은 좋은 습관이다.
(stretch, the morning)

= _____
　　　　a good habit.

07

통학 버스를 운전하는 것은 Carter씨의 직업이다.
(drive, a school bus)

= _____
　　　　Mr. Carter's job.

02

나는 너의 헤드폰을 망가뜨린 것에 대해 미안하다.
(break, headphones)

= I'm sorry for _____
_____ .

08

이 책은 너의 보고서를 쓰는 데 도움이 될 것이다.
(write, report)

= This book will be helpful for _____
_____ .

03

당신은 그 라디오를 끄는 것을 꺼리시나요?
(would, mind, turn off)

= _____

09

Karen은 그 케이크를 굽는 것을 끝냈니? (finish, bake)

= _____

04

그녀가 여름에 가장 좋아하는 활동은 바다에서 수영하는 것이다. (swim, the sea)

= Her favorite activity in summer _____
_____ .

10

우리 반에서 가장 중요한 것은 다른 학생들을 존중하는 것이다. (respect, other students)

= The most important thing in our class
_____ .

05 고난도

그는 방과 후에 그 도서관에 들러야 할 것을 기억했다. (remember, stop by)

= He _____
　　after school.

11 고난도

그녀는 집으로 오는 길에 치즈를 살 것을 잊었다.
(forget, buy)

= She _____
　　on the way home.

06 고난도

박쥐들은 어둠 속에서 움직이는 데 익숙해졌다.
(get used, move)

= Bats _____
　　in the dark.

12 고난도

Tyler는 그녀의 편지를 받는 것을 기대했다. (look forward, receive)

= Tyler _____
　　her letter.

기출문제를 풀었으면 채점한 후, 짝문제를 푸세요. ▶

틀린 부분 고쳐 쓰기

다음 문장에서 틀린 부분을 바르게 고쳐 완전한 문장을 쓰시오.

| 기출문제 풀고 | 짝문제로 마무리 |

13 I kept to read reviews of the restaurant.

→ _____

14 His concern is get a good score on the exam.

→ _____
_____

15 Daniel postponed to do his homework.

→ _____
_____

16 Julia was afraid of touch the sheep.

→ _____
_____

17 My dad is busy to cook dinner.

→ _____

18 Eat too much junk food is bad for your health.

→ _____
_____

19 고난도 Taking warm baths help us relieve stress.

→ _____
_____

20 He enjoys to run in the park.

→ _____

21 Her dream is do volunteer work abroad in the future.

→ _____
_____

22 Ann gave up to look for a four-leaf clover.

→ _____
_____

23 Bruce is interested in learn a new sport.

→ _____
_____

24 Their new song was worth to hear.

→ _____

25 Live with a new roommate is difficult for me.

→ _____
_____

26 고난도 Achieving your goals require a lot of effort.

→ _____
_____

단어 배열하여 영작하기

우리말과 같도록 괄호 안의 말을 알맞게 배열하시오.

27 John은 설거지를 하는 것을 시작했다. (washing, began, the dishes)

= John _____ .

28 소미는 그녀의 영어를 향상시키려고 노력할 것이다. (to, her English, try, improve, will)

= Somi _____ .

29 나의 부모님은 그 집을 꾸미는 데 약간의 돈을 썼다. (the house, some money, decorating, spent)

= My parents _____

_____ .

30 _{고난도} 너는 대중교통을 이용함으로써 돈을 절약할 수 있다. (using, money, can, by, public transportation, save)

= You _____

_____ .

31 안전벨트를 착용하는 것은 비행기의 승객들에게 필요하다. (a seatbelt, is, wearing, necessary)

= _____

for passengers on a plane.

32 계단을 오르내리는 것은 건강에 좋은 운동이다. (is, stairs, healthy exercise, walking up and down)

= _____

_____

33 Lisa는 에세이를 쓰는 것을 시작할 것이다. (an essay, start, will, writing)

= Lisa _____ .

34 Robert는 그의 방을 깨끗하게 유지하려고 노력했다. (his room, tried, clean, keep, to)

= Robert _____ .

35 그녀는 지난 토요일에 그녀의 친구들과 함께 하이킹하러 갔다. (hiking, her friends, with, went)

= She _____

last Saturday.

36 _{고난도} 우리는 오래된 담요를 기부함으로써 그 동물 보호소를 도왔다. (helped, old blankets, donating, the animal shelter, by)

= We _____

_____ .

37 헬멧 없이 자전거를 타는 것은 위험하다. (is, riding, dangerous, without a helmet, a bike)

= _____

_____

38 잠자기 전에 간식을 먹는 것은 나쁜 습관이다. (having, a bad habit, before bed, is, a snack)

= _____

_____

두 문장을 한 문장으로 연결하기
<보기>와 같이 동명사를 이용하여 두 문장을 한 문장으로 연결하시오.

기출문제 풀고

———— <보기> ————
Minho prepared for the contest. He was busy.
→ Minho *was busy preparing for the contest*.

39 Sean called his aunt. He felt like it.

→ Sean _____.

40 She'll travel to Italy. She looks forward to it.

→ She _____.

41 I put the remote control on the sofa. I forgot it.

→ I _____

_____.

짝문제로 마무리

———— <보기> ————
Minho prepared for the contest. He was busy.
→ Minho *was busy preparing for the contest*.

42 Diane plays the piano. She's good at it.

→ Diane _____.

43 He lent me his notes. I thanked him for it.

→ I _____.

44 He played with Amy when he was six. He remembers it.

→ He _____

_____.

기출문제를 풀었으면 채점한 후, 짝문제를 푸세요. ▶

빈칸 완성하기
밑줄 친 우리말과 같도록 괄호 안의 말을 활용하여 빈칸에 쓰시오.

기출문제 풀고

45 Matt always worries that someone will break into his house. 그는 집을 나설 때 창문을 잠글 것을 잊는다. (forget, lock)

= He _____ _____ _____
the windows when he leaves home.

46 M: Why do you look so tired?
W: 나는 어젯밤에 잠을 자는 데 어려움을 겪었어.
(have, sleep)
M: Maybe you should drink some tea and read tonight.

= I _____ _____ _____
last night.

기출문제를 풀었으면 채점한 후, 짝문제를 푸세요. ▶

짝문제로 마무리

47 Nicole thought that she wasn't good at cooking. 그녀의 친구는 그녀에게 요리 수업을 들어보라고 말했다. (try, take)

= Her friend told her to _____
_____ a cooking class.

48 M: Hey, Julie! What are you doing?
W: Hi, Mike. I'm making a gate.
M: A gate? What for?
W: 나는 나의 개가 부엌 안으로 들어가지 못하게 하고 싶어. (keep, go)

= I want to _____ _____
_____ _____ into the kitchen.

보기에서 단어 골라 영작하기
우리말과 같도록 <보기>의 단어를 활용하여 문장을 완성하시오. (단, 필요 시 단어의 형태를 바꾸시오.)

기출문제 풀고

┌─────────── <보기> ───────────┐
of   think   speak   join   bad   at
└────────────────────────────┘

49 그는 일본어를 말하는 것을 못한다.

= He's _____
  Japanese.

50 나는 미술 동아리에 가입하는 것을 생각하고 있다.

= I'm _____
  the art club.

기출문제를 풀었으면 채점한 후, 짝문제를 푸세요. ▶

짝문제로 마무리

┌─────────── <보기> ───────────┐
grow   interested   of   in   adopt   fond
└────────────────────────────┘

51 나의 엄마는 꽃을 기르는 것을 좋아하신다.

= My mom is _____
  flowers.

52 그녀는 고양이를 입양하는 것에 흥미가 있었다.

= She was _____
  a cat.

조건에 맞게 영작하기
우리말과 같도록 주어진 <조건>에 맞게 영작하시오.

기출문제 풀고

53 우리는 그 파티를 위해 춤추는 것을 연습했다.

┌─────────── <조건> ───────────┐
1. practice, dance를 활용하시오.
2. 6단어로 쓰시오.
└────────────────────────────┘

= _____
  _____

54 그들은 그 교실을 청소하느라 바빴다.

┌─────────── <조건> ───────────┐
1. busy, clean을 활용하시오.
2. 6단어로 쓰시오.
└────────────────────────────┘

= _____
  _____

기출문제를 풀었으면 채점한 후, 짝문제를 푸세요. ▶

짝문제로 마무리

55 James는 그의 친구를 놀리는 것을 그만뒀다.

┌─────────── <조건> ───────────┐
1. quit, make fun of를 활용하시오.
2. 7단어로 쓰시오.
└────────────────────────────┘

= _____
  _____

56 나는 그 재킷을 사지 않을 수 없다.

┌─────────── <조건> ───────────┐
1. cannot help, buy를 활용하시오.
2. 6단어로 쓰시오.
└────────────────────────────┘

= _____
  _____

CHAPTER

07

분사

- **POINT 1** 분사의 형태와 쓰임
- **POINT 2** 현재분사와 과거분사
- **POINT 3** 감정을 나타내는 분사
- **POINT 4** 분사구문

기출문제 **풀고** 짝문제**로 마무리!**

우리말과 같도록 괄호 안의 말을 알맞게 배열하시오.

자전거를 타고 있는 소녀는 모자를 쓰고 있다. (riding, the girl, a bicycle)

_____ **is wearing a hat.**

현재분사 riding이 구를 이루어 명사 girl을 수식하므로 girl 뒤에 riding a bicycle을 쓴다.

정답: The girl riding a bicycle

분사는 V-ing(현재분사)나 p.p.(과거분사)의 형태로, 형용사처럼 명사를 수식하거나 문장 안에서 보어로 쓰인다. 분사가 단독으로 명사를 수식하면 명사 앞에 쓰고, 두 단어 이상의 구를 이루어 명사를 수식하면 명사 뒤에 쓴다.
Look at that **singing** *girl*. <명사 수식> 노래하고 있는 저 소녀를 봐.
The T-shirt **made** *in Italy* is expensive. <명사 수식> 이탈리아에서 만들어진 그 티셔츠는 비싸다.
My sister had her *computer* **fixed**. <목적격 보어> 나의 누나는 그녀의 컴퓨터를 수리되게 했다.

[1–11] 우리말과 같도록 괄호 안의 말을 알맞게 배열하시오.

1 아기는 움직이는 자동차 안에서 잘 잤다. (car, the, moving, in)

= The baby slept well _____ .

2 너의 노래는 놀랍게 들렸다. (amazing, sounded, your song)

= _____

3 그녀는 깨진 유리잔을 치웠다. (the, glass, broken, removed)

= She _____ .

4 울고 있는 저 소년은 누구니? (crying, is, boy, that)

= Who _____ ?

5 수진이는 그녀의 머리를 잘리게 했다. (her hair, cut, had)

= Sujin _____ .

6 청중은 신이 나 보였다. (excited, looked, the audience)

= _____

7 나는 전화가 울리고 있는 것을 들었다. (the phone, ringing, heard)

= I _____ .

8 나의 아빠는 그의 자동차를 점검되게 했다. (checked, got, his car)

= My dad _____ .

9 그는 끓고 있는 물에 약간의 면을 넣었다. (water, the, noodles, in, boiling)

= He put some _____ .

10 나는 배낭을 메고 있는 그 남자를 안다. (carrying, the man, a backpack)

= I know _____ .

11 우리는 몇몇 어린이들이 축구를 하고 있는 것을 봤다. (soccer, saw, playing, some children)

= We _____ .

괄호 안의 동사를 알맞은 형태로 바꿔 빈칸에 쓰시오.

The news is about a treasure
_____ a long time ago. (hide)

명사 treasure를 뒤에서 수식하고 '숨겨진'이라는 수동·완료의 의미를 나타내므로 과거분사 hidden을 쓴다.

정답: hidden
해석: 그 뉴스는 오래 전에 숨겨진 보물에 대한 것이다.

'~하는, ~하고 있는'이라는 능동·진행의 의미를 나타낼 때는 현재분사를 쓰고, '~된, 당한'이라는 수동·완료의 의미를 나타낼 때는 과거분사를 쓴다.
I tried to catch a **running** mouse. 나는 달리고 있는 쥐를 잡으려고 노력했다.
He picked up the **fallen** leaves. 그는 떨어진 나뭇잎들을 주웠다.

[1-5] 우리말과 같도록 주어진 단어를 활용하여 문장을 완성하시오.

1 그들은 그 언 강 위를 조심스럽게 걸었다. (freeze, river)

= They walked carefully on _____.

2 우리를 응대하는 그 종업원은 매우 친절하다. (waiter, serve)

= _____ is very kind.

3 그녀는 James에 의해 쓰여진 그 에세이를 읽었다. (essay, write)

= She read _____.

4 그의 손을 씻고 있는 그 소년은 나의 남동생이다. (boy, wash)

= _____ is my little brother.

5 우리는 Emily에 의해 장식된 그 방을 좋아했다. (room, decorate)

= We liked _____.

[6-11] 다음 문장에서 틀린 부분을 바르게 고쳐 완전한 문장을 쓰시오.

6 We took a bus arrived at 6 P.M.

→ _____

7 These are the muffins baking by Laura.

→ _____

8 The dog run on the grass is mine.

→ _____

9 The danced couple seems very happy.

→ _____

10 Don't touch the bench painting an hour ago.

→ _____

11 I've found my losing wallet at the station.

→ _____

POINT 3 감정을 나타내는 분사

괄호 안의 동사를 알맞은 형태로 바꿔 빈칸에 쓰시오.

My parents were _____ at the price of the house. (surprise)

My parents가 감정을 느끼는 주체이므로 과거분사 surprised를 쓴다.

정답: surprised
해석: 나의 부모님은 그 집의 가격에 놀라셨다.

분사가 수식하거나 설명하는 명사가 감정을 일으키는 원인이면 현재분사를 쓰고, 감정을 느끼는 주체이면 과거분사를 쓴다.

interesting 흥미롭게 하는 - interested 흥미로워하는	touching 감동하게 하는 - touched 감동한
surprising 놀라게 하는 - surprised 놀란	boring 지루하게 하는 - bored 지루한
exciting 신이 나게 하는 - excited 신이 난	shocking 충격을 주는 - shocked 충격을 받은
disappointing 실망스럽게 하는 - disappointed 실망스러워하는	amazing 놀라게 하는 - amazed 놀란

[1-5] 우리말과 같도록 주어진 단어를 활용하여 문장을 완성하시오.

1 현장 학습은 나를 피곤하게 만들었다. (make, tire)

= The field trip _____.

2 그녀는 도서관에서 흥미로운 책 한 권을 발견했다. (interest, book)

= She found _____ in the library.

3 나는 그 유명 인사에 대한 놀라운 소식을 들었다. (surprise, news)

= I heard _____ about the celebrity.

4 Joshua는 그 역사 시험에 대해 걱정했다. (worry)

= Joshua _____ about the history test.

5 Carol은 우울할 때 핫초코를 마신다. (depress)

= Carol drinks hot chocolate when she _____.

[6-10] 다음 문장에서 틀린 부분을 바르게 고쳐 완전한 문장을 쓰시오.

6 Rock climbing is an excited sport.

→ _____

7 I found the movie impressed.

→ _____

8 We were touching by the band's performance.

→ _____

9 The basketball team got a satisfied result in the game.

→ _____

10 Mr. Brown was pleasing with the letter from his son.

→ _____

다음 문장의 밑줄 친 부분을 분사구문으로 바꿔 쓰시오.

While she studied math, she listened to music.

→ _____, **she listened to music.**

부사절의 접속사 While과 주어 she를 생략하고 동사 studied를 현재분사 Studying으로 바꾼다.

정답: Studying math
해석: 그녀는 수학을 공부하면서 음악을 들었다.

분사구문은 「접속사 + 주어 + 동사」 형태의 부사절을 분사를 이용하여 부사구로 바꾸어 쓴 것이다.

① ② ③
~~While I~~ read a magazine, I drank a cup of tea.

Reading a magazine, I drank a cup of tea.
나는 잡지를 읽으면서 차 한 잔을 마셨다.

① 부사절의 접속사를 생략한다.

② 주절과 부사절의 주어가 같으면 부사절의 주어도 생략한다.

③ 부사절의 동사는 현재분사로 바꾼다.

TIP 분사구문은 생략된 접속사에 따라 시간, 동시동작, 이유 등을 나타낼 수 있다.
Because he studied a lot, he got good grades. = **Studying** a lot, he got good grades. 그는 많이 공부했기 때문에 좋은 성적을 받았다.

[1–5] 다음 두 문장의 의미가 같도록 분사구문을 이용하여 문장을 완성하시오.

1 When she received the gift, she smiled.

→ _____, she smiled.

2 Because she missed the bus, she was late for school.

→ _____, she was late for school.

3 He talked on the phone while he waited for the train.

→ He talked on the phone, _____.

4 Because we live near each other, we often exercise together.

→ _____, we often exercise together.

5 While they had dinner, they watched the baseball game on TV.

→ _____, they watched the baseball game on TV.

[6–10] 우리말과 같도록 주어진 단어를 활용하여 분사구문을 완성하시오.

6 그녀는 소파 위에 누워서 만화책을 읽었다. (lie, on the sofa)

= She read a comic book, _____.

7 그는 집에 도착했을 때 문이 잠겨 있지 않다는 것을 발견했다. (arrive, home)

= _____, he found the door unlocked.

8 그는 설거지를 하는 동안 그의 옷을 적셨다. (wash, the dishes)

= _____, he got his clothes wet.

9 나는 너의 조언을 받았기 때문에 나의 숙제를 빠르게 끝냈다. (take, advice)

= _____, I finished my homework quickly.

10 그녀는 시장에서 쇼핑하면서 그녀의 친구를 우연히 마주쳤다. (shop, at the market)

= _____, she came across her friend.

기출문제 풀고 짝문제로 마무리!

기출문제를 풀고 정답과 해설을 확인하세요. 짝문제를 풀면서 복습하고, 틀린 문제는 다시 틀리지 않도록 꼼꼼히 점검하세요.

주어진 단어 활용하여 영작하기
우리말과 같도록 분사와 괄호 안의 말을 활용하여 문장을 완성하시오.

기출문제 풀고

01 인생에 대한 그의 에세이는 흥미로웠다. (interest)

= His essay on life _____.

02 개를 산책시키고 있는 그 여자는 길고 검은 머리를 갖고 있다. (walk a dog)

= _____
_____ has long black hair.

03 Debra는 집에 오는 길에 감동적인 경험을 했다. (move, experience)

= Debra had _____
_____ on the way home.

04 미소 짓고 있는 저 여자는 나의 어머니이다. (smile, woman, my mother)

= _____

05 고난도 우리는 두 시에 떠나는 그 기차를 놓칠 것이다. (miss, the train, leave at)

= We're going to _____
_____.

06 나는 Johnson씨에 의해 설계된 박물관을 방문했다. (the museum, design)

= I visited _____
_____.

짝문제로 마무리

07 이 중국어 수업은 지루하다. (bore)

= This Chinese class _____.

08 스케이트보드를 타고 있는 그 소년은 나의 반 친구들 중 한 명이다. (ride a skateboard)

= _____
_____ is one of my classmates.

09 그 가수는 그의 콘서트에서 실망스러운 공연을 했다. (disappoint, performance)

= The singer gave _____
_____ at his concert.

10 우리는 떠오르는 태양의 사진을 찍었다. (take pictures of, rise, sun)

= _____

11 고난도 그들은 금요일에 시작하는 그 축제에 갈 것이다. (the festival, start on)

= They'll _____
_____.

12 나의 가족은 할아버지에 의해 지어진 집에서 산다. (the house, build)

= My family lives in _____
_____.

기출문제를 풀었으면 채점한 후, 짝문제를 푸세요. ▶

틀린 부분 고쳐 쓰기
다음 문장에서 틀린 부분을 바르게 고쳐 완전한 문장을 쓰시오.

기출문제 풀고

13 We ate some boiling eggs as a snack.

→ _____

14 Maria will get her car washing.

→ _____

15 The bike storing in the garage is Paul's.

→ _____

16 She's satisfying with her painting.

→ _____

17 There is a restaurant served Mexican food nearby.

→ _____

18 He found an amazed suit in his father's closet.

→ _____

19 Janet was confusing by the ending of the novel.

→ _____

짝문제로 마무리

20 She failed to catch a flown bug.

→ _____

21 Jerry had his watch repairing.

→ _____

22 Rachel carried a box filling with old dolls.

→ _____

23 Adam is interesting in Korean culture.

→ _____

24 They need to find examples supported their idea.

→ _____

25 The play is popular because of its fascinated story.

→ _____

26 We were shocking by the news of the earthquake.

→ _____

기출문제를 풀었으면 채점한 후, 짝문제를 푸세요. ▶

조건에 맞게 영작하기

우리말과 같도록 주어진 <조건>에 맞게 영작하시오.

27 그녀의 어린 시절 이야기는 감동적이었다.

―― <조건> ――
1. childhood story, touch를 활용하시오.
2. 5단어로 쓰시오.

= _____

_____

28 그는 그녀의 무례함에 의해 짜증났다.

―― <조건> ――
1. annoy, by, rudeness를 활용하시오.
2. 6단어로 쓰시오.

= _____

_____

29 나는 그 무서운 순간을 잊을 수 없다.

―― <조건> ――
1. forget, terrify, moment를 활용하시오.
2. 6단어로 쓰시오.

= _____

_____

30 고난도 나는 야채를 써는 동안 나의 손가락을 다쳤다.

―― <조건> ――
1. chop, the vegetables, hurt를 활용하시오.
2. 분사구문을 이용하시오.
3. 7단어로 쓰시오.

= _____

_____

31 그 선생님의 질문은 당황스러웠다.

―― <조건> ――
1. question, embarrass를 활용하시오.
2. 5단어로 쓰시오.

= _____

_____

32 우리는 겨울 방학에 신이 났다.

―― <조건> ――
1. excite, about, vacation을 활용하시오.
2. 6단어로 쓰시오.

= _____

_____

33 그들은 직장에서 지치는 하루를 보냈다.

―― <조건> ――
1. spend, exhaust, at work를 활용하시오.
2. 7단어로 쓰시오.

= _____

_____

34 고난도 그녀는 거실을 청소하는 동안 꽃병을 깼다.

―― <조건> ――
1. clean, break, the vase를 활용하시오.
2. 분사구문을 이용하시오.
3. 8단어로 쓰시오.

= _____

_____

기출문제를 풀었으면 채점한 후, 짝문제를 푸세요. ▶

단어 배열하여 영작하기
우리말과 같도록 괄호 안의 말을 알맞게 배열하시오.

기출문제 풀고

35 Emma는 스페인에서 찍힌 그 사진들을 좋아한다.
(in Spain, likes, taken, the photos)

= Emma _____
_____ .

36 그녀는 그녀의 오랜 비행 후에 피곤했다. (tired, was, after her long flight)

= She _____
_____ .

37 영어를 말하고 있는 저 소녀는 누구니? (that girl, English, is, speaking, who)

= _____
_____

38 우리는 추운 날씨에 대해 걱정했다. (worried about, were, the cold weather)

= We _____
_____ .

39 Nicole은 진주로 만들어진 목걸이를 샀다. (a necklace, bought, pearls, made of)

= Nicole _____
_____ .

40 그들은 Albert가 무대 위에서 노래하고 있는 것을 들었다. (Albert, on the stage, listened to, singing)

= They _____
_____ .

짝문제로 마무리

41 나는 칠판 위에 쓰여 있는 그 시를 읽었다.
(written, on the blackboard, the poem, read)

= I _____
_____ .

42 Scott은 그 시험에 합격해서 기뻤다. (the test, pleased, to pass, was)

= Scott _____
_____ .

43 너는 파스타를 만들고 있는 그 남자를 아니? (know, you, making, the man, do, pasta)

= _____
_____

44 나는 그 케이크의 크기에 놀랐다. (of the cake, the size, surprised at, was)

= I _____
_____ .

45 Jason은 먼지로 덮인 그 책상을 닦을 것이다. (covered with, wipe, the desk, dust, will)

= Jason _____
_____ .

46 우리는 몇몇 사람들이 그 식당 앞에 서 있는 것을 봤다. (in front of the restaurant, some people, saw, standing)

= We _____
_____ .

기출문제를 풀었으면 채점한 후, 짝문제를 푸세요. ▶

그림 보고 영작하기
다음 그림을 보고 분사구문과 괄호 안의 말을 활용하여 문장을 완성하시오.

기출문제 풀고	짝문제로 마무리

47

The girl _____
is Kelly. (talk to)

49

The boy _____
is Hyunsu. (play the piano)

48

_____,
he's eating a sandwich. (sit at a table)

50

_____,
she's walking in the park. (listen to music)

기출문제를 풀었으면 채점한 후, 짝문제를 푸세요. ▶

문장 바꿔 쓰기
다음 두 문장의 의미가 같도록 분사구문을 이용하여 문장을 완성하시오.

기출문제 풀고	짝문제로 마무리

51

Because I felt hungry, I looked for food in the refrigerator.

→ _____
_____ in the refrigerator.

53

Because he caught the flu, he didn't go to school.

→ _____
_____ to school.

52

When she heard the sound of thunder, she woke up in the middle of the night.

→ _____
_____ in the middle of the night.

54

When they saw the red light, they stopped at the crosswalk.

→ _____
_____ at the crosswalk.

기출문제를 풀었으면 채점한 후, 짝문제를 푸세요. ▶

CHAPTER

08

대명사

🔹 **POINT 1**   부정대명사: some, any
🔹 **POINT 2**   부정대명사: one, another, other
🔹 **POINT 3**   부정대명사: all, every, each, both
🔹 **POINT 4**   재귀대명사

기출문제 풀고 짝문제로 마무리!

● POINT 1 부정대명사: some, any

우리말과 같도록 주어진 단어를 활용하여 문장을 완성하시오.

나는 춤에 약간의 흥미도 갖고 있지 않다. (interest)

I don't have _____ in dance.

'약간의 흥미'라는 의미이고 부정문이므로 명사 interest 앞에 any를 쓴다.

정답: any interest

some/any는 '약간(의), 조금(의), 몇몇(의)'라는 의미를 나타내며, 대명사 또는 형용사로 쓰인다. some은 주로 긍정문과 권유·요청을 나타내는 의문문에 쓰고, any는 주로 부정문과 의문문에 쓴다.

I need **some** *milk and flour*. Can you buy me **some**? 나는 약간의 우유와 밀가루가 필요해. 나에게 조금 사다 주겠니?

There isn't **any** *paper* in the cabinet. Did you order **any**? 보관장에 종이가 조금도 없어. 너는 조금 주문했니?

TIP some/any에 -thing이 붙으면 '무언가, 어떤 것'이라는 의미로 불특정한 사물을 나타내고, -body/-one이 붙으면 '누군가, 어떤 사람'이라는 의미로 불특정한 사람을 나타낸다.

[1–11] 우리말과 같도록 괄호 안의 말을 알맞게 배열하시오.

1   Charles는 나에게 약간의 물을 가져다줬다. (me, brought, water, some)

= Charles _____ .

2   나는 질문이 몇 개 있어. 너는 조금 있니? (any, you, do, have)

= I have some questions. _____

3   서랍장에 펜들이 조금도 없다. (pens, there, any, aren't)

= _____ in the drawer.

4   나는 약간의 초밥이 먹고 싶어. 내가 조금 주문해도 될까? (I, some, order, may)

= I'd like to eat some sushi. _____

5   너는 그 보고서에서 몇몇 오류들을 찾았니? (you, errors, find, any, did)

= _____ in the report?

6   저는 갈색 신발을 찾고 있어요. 저에게 몇 켤레 보여주세요. (me, some, show)

= I'm looking for brown shoes. Please _____ .

7   누군가가 여기에서 춥게 느끼나요? (anyone, cold, feel, does)

= _____ in here?

8   우리는 어려움에 처한 사람들을 위해 무언가를 할 것이다. (do, we'll, for people, something)

= _____ in need.

9   Steven은 그 행사에 대해 어떤 것도 알지 못한다. (Steven, anything, know, doesn't)

= _____ about the event.

10 몇몇 선수들이 경기 후에 휴식을 취하고 있다. (taking, some, a break, are, players)

= _____ after the game.

11 Emily는 누군가가 그녀에게 조언을 해주기를 원한다. (to give, Emily, somebody, wants)

= _____ her advice.

POINT 2 부정대명사: one, another, other

다음 빈칸에 알맞은 부정대명사를 쓰시오.

He has two dogs. _____ is brown, and _____ is white.

'(개 두 마리 중) 하나'라는 의미를 나타내기 위해 one을 쓰고, '나머지 하나'라는 의미를 나타내기 위해 the other를 쓴다.

정답: One, the other
해석: 그는 개 두 마리가 있다. 하나는 갈색이고, 나머지 하나는 흰색이다.

one, another, other(s), some을 써서 여럿 중 일부를 나타낼 수 있다.

one ~, the other -	one ~, another -, the other …	some ~, others -	some ~, the others -
(둘 중) 하나는 ~, 나머지 하나는 -	(셋 중) 하나는 ~, 다른 하나는 -, 나머지 하나는 …	(여럿 중) 몇몇은 ~, 다른 사람들/것들은	(여럿 중) 몇몇은 ~, 나머지 전부는 -

TIP one은 앞에서 언급된 명사와 같은 종류의 불특정한 대상을 가리킬 때 쓰이며, 복수형은 ones이다. another는 '하나 더, 또 다른 하나'라는 의미이고, other는 '(불특정한) 다른 사람/것'이라는 의미이며 복수형은 others이다.

[1-5] 우리말과 같도록 빈칸에 알맞은 부정대명사를 쓰시오.

1 이 스테이크는 맛이 좋다. 나는 하나 더 먹겠다.

= This steak tastes good. I'll have _____.

2 Sam은 그의 펜을 잃어버렸다. 그는 Cathy에게 하나 빌릴 것이다.

= Sam lost his pen. He'll borrow _____ from Cathy.

3 Davis씨는 다른 사람들을 돕기 위해 자선 파티를 열었다.

= Ms. Davis held the charity party to help _____.

4 우리는 음료수 두 개를 주문했다. 하나는 사과 주스였고, 나머지 하나는 커피였다.

= We ordered two drinks. _____ was apple juice, and _____ was coffee.

5 그녀는 스포츠 세 가지를 좋아한다. 하나는 축구이고, 다른 하나는 야구이고, 나머지 하나는 테니스이다.

= She likes three sports. _____ is soccer, _____ is baseball, and _____ is tennis.

[6-10] 우리말과 같도록 주어진 단어를 활용하여 영작하시오.

6 그는 많은 쿠키를 구웠다. 몇몇은 동그랗고, 나머지 전부는 사각형이었다. (round, square)

= He baked a lot of cookies. _____

7 나는 책 두 권을 읽었다. 한 권은 소설이었고, 나머지 한 권은 전기였다. (a novel, a biography)

= I read two books. _____

8 나는 많은 친구들이 있다. 몇몇은 수학을 좋아하고, 다른 친구들은 역사를 좋아한다. (math, history)

= I have many friends. _____

9 컵 세 개가 있다. 하나는 검은색이고, 다른 하나는 녹색이고, 나머지 하나는 빨간색이다. (black, green, red)

= There are three cups. _____

10 우리는 농장에서 많은 동물들을 봤다. 몇몇은 소들이었고, 나머지 전부는 돼지들이었다. (cows, pigs)

= We saw many animals on the farm. _____

우리말과 같도록 주어진 단어를 활용하여 문장을 완성하시오.

동물원에 있는 모든 어린이들은 신이 났다. (the children)

_____ **in the zoo were excited.**

'모든 어린이들'이라는 의미이고 children은 복수명사
이므로 the children 앞에 All (of)을 쓴다.

정답: All (of) the children

all, every, each, both가 어떤 의미로 쓰이는지 알아 두고, 뒤에 쓸 수 있는 명사와 동사의 형태에 주의한다.

all 모든	all (of) + 복수명사 + 복수동사 all (of) + 셀 수 없는 명사 + 단수동사	**each** 각각(의)	each + 단수명사 + 단수동사 each of + 복수명사 + 단수동사
every 모든	every + 단수명사 + 단수동사 everything/everybody/everyone + 단수동사	**both** 둘 다	both (of) + 복수명사 + 복수동사

[1-5] 우리말과 같도록 괄호 안의 말을 알맞게 배열하시오.

1 모든 빵은 다 팔렸다. (was, all, sold out, the bread, of)

= _____

2 우리 둘 다 요리 수업을 듣는다. (of, a cooking class, us, both, take)

= _____

3 오늘 밤 파티를 위해 모든 것이 준비되어 있다. (is, everything, the party, ready for)

= _____ tonight.

4 시내의 모든 가게들은 주말마다 문을 연다. (in town, open, all, are, the shops)

= _____ on weekends.

5 영화가 시작하기 전에 모든 사람은 자리에 앉아야 한다. (a seat, has to, everyone, take)

= _____ before the movie begins.

[6-10] 우리말과 같도록 주어진 단어를 활용하여 문장을 완성하시오.

6 각각의 수업은 약 30분 동안 계속된다. (class, last)

= _____ about 30 minutes.

7 나의 남동생들 둘 다 잠자기를 원한다. (my brother, want, sleep)

= _____

8 모든 학생들은 그 선생님을 좋아한다. (all, the student, like)

= _____

9 모든 옷들은 손으로 세탁되었다. (all, the cloth, wash)

= _____ by hand.

10 모든 선물은 리본으로 포장되었다. (every, gift, wrap)

= _____ with a ribbon.

 **POINT 4** 재귀대명사

우리말과 같도록 빈칸에 알맞은 재귀대명사를 쓰시오.

나는 모형 비행기를 직접 만들었다.

I made a model airplane _____.

'나는 모형 비행기를 직접 만들었다'라는 의미이고 주어 I를 강조하는 말이 와야 하므로 문장 맨 뒤에 myself를 쓴다.

정답: myself

- 재귀대명사는 '~ 자신, ~ 자체'라는 의미로, 인칭대명사에 -self/-selves를 붙인 형태이다. 재귀대명사는 동사나 전치사의 목적어가 주어와 같은 대상일 때 목적어로 쓰이거나, 주어·목적어를 강조하기 위해 강조하려는 말 바로 뒤나 문장 맨 뒤에 쓸 수 있다.

   TIP 목적어로 쓰인 재귀대명사는 생략할 수 없지만, 주어·목적어를 강조하는 재귀대명사는 생략할 수 있다.

- 다음은 재귀대명사를 쓰는 관용 표현이다.

| talk[say] to oneself 혼잣말을 하다 | help oneself to ~을 마음껏 먹다 | by oneself 혼자서, 홀로 |
| enjoy oneself 즐거운 시간을 보내다 | make oneself at home (집에서처럼) 편히 쉬다 | for oneself 혼자 힘으로, 스스로 |

[1-6] 우리말과 같도록 괄호 안의 말을 알맞게 배열하시오.

1 나는 이 수프를 직접 요리했다. (this soup, cooked, myself)

= I _____.

2 Susan은 혼자서 그 집을 청소했다. (by, cleaned, herself, the house)

= Susan _____.

3 그녀는 거울 속의 그녀 자신을 봤다. (at, looked, herself, the mirror, in)

= She _____.

4 Eric은 초조해질 때 혼잣말을 한다. (he, himself, to, talks)

= When Eric gets nervous, _____.

5 우리는 그 게임 자체는 좋아하지만, 그것은 너무 비싸다. (the game, like, itself, we)

= _____, but it's too expensive.

6 그들은 화면에서 그들 자신을 봐서 신이 났다. (to watch, excited, themselves, were)

= They _____ on the screen.

[7-13] 다음 문장에서 밑줄 친 부분을 바르게 고쳐 완전한 문장을 쓰시오.

7 I fixed the bike <u>herself</u>. → _____

8 Mary was proud of <u>himself</u>. → _____

9 Thomas <u>yourself</u> painted the wall. → _____

10 You should encourage <u>you</u>. → _____

11 Lisa <u>myself</u> solved the problem. → _____

12 We enjoyed <u>us</u> at the beach. → _____

13 The students <u>ourselves</u> built the dog house. → _____

기출문제 풀고 짝문제로 마무리!

기출문제를 풀고 정답과 해설을 확인하세요. 짝문제를 풀면서 복습하고, 틀린 문제는 다시 틀리지 않도록 꼼꼼히 점검하세요.

주어진 단어 활용하여 영작하기
우리말과 같도록 괄호 안의 말을 활용하여 문장을 완성하시오.

기출문제 풀고	짝문제로 마무리

기출문제 풀고

01 그는 그의 아이들에게 약간의 간식을 사줬다.
(buy, snacks)

= _____
   for his kids.

02 나는 이번 방학을 위한 계획이 조금도 없다.
(have, plans)

= _____
   for this vacation.

03 차들 각각은 그것 고유의 향기를 가지고 있다.
(the teas, its own smell)

= _____

04 비행기가 흔들렸을 때 모든 승객들은 불안해했다.
(the passengers, nervous)

= _____
   when the plane shook.

05 Jessica는 다른 사람들과 함께 일하는 것을
즐긴다. (enjoy, work)

= _____

06 나는 두 가지 맛의 아이스크림을 좋아한다.
하나는 초콜릿이고, 나머지 하나는 바닐라이다.
(chocolate, vanilla)

= I like two flavors of ice cream. _____

짝문제로 마무리

07 그녀는 소풍을 위해 약간의 샌드위치를 만들었다.
(make, sandwiches)

= _____
   for the picnic.

08 너의 자동차에는 문제가 조금도 없었다. (there,
problems)

= _____
   with your car.

09 그들 각각은 다른 나라 출신이다. (them, a
different country)

= _____

10 모든 방문객들은 그 건물에 들어가려면 신분증을
가져와야 한다. (the visitors, have to, an ID)

= _____
   to enter the building.

11 Edward는 다른 사람들을 돕기 위해 돈을
기부했다. (donate, help)

= _____

12 나는 상자 두 개를 찾았다. 하나는 종이로
만들어졌고, 나머지 하나는 플라스틱으로
만들어졌다. (made of, paper, plastic)

= I found two boxes. _____

기출문제를 풀었으면 채점한 후, 짝문제를 푸세요. ▶

단어 배열하여 영작하기
우리말과 같도록 괄호 안의 말을 알맞게 배열하시오.

| 기출문제 풀고 | 짝문제로 마무리 |

13 모든 쓰레기는 치워졌다. (was, the trash, all, removed)

= _____

14 그녀는 그 배우 본인과 이야기했다. (the actor, she, himself, talked with)

= _____

15 모든 요리는 나의 엄마에 의해 만들어졌다. (made, dish, by my mom, was, every)

= _____
_____

16 나는 나 자신을 소개하고 싶다. (myself, I'd, introduce, like to)

= _____
_____

17 모든 질문들은 Melissa에 의해 답변되었다. (answered, all, were, the questions, by Melissa, of)

= _____
_____

18 [고난도] 마을의 모든 사람은 그 소식에 놀랐다. (the news, everybody, surprised at, in town, was)

= _____
_____

19 모든 너의 조언은 나에게 유용했다. (useful, all, to me, your advice, was)

= _____

20 우리는 그 예술 작품 자체를 봤다. (itself, saw, we, the artwork)

= _____

21 모든 학생은 이 선생님의 말씀에 집중한다. (on, every, Mr. Lee's words, student, focuses)

= _____
_____

22 그는 그 자신을 행복하게 만들려고 노력했다. (tried to, happy, make, himself, he)

= _____
_____

23 모든 여행 가이드들은 스페인어를 말할 수 있다. (the tour guides, Spanish, of, are able to, all, speak)

= _____
_____

24 [고난도] 이 책의 모든 것은 이해하기에 어려웠다. (hard, to understand, was, everything, in this book)

= _____
_____

틀린 부분 고쳐 쓰기

다음 문장에서 틀린 부분을 바르게 고쳐 완전한 문장을 쓰시오.

기출문제 풀고

25

All of the students wears a name tag.

→ _____

26

Each of the singers have a microphone.

→ _____

27

Both my brothers is good at cooking.

→ _____

28

Every table are covered with a white cloth.

→ _____

29

They have two pets. One is a dog, and another is a cat.

→ _____

30 고난도

Jake asked Ann to collect the students' essays, but she went home early. So he collected them herself.

→ _____

_____

31

My sister has been sick a lot recently. She needs to take care of her.

→ _____

_____

짝문제로 마무리

32

All my shoes is stored in this closet.

→ _____

33

Each of the pens cost two dollars.

→ _____

34

Both of us wants to travel to France.

→ _____

35

Every window were washed yesterday.

→ _____

36

There are two bags. One is a suitcase, other is a backpack.

→ _____

_____

37 고난도

My friends didn't help me with the group project yesterday. So I had to do everything themselves.

→ _____

_____

38

I saw an old woman carrying heavy bags and helped her. I was very pleased with me.

→ _____

_____

기출문제를 풀었으면 채점한 후, 짝문제를 푸세요. ▶

조건에 맞게 영작하기

우리말과 같도록 주어진 <조건>에 맞게 영작하시오.

기출문제 풀고

39

Jane은 나에게 영어를 직접 가르쳐줬다.

<조건>
1. teach를 활용하시오.
2. 재귀대명사를 이용하시오.
3. 5단어로 쓰시오.

= _____

_____

40

우리는 그 호텔에서 편히 쉬었다.

<조건>
1. in the hotel을 활용하시오.
2. 재귀대명사를 이용하시오.
3. 8단어로 쓰시오.

= _____

_____

41

교실에 많은 학생들이 있다. 몇몇은 교과서를 읽고 있고, 나머지 전부는 친구들과 이야기하고 있다.

<조건>
1. read textbooks, talk to their friends를 활용하시오.
2. 현재진행시제로 쓰시오.

= There are many students in the classroom.

_____

_____

42

나는 이모 두 분이 있다. 한 분은 공학자이시고, 나머지 한 분은 간호사이시다.

<조건>
1. engineer, nurse를 활용하시오.
2. 현재시제로 쓰시오.

= I have two aunts. _____

_____

짝문제로 마무리

43

Henry는 그의 자동차를 직접 수리했다.

<조건>
1. repair를 활용하시오.
2. 재귀대명사를 이용하시오.
3. 5단어로 쓰시오.

= _____

_____

44

그녀는 혼자서 그 퍼즐을 완성했다.

<조건>
1. complete를 활용하시오.
2. 재귀대명사를 이용하시오.
3. 6단어로 쓰시오.

= _____

_____

45

볼링 동아리에는 많은 회원들이 있다. 몇몇은 3학년이고, 나머지 전부는 2학년이다.

<조건>
1. in the third grade, in the second grade를 활용하시오.
2. 현재시제로 쓰시오.

= The bowling club has a lot of members.

_____

_____

46

우리는 영화 두 편을 봤다. 한 편은 공포 영화였고, 나머지 한 편은 애니메이션 영화였다.

<조건>
1. horror, animated를 활용하시오.
2. 과거시제로 쓰시오.

= We saw two movies. _____

_____

기출문제를 풀었으면 채점한 후, 짝문제를 푸세요. ▶

CHAPTER 08 대명사 해커스쓰기 자신감 Level 2

그림 보고 영작하기

다음 그림을 보고 괄호 안의 말을 활용하여 문장을 완성하시오. (단, 현재진행시제로 쓰시오.)

기출문제 풀고	짝문제로 마무리

47

Two people are sitting at a table. One is eating salad, and _____ _____. (drink water)

48

Each _____.
(girl, hold a basket)

49

Two people are under the tree. One is sleeping, and _____ _____. (take a photo)

50

Each _____.
(boy, wear a cap)

기출문제를 풀었으면 채점한 후, 짝문제를 푸세요. ▶

보기에서 단어 골라 영작하기

주어진 우리말과 같도록 <보기>에서 알맞은 단어를 골라서 빈칸에 쓰시오.

기출문제 풀고	짝문제로 마무리

기출문제 풀고

─ <보기> ─
myself   anything   some   yourself

51

나는 나 자신을 보고 웃지 않을 수 없었다.

= I couldn't help laughing at _____.

52

우리는 이 방에서 어떤 것도 찾지 못했다.

= We didn't find _____ in this room.

짝문제로 마무리

─ <보기> ─
myself   some   herself   anything

53

그녀는 나에게 그녀 자신에 대해 말해줬다.

= She told me about _____.

54

너는 밖에서 무언가를 들었니?

= Did you hear _____ outside?

기출문제를 풀었으면 채점한 후, 짝문제를 푸세요. ▶

CHAPTER

09

형용사와 부사

💠 **POINT 1**   형용사의 쓰임
💠 **POINT 2**   수량형용사: many, much, a lot of
💠 **POINT 3**   수량형용사: (a) few, (a) little
💠 **POINT 4**   빈도부사

기출문제 풀고 짝문제로 마무리!

우리말과 같도록 괄호 안의 말을 알맞게 배열하시오.

그녀는 나의 자전거에 잘못된 무언가를 발견했다. (wrong, my bike, something, with)

She found _____ .

-thing으로 끝나는 대명사(something)를 꾸미는 형용사(wrong)는 대명사 뒤에 쓴다.

정답: something wrong with my bike

- 형용사는 주로 명사를 앞에서 꾸미지만, -thing, -body, -one으로 끝나는 대명사를 꾸밀 때는 대명사 뒤에 쓴다.
- 형용사는 주어나 목적어를 보충 설명하는 보어로도 쓰일 수 있다.

[1-5] 우리말과 같도록 괄호 안의 말을 알맞게 배열하시오.

1 윤정이는 오래된 시계를 가지고 있다. (old, has, an, watch)

= Yunjung _____ .

2 화난 누군가가 밖에서 소리 지르고 있었다. (shouting, angry, was, someone)

= _____ outside.

3 너의 가방 안에 귀중한 무언가가 있니? (valuable, is, anything, there)

= _____ in your bag?

4 그녀는 그의 생일을 위해 특별한 것을 아무것도 준비하지 않았다. (she, special, prepared, nothing)

= _____ for his birthday.

5 우리는 다른 사람들을 위해 좋은 무언가를 하고 싶다. (good, do, for others, something)

= We'd like to _____ .

[6-11] 우리말과 같도록 괄호 안의 말을 활용하여 문장을 완성하시오.

6 나의 애완동물은 나를 행복하게 만든다. (make, happy)

= My pet _____ .

7 그들은 똑똑한 누군가를 찾고 있다. (look for, smart)

= They're _____ .

8 그 가수는 십 대들 사이에서 인기 있다. (the singer, popular)

= _____ among teenagers.

9 나는 너에게 말할 중요한 무언가가 있다. (have, important)

= _____ to tell you.

10 우리는 러시아어에 유창한 누군가를 만나본 적이 없다. (meet, fluent in Russian)

= We haven't _____ .

11 친절한 누군가가 내가 이 상자들을 나르는 것을 도와줬다. (friendly, help)

= _____ to carry these boxes.

⊕ POINT 2 수량형용사: many, much, a lot of

우리말과 같도록 괄호 안의 말을 활용하여 문장을 완성하시오.

Matthew는 많은 선물들을 받았다. (a lot of, gift)

Matthew received _____.

a lot of(많은)는 셀 수 있는 명사의 복수형 앞에 올 수 있으므로 a lot of 뒤에 gifts를 쓴다.

정답: a lot of gifts

---

many, much, a lot of는 모두 '많은'이라는 의미를 나타내지만, 뒤에 쓸 수 있는 명사의 형태가 다르다.

many (수가) 많은	+ 셀 수 있는 명사의 복수형
much (양이) 많은	+ 셀 수 없는 명사
a lot of = lots of (수·양이) 많은	+ 셀 수 있는 명사의 복수형/셀 수 없는 명사

[1-5] 우리말과 같도록 many 또는 much와 괄호 안의 말을 활용하여 문장을 완성하시오.

1 우리는 동물원에서 많은 동물들을 봤다. (see, animal)

= _____ at the zoo.

2 Alan은 역사에 대한 많은 책들을 읽었다. (read, book)

= _____ about history.

3 나는 텔레비전을 시청하는 데 많은 시간을 쓰지 않는다. (spend, time)

= _____ watching television.

4 많은 사람들이 매년 이 도시를 방문한다. (people, visit)

= _____ every year.

5 어제 이맘때에는 교통량이 많지 않았다. (there, traffic)

= _____ at this time yesterday.

[6-10] 우리말과 같도록 a lot of와 괄호 안의 말을 활용하여 문장을 완성하시오.

6 나는 운동한 후에 많은 물을 마셨다. (drink, water)

= _____ after exercising.

7 그는 그 산에서 많은 사진들을 찍었다. (take, photo)

= _____ on the mountain.

8 많은 돈을 모으는 것은 어렵다. (save, money)

= It's difficult _____.

9 Doris는 학교에서 많은 친구들을 사귀었다. (make, friend)

= _____ at school.

10 나의 할머니는 나에게 많은 동화들을 말해주셨다. (tell, fairy tale)

= My grandmother _____.

우리말과 같도록 괄호 안의 말을 활용하여 문장을 완성하시오.

나는 나의 집에 몇 명의 친구들을 데려왔다. (few, friend)

I brought _____ to my house.

'몇 명의 친구들을 데려왔다'라는 긍정의 의미이므로 a few를 써야 한다. a few는 셀 수 있는 명사의 복수형 앞에 와야 하므로 a few 뒤에 friends를 쓴다.

정답: a few friends

a few와 a little은 '약간의, 조금의'라는 긍정의 의미를 나타내고, few와 little은 '거의 없는'이라는 부정의 의미를 나타낸다. (a) few와 (a) little은 뒤에 쓸 수 있는 명사의 형태가 다르다.

a few 약간의, 조금의	+ 셀 수 있는 명사의 복수형	**few** 거의 없는	+ 셀 수 있는 명사의 복수형
a little 약간의, 조금의	+ 셀 수 없는 명사	**little** 거의 없는	+ 셀 수 없는 명사

[1-11] 우리말과 같도록 (a) few 또는 (a) little과 괄호 안의 말을 활용하여 문장을 완성하시오.

1 Joseph은 그 가게에서 몇 개의 컵들을 샀다. (buy, cup)

= Joseph _____ at the store.

2 Lucy는 빵 위에 약간의 버터를 발랐다. (spread, butter)

= Lucy _____ on the bread.

3 이 수학 문제를 풀 수 있는 학생들이 거의 없다. (student, solve)

= _____ this math problem.

4 우리는 박물관을 둘러볼 시간이 거의 없다. (have, time)

= _____ to look around the museum.

5 병에 우유가 거의 없다. (there, milk)

= _____ in the bottle.

6 그는 서랍에서 몇 개의 단추들을 찾았다. (find, button)

= _____ in the drawer.

7 그녀는 탁자 위에 약간의 주스를 쏟았다. (spill, juice)

= _____ on the table.

8 제가 당신에게 질문들을 좀 해도 될까요? (ask, question)

= May I _____?

9 나는 나의 차에 약간의 설탕을 추가하고 싶다. (add, sugar)

= I'd like to _____ to my tea.

10 비 때문에 그 축구 경기를 참관한 팬들이 거의 없었다. (fan, attend)

= Because of the rain, _____ the soccer game.

11 그들은 몇 주 후에 집으로 돌아왔다. (week, later)

= They came back home _____.

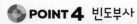

괄호 안의 말을 알맞게 배열하시오.

(support, will, always)

Parents _____ their children.

빈도부사는 조동사 뒤에 와야 하므로 will 뒤에 always를 쓴다.

정답: will always support
해석: 부모님들은 항상 그들의 자녀들을 지지한다.

빈도부사는 어떤 일이 얼마나 자주 발생하는지 나타내며, be동사나 조동사 뒤 또는 일반동사 앞에 쓴다.

100%					0%
always 항상	usually 보통, 대개	often 종종, 자주	sometimes 때때로, 가끔	seldom/rarely/hardly 거의 ~않다	never 결코 ~않다

TIP 현재완료시제에서 빈도부사는 have/has와 p.p. 사이에 쓴다.

[1-5] 우리말과 같도록 괄호 안의 말을 알맞게 배열하시오.

1 나는 종종 주말마다 늦게 일어난다. (I, get up, often)

= _____ late on weekends.

2 우리는 거의 손으로 편지를 쓰지 않는다. (letters, hardly, we, write)

= _____ by hand.

3 너는 항상 횡단보도에서 조심해야 한다. (be, you, careful, always, should)

= _____ at crosswalks.

4 이 쇼핑몰은 보통 사람들로 가득 찬다. (usually, is, this shopping mall, filled)

= _____ with people.

5 Fred는 전에 결코 수업을 빼먹은 적이 없었다. (classes, has, Fred, skipped, never)

= _____ before.

[6-10] 우리말과 같도록 괄호 안의 말을 활용하여 문장을 완성하시오.

6 그들은 종종 함께 학교에 걸어간다. (walk to school)

= _____ together.

7 Janice는 보통 방과 후에 바이올린을 연습한다. (practice the violin)

= _____ after school.

8 나는 이 케이크의 맛을 결코 잊지 못할 것이다. (forget the taste)

= _____ of this cake.

9 파리에는 항상 많은 관광객들이 있다. (there, many tourists)

= _____ in Paris.

10 우리는 때때로 이 식당에서 점심을 먹는다. (have lunch)

= _____ at this restaurant.

기출문제 풀고 짝문제로 마무리!

기출문제를 풀고 정답과 해설을 확인하세요. 짝문제를 풀면서 복습하고, 틀린 문제는 다시 틀리지 않도록 꼼꼼히 점검하세요.

주어진 단어 활용하여 영작하기
우리말과 같도록 괄호 안의 말을 활용하여 문장을 완성하시오.

기출문제 풀고	짝문제로 마무리

01

Hannah는 결코 학교에 지각하지 않는다. (late, for)

= Hannah _____.

07

김 선생님은 보통 월요일마다 바쁘다. (busy, on Mondays)

= Mr. Kim _____.

02

과학은 내가 가장 좋아하는 과목이다. (favorite, subject)

= _____
_____

08

나는 그 호수에서 아름다운 풍경을 즐겼다. (beautiful, scenery)

= _____
_____ at the lake.

03

그는 많은 외국 우표들을 수집했다. (collect, lots of, foreign stamp)

= _____
_____

09

많은 나무들이 매년 베어진다. (lots of, cut down)

= _____ every year.

04

너는 제주도에서 신나는 무언가를 했니? (do, exciting)

= _____
in Jejudo?

10

그 광고는 고객들에게 매력적인 무언가를 보여줬다. (the ad, show, attractive)

= _____
to customers.

05

Richard는 정원에 꽃들을 좀 심을 것이다. (plant, few)

= _____
in the garden.

11

조별 과제를 끝내는 것은 며칠이 걸렸다. (take, few, finish)

= _____
the group project.

06
고난도

그들은 정직한 누군가와 함께 일하기를 원한다. (want, work, honest)

= _____
_____

12
고난도

그 영화에 유명한 누군가가 있었니? (there, famous)

= _____
_____

기출문제를 풀었으면 채점한 후, 짝문제를 푸세요. ▶

단어 배열하여 영작하기
우리말과 같도록 괄호 안의 말을 알맞게 배열하시오.

기출문제 풀고

13 그 새 운동화는 나에게 잘 맞는다. (fit, new, me, the, sneakers)

= _____ well.

14 Nancy는 종종 점심 식사 후에 낮잠을 잔다. (takes, often, a nap)

= Nancy _____
after lunch.

15 그는 그의 침실을 시원하게 유지한다. (his, keeps, cool, he, bedroom)

= _____

16 나는 어둠 속에서 반짝거리는 무언가를 봤다. (shiny, saw, I, something)

= _____
in the dark.

17 그들은 이 웹사이트에서 많은 정보를 얻었다. (information, a lot of, they, got)

= _____
on this website.

18 우리는 거실에 대해 달라진 무언가를 알아차리지 못했다. (notice, different, we, anything, didn't)

= _____
about the living room.

19 나는 항상 나의 가족과 함께 살아왔다. (with my family, I, lived, have, always)

= _____

짝문제로 마무리

20 나는 너의 파티에서 멋진 시간을 보냈다. (a, time, I, wonderful, had)

= _____ at your party.

21 Robert는 때때로 혼자서 뮤지컬을 본다. (musicals, watches, sometimes)

= Robert _____
by himself.

22 그녀는 그 책이 재미있다고 생각했다. (funny, she, book, found, the)

= _____

23 Smith씨는 그녀의 아들에게 멋진 무언가를 사줄 것이다. (buy, nice, something, will)

= Ms. Smith _____
for her son.

24 아빠는 나에게 인생에 대한 많은 조언을 해주셨다. (me, dad, advice, gave, a lot of)

= _____
about life.

25 너는 이 배에 위험한 무언가를 가져오면 안된다. (dangerous, bring, shouldn't, anything, you)

= _____
onto this ship.

26 그는 결코 영국에 가본 적이 없다. (never, to London, he, been, has)

= _____

조건에 맞게 영작하기

우리말과 같도록 주어진 <조건>에 맞게 영작하시오.

|

27 Matt는 저녁 식사 중에 고기를 거의 먹지 않았다.

─── <조건> ───
1. eat, meat, at dinner를 활용하시오.
2. 6단어로 쓰시오.

= _____

28 그 도로에 많은 자동차들이 있었다.

─── <조건> ───
1. there, many, on을 활용하시오.
2. 7단어로 쓰시오.

= _____

29 우리는 많은 가구를 살 필요가 없다.

─── <조건> ───
1. much, furniture를 활용하시오.
2. 7단어로 쓰시오.

= _____

30 [고난도] 많은 학생들이 그들의 꿈들을 이루기 위해 열심히 공부한다.

─── <조건> ───
1. a lot of, achieve를 활용하시오.
2. 10단어로 쓰시오.

= _____

31 그녀는 방과 후에 시간을 거의 낭비하지 않는다.

─── <조건> ───
1. waste, after school을 활용하시오.
2. 6단어로 쓰시오.

= _____

32 나의 엄마는 그 수프에 많은 양파들을 사용했다.

─── <조건> ───
1. use, many, in을 활용하시오.
2. 8단어로 쓰시오.

= _____

33 너는 많은 탄산음료를 마시지 않는 것이 낫다.

─── <조건> ───
1. much, soda를 활용하시오.
2. 7단어로 쓰시오.

= _____

34 [고난도] 우리는 그 오래된 집에 대한 많은 이야기들을 들었다.

─── <조건> ───
1. a lot of, about을 활용하시오.
2. 10단어로 쓰시오.

= _____

기출문제를 풀었으면 채점한 후, 짝문제를 푸세요. ▶

틀린 부분 고쳐 쓰기
다음 문장에서 틀린 부분을 바르게 고쳐 완전한 문장을 쓰시오.

기출문제를 풀고	짝문제로 마무리

35
> Andrew hardly can fall asleep on a plane.
> (Andrew는 비행기에서 거의 잠들 수 없다.)

→ _____

41
> We should call often our grandparents.
> (우리는 우리의 조부모님께 자주 전화해야 한다.)

→ _____

36
> He put a little coins into his pocket.
> (그는 몇 개의 동전들을 그의 주머니 안에 넣었다.)

→ _____

42
> A little cinemas are open late at night.
> (몇 군데 극장들이 밤늦게 열려 있다.)

→ _____

37
> I play usually tennis in the evening.
> (나는 보통 저녁에 테니스를 친다.)

→ _____

43
> They cook sometimes dinner themselves.
> (그들은 때때로 저녁 식사를 직접 요리한다.)

→ _____

38
> A few noise helps you concentrate.
> (약간의 소음은 네가 집중하는 것을 돕는다.)

→ _____

44
> I donated a few money to charity.
> (나는 약간의 돈을 자선 단체에 기부했다.)

→ _____

39
> Much leaves have fallen off the trees.
> (많은 나뭇잎들이 그 나무들에서 떨어졌다.)

→ _____

45
> I had much chances to talk with foreigners.
> (나는 외국인들과 이야기할 기회가 많았다.)

→ _____

40
> Strange someone was wandering around the school.
> (낯선 누군가가 학교 주변을 돌아다니고 있었다.)

→ _____

46
> We didn't come across rude anyone in that city.
> (우리는 저 도시에서 무례한 누군가를 마주치지 않았다.)

→ _____

기출문제를 풀었으면 채점한 후, 짝문제를 푸세요. ▶

보기에서 단어 골라 영작하기
주어진 우리말과 같도록 <보기>에서 알맞은 단어를 골라서 빈칸에 쓰시오. (단, 필요 시 단어의 형태를 바꾸시오.)

기출문제 풀고

<보기>
few   little   snow   star

47 나는 하늘에서 별을 거의 보지 못했다.

= I saw _____ _____ in the sky.

48 지난 겨울에는 눈이 거의 없었다.

= There was _____ _____ last winter.

짝문제로 마무리

<보기>
little   few   space   restaurant

49 후식을 무료로 제공하는 식당은 거의 없다.

= _____ _____ serve dessert for free.

50 그는 그 트렁크 안에 공간을 거의 남기지 않았다.

= He left _____ _____ in the trunk.

기출문제를 풀었으면 채점한 후, 짝문제를 푸세요. ▶

대화 완성하기
다음 대화의 밑줄 친 우리말과 같도록 문장을 완성하시오.

기출문제 풀고

51
A: What are you doing for your birthday?
B: I don't have any plans at the moment.
A: 너는 특별한 무언가를 해야 해.
B: You're right. I'm going to think about it.

= You should do _____.

52
A: What's your hobby?
B: I like playing basketball.
A: Do you belong to any clubs?
B: No. 나는 보통 나의 형들과 해.

= I _____ with my brothers.

짝문제로 마무리

53
A: I think I'm going to get my hair cut.
B: How come? Your hair looks great now.
A: 나는 새로운 무언가를 해보고 싶어.
B: Well, I'm sure that will look great, too.

= I'd like to try _____.

54
A: Should I clean my computer?
B: You should clean it every week.
A: I guess I should set a schedule.
B: 나는 항상 일요일마다 나의 것을 청소해.

= I _____ mine on Sundays.

기출문제를 풀었으면 채점한 후, 짝문제를 푸세요. ▶

CHAPTER

10

비교구문

🔹 **POINT 1**   as + 원급 + as

🔹 **POINT 2**   비교급 + than

🔹 **POINT 3**   the + 비교급, the + 비교급

🔹 **POINT 4**   the + 최상급

기출문제 풀고 짝문제로 마무리!

POINT 1 as + 원급 + as

우리말과 같도록 괄호 안의 말을 활용하여 문장을 완성하시오.

영화를 보는 것은 게임을 하는 것만큼 흥미롭다. (interesting)

Watching a movie is _____ playing a game.

'영화를 보는 것은 게임을 하는 것만큼 흥미롭다'라는 의미로 두 대상의 정도가 비슷함을 나타내므로 「as + 원급(interesting) + as」를 쓴다.

정답: as interesting as

- 「as + 원급 + as」는 '…만큼 ~한/하게'라는 의미로 비교하는 두 대상의 정도가 비슷하거나 같음을 나타낸다.
- 「not + as[so] + 원급 + as」는 '…만큼 ~하지 않은/않게'라는 의미로 비교하는 두 대상의 정도가 같지 않음을 나타낸다.

TIP 「배수사 + as + 원급 + as」는 '…보다 -배 더 ~한/하게'라는 의미를 나타내고, 「as + 원급 + as + possible」은 '가능한 한 ~한/하게'라는 의미를 나타낸다.

[1-5] 우리말과 같도록 괄호 안의 말을 알맞게 배열하시오.

1 Mark는 Kevin만큼 무겁다. (as, Kevin, Mark, as, heavy, is)

= _____

2 치타는 자동차만큼 빠르게 움직인다. (move, cars, fast, as, cheetahs, as)

= _____

3 나의 아빠는 Sarah의 아빠만큼 나이 드셨다. (old, my dad, as, Sarah's dad, as, is)

= _____

4 그의 누나는 그만큼 많이 자지 않는다. (doesn't, him, much, as, sleep, his sister, as)

= _____

5 그는 그 문제를 가능한 한 명확하게 설명했다. (as, the issue, possible, he, clearly, as, explained)

= _____

[6-10] 우리말과 같도록 괄호 안의 말을 활용하여 문장을 완성하시오.

6 Paul은 그의 엄마만큼 키가 크다. (tall, his mom)

= Paul is _____.

7 우리는 역사를 가능한 한 열심히 공부했다. (hard)

= We studied history _____.

8 나는 Sophia만큼 영어를 잘 말하지 않는다. (well)

= I don't speak English _____.

9 노력은 결과만큼 중요하다. (important, the result)

= Effort is _____.

10 달은 지구보다 네 배 더 작다. (small, Earth)

= The Moon is _____.

● POINT 2 비교급 + than

우리말과 같도록 괄호 안의 말을 활용하여 문장을 완성하시오.

> 운전하는 것이 걷는 것보다 더 빠르다. (fast)
>
> # Driving is _____ walking.

'운전하는 것이 걷는 것보다 더 빠르다'라는 의미로 두 대상 간 정도의 차이를 나타내므로 「비교급(faster) + than」을 쓴다.

정답: faster than

- 「비교급 + than」은 '…보다 더 ~한/하게'라는 의미로 비교하는 두 대상 간 정도의 차이를 나타낸다.

  TIP ① 「비교급 + than」은 「not + as[so] + 원급 + as」로 바꿔 쓸 수 있다. 이때, 비교급 앞의 주어는 as 뒤로 가고, 비교급 뒤의 비교 대상이 주어가 된다.
  Paul is **younger than** Janet. Paul은 Janet보다 더 어리다.
  = Janet is **not as[so]** young as Paul. Janet은 Paul만큼 어리지 않다.
  ② '…보다 덜 ~한/하게'라는 의미를 나타낼 때는 「less + 원급 + than」을 쓴다.

- 비교급을 강조하여 '훨씬 더 ~한/하게'라는 의미를 나타내려면 비교급 앞에 much, even, far, a lot을 쓴다.

[1–5] 우리말과 같도록 괄호 안의 말을 알맞게 배열하시오.

1 그는 우리보다 힘이 더 세 보인다. (than, stronger, us)

= He looks _____ .

2 나의 파스타는 너의 피자보다 덜 맛있다. (your pizza, delicious, less, than)

= My pasta is _____ .

3 Dan의 컴퓨터는 나의 것보다 훨씬 더 비싸다. (more, mine, expensive, than, much)

= Dan's computer is _____ .

4 그의 새 영화는 그 이전 것보다 덜 인기 있었다. (the previous one, than, popular, less)

= His new movie was _____ .

5 나는 Susan의 것보다 너의 손 글씨를 더 잘 알아볼 수 있다. (better, Susan's, your handwriting, than)

= I can recognize _____ .

[6–10] 우리말과 같도록 괄호 안의 말을 활용하여 문장을 완성하시오.

6 서울은 모스크바보다 덜 춥다. (cold, Moscow)

= Seoul is _____ .

7 해바라기는 코스모스보다 키가 더 크게 자란다. (tall, cosmos)

= Sunflowers grow _____ .

8 Olivia는 Ann보다 더 크게 노래할 수 있다. (loud, Ann)

= Olivia can sing _____ .

9 당근 케이크는 초콜릿 케이크보다 덜 달다. (sweet, the chocolate cake)

= The carrot cake is _____ .

10 이 책장은 저것보다 훨씬 더 많은 책을 넣을 수 있다. (many books, that one)

= This bookshelf can hold _____ .

POINT 3 the + 비교급, the + 비교급

우리말과 같도록 괄호 안의 말을 활용하여 문장을 완성하시오.

> 그는 열심히 운동하면 할수록 더 건강해졌다. (hard, healthy)
>
> _____ he exercised, _____ he got.

'열심히 운동하면 할수록 더 건강해졌다'라는 의미이므로 「the + 비교급(harder), the + 비교급(healthier)」을 쓴다.

정답: The harder, the healthier

「the + 비교급, the + 비교급」은 '~하면 할수록 더 …하다'라는 의미를 나타낸다. 「the + 비교급」 뒤에는 주어와 동사를 순서대로 쓴다.

TIP '점점 더 ~한/하게'라는 의미를 나타낼 때는 「비교급 + and + 비교급」을 쓴다. 이때, 비교급이 「more + 원급」의 형태인 경우 「more and more + 원급」으로 쓴다.

[1-5] 다음 문장을 「the + 비교급, the + 비교급」을 이용하여 바꿔 쓰시오.

1 When she practices piano more, she'll play it better.

→ _____

2 When I invite more friends, my party will be more fun.

→ _____

3 When it gets colder, you should dress more warmly.

→ _____

4 When Jerry ate more bread, he became thirstier.

→ _____

5 When a movie is longer, it is more difficult to concentrate on.

→ _____

[6-11] 우리말과 같도록 괄호 안의 말을 활용하여 문장을 완성하시오.

6 기후는 점점 더 뜨거워지고 있다. (get, hot)

= The climate is _____ .

7 그 배우는 점점 더 유명해졌다. (become, famous)

= The actor _____ .

8 그들은 자주 만나면 만날수록 더 친해졌다. (often, close)

= _____ they met, _____ they got.

9 그 밴드의 앨범은 점점 더 인기 있어졌다. (get, popular)

= The band's album _____ .

10 겨울이 올수록, 낮은 점점 더 짧아진다. (get, short)

= As winter comes, the days _____ .

11 많은 사람들이 재활용하면 할수록 환경은 더 좋아질 것이다. (many people, good)

= _____ recycle, _____ the environment will become.

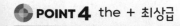
우리말과 같도록 괄호 안의 말을 활용하여 문장을 완성하시오.

그는 그의 학교에서 가장 똑똑한 학생이다. (smart, student)

He is ＿＿＿＿＿＿＿＿＿＿＿ in his school.

'그의 학교에서 가장 똑똑한 학생'이라는 의미로 셋 이상의 비교 대상 중 하나의 정도가 가장 높음을 나타내므로 「the + 최상급(smartest)」을 쓴다. in his school은 비교 범위를 나타낸다.

정답: the smartest student

「the + 최상급」은 '가장 ~한/하게'라는 의미로 셋 이상의 비교 대상 중 하나의 정도가 가장 높음을 나타낸다. 이때, in이나 of를 사용하여 비교 범위를 나타낼 수 있다.

TIP 「the + 최상급 + 복수명사」 앞에 one of를 쓰면 '가장 ~한 사람들/것들 중 하나'라는 의미가 된다.

[1-6] 우리말과 같도록 괄호 안의 말을 알맞게 배열하시오.

1 그녀는 공항에 가는 가장 좋은 방법을 안다. (to get, way, the, best)

= She knows ＿＿＿＿＿＿＿＿＿＿＿ to the airport.

2 캐나다는 가장 큰 나라들 중 하나이다. (biggest, one, countries, the, of)

= Canada is ＿＿＿＿＿＿＿＿＿＿＿ .

3 John은 미국에서 가장 흔한 이름들 중 하나이다. (the US, the, names, of, most common, one, in)

= John is ＿＿＿＿＿＿＿＿＿＿＿ .

4 Dorothy는 나의 친구들 중에서 가장 긴 머리를 가지고 있다. (of, the, my friends, longest, hair)

= Dorothy has ＿＿＿＿＿＿＿＿＿＿＿ .

5 8월은 1년 중에서 가장 습한 달이다. (most humid, the year, of, the, month)

= August is ＿＿＿＿＿＿＿＿＿＿＿ .

6 전구는 역사상 가장 위대한 발명품들 중 하나이다. (one, in, inventions, of, history, the greatest)

= The light bulb is ＿＿＿＿＿＿＿＿＿＿＿ .

[7-11] 우리말과 같도록 괄호 안의 말을 활용하여 문장을 완성하시오.

7 그들은 가장 가까운 극장에 갔다. (near theater)

= They went to ＿＿＿＿＿＿＿＿＿＿＿ .

8 달팽이는 가장 느린 동물들 중 하나이다. (slow animal)

= The snail is ＿＿＿＿＿＿＿＿＿＿＿ .

9 그는 우리 나라에서 수영을 가장 잘하는 사람이다. (good swimmer, our country)

= He's ＿＿＿＿＿＿＿＿＿＿＿ .

10 그녀는 나의 반에서 가장 부지런한 학생들 중 한 명이다. (diligent student, my class)

= She's ＿＿＿＿＿＿＿＿＿＿＿ .

11 나의 오빠는 나의 가족 중에서 가장 키가 큰 구성원이다. (tall member, my family)

= My brother is ＿＿＿＿＿＿＿＿＿＿＿ .

기출문제 풀고 짝문제로 마무리!

기출문제를 풀고 정답과 해설을 확인하세요. 짝문제를 풀면서 복습하고, 틀린 문제는 다시 틀리지 않도록 꼼꼼히 점검하세요.

주어진 단어 활용하여 영작하기
우리말과 같도록 괄호 안의 말을 활용하여 문장을 완성하시오.

기출문제 풀고	짝문제로 마무리

01 너의 책상은 나의 책상보다 더 더러워 보인다. (look, dirty)

= Your desk _____ .

07 이 소스는 저 소스보다 더 매운 맛이 난다. (taste, spicy)

= This sauce _____ .

02 셰익스피어는 가장 위대한 작가들 중 한 명이다. (great)

= Shakespeare is _____

_____ .

08 코브라는 가장 위험한 동물들 중 하나이다. (dangerous)

= The cobra is _____

_____ .

03 새 램프는 오래된 램프보다 훨씬 더 밝다. (much, bright)

= The new lamp is _____

_____ .

09 그녀의 목소리는 나의 목소리보다 훨씬 더 크다. (much, loud)

= Her voice is _____

_____ .

04 그는 가능한 한 빨리 그녀에게 다시 전화할 것이다. (call back, soon)

= He'll _____ .

10 그녀는 가능한 한 자주 스트레칭을 하려고 노력했다. (stretch, often)

= She tried to _____ .

05 그는 하늘에서 가장 빛나는 별의 사진을 찍었다. (shiny, star, the sky)

= He took a photo of _____

_____ .

11 Clark씨는 그의 인생에서 가장 슬픈 순간에 대해 생각했다. (sad, moment, his life)

= Mr. Clark thought about _____

_____ .

06 우리가 높이 올라가면 갈수록 기온은 더 낮을 것이다. (high, climb, low, the temperature)

= _____

_____

12 나는 나이 들면 들수록 나의 가족을 더 중요하다고 생각했다. (old, grow, important, find)

= _____

_____

기출문제를 풀었으면 채점한 후, 짝문제를 푸세요. ▶

틀린 부분 고쳐 쓰기

다음 문장에서 어법상 틀린 부분을 바르게 고쳐 완전한 문장을 쓰시오.

기출문제 풀고

13 This play is as funnier as that one.

→ _____

14 The pine tree is three times as taller as my dad.

→ _____

15 The weather is getting coldest and coldest.

→ _____

16 The pyramid is one of the most mysterious structure.

→ _____
_____

17 Victor is very stronger than Tommy.

→ _____

18 The tourists visited largest beach in the country.

→ _____
_____

19 The more water use you, the less salty will be the soup.

→ _____
_____

짝문제로 마무리

20 Jiyun can jump as higher as Hajun.

→ _____

21 Her car is twice as more expensive as yours.

→ _____

22 His speech became most and most boring.

→ _____

23 The Eiffel Tower is one of the most famous landmark.

→ _____
_____

24 Dolphins are too smarter than I thought.

→ _____

25 This restaurant serves most delicious steak in town.

→ _____
_____

26 The more difficult is a puzzle, the more time need you to finish it.

→ _____
_____

단어 배열하여 영작하기

우리말과 같도록 괄호 안의 말을 알맞게 배열하시오.

27 폭풍은 점점 더 약해졌다. (weaker, became, weaker, and)

= The storm _____.

28 문자 보내는 것은 전화하는 것보다 더 편리하다. (than, more, calling, convenient)

= Texting is _____

_____.

29 다음 버스는 이번 버스보다 덜 붐빌 것이다. (this bus, crowded, than, less)

= The next bus will be _____

_____.

30 나일강은 템스강보다 훨씬 더 길다. (longer, the Thames, than, much)

= The Nile River is _____

_____.

31 Jack은 나의 친구들 중에서 가장 춤을 잘 추는 사람이다. (of, best, my friends, dancer, the)

= Jack is _____

_____.

32 Mary는 가능한 한 빠르게 역까지 달려갔다. (fast, the station, as, ran to, possible, as)

= Mary _____

_____.

33 나의 건강 상태는 점점 더 좋아졌다. (and, got, better, better)

= My condition _____.

34 부엌을 청소하는 것은 요리하는 것보다 더 힘들다. (than, harder, cooking)

= Cleaning the kitchen is _____

_____.

35 그 호텔 객실은 나의 아파트보다 덜 편안했다. (comfortable, less, my apartment, than)

= The hotel room was _____

_____.

36 너의 아이디어는 나의 것보다 훨씬 더 도움이 된다. (mine, helpful, more, than, much)

= Your idea is _____

_____.

37 인터넷은 현대에서 최고의 발명품이다. (invention, modern times, the, in, best)

= The Internet is _____

_____.

38 너는 가능한 한 일찍 승차권을 살 필요가 있다. (as, a ticket, possible, buy, early, as)

= You need to _____

_____.

기출문제를 풀었으면 채점한 후, 짝문제를 푸세요. ▶

문장 바꿔 쓰기

다음 문장을 주어진 단어로 시작하는 문장으로 바꿔 쓰시오.

기출문제 풀고

39
고난도

The couch isn't as soft as the bed.

→ The bed _____.

40

When she practiced ballet more, she liked it more.

→ The more _____

_____.

41

When we use more plastic, the environment gets worse.

→ The more _____

_____.

기출문제를 풀었으면 채점한 후, 짝문제를 푸세요. ▶

짝문제로 마무리

42
고난도

My smartphone isn't as thick as my diary.

→ My diary _____.

43

When you study more for the exam, you'll be less worried.

→ The more _____

_____.

44

When you donate more money, we can help more people.

→ The more _____

_____.

두 문장을 한 문장으로 연결하기

괄호 안의 말을 활용하여 다음 두 문장을 한 문장으로 바꿔 쓰시오.

기출문제 풀고

45
고난도

Sophia was born in 1995. Chris was born in 1990.

→ _____

Chris. (young)

46
고난도

Eric takes a walk every day. Rachel takes a walk three times a week.

→ _____

Rachel does. (often)

기출문제를 풀었으면 채점한 후, 짝문제를 푸세요. ▶

짝문제로 마무리

47
고난도

This house was built last year. That house was built five years ago.

→ _____

that house. (new)

48
고난도

I arrived at school at 8:15. Steve arrived at school at 7:50.

→ _____

Steve did. (late)

CHAPTER 10 비교구문 해커스 쓰기 자신감 Level 2

그림 보고 영작하기
다음 그림을 보고 괄호 안의 말을 활용하여 문장을 완성하시오.

기출문제 풀고	짝문제로 마무리

49

The sneakers are _____.
(cheap, the sandals)

50

The suitcase is _____.
(heavy, the backpack)

51

The pencil is _____.
(long, the pen)

52

The magazine is _____.
(thin, the dictionary)

기출문제를 풀었으면 채점한 후, 짝문제를 푸세요. ▶

표 보고 영작하기
다음 표를 보고 괄호 안의 말을 활용하여 문장을 완성하시오.

기출문제 풀고	짝문제로 마무리

	David	Lisa	Brian
Age	20	20	23
Height	178 cm	163 cm	181 cm
Weight	75 kg	58 kg	70 kg

53 David is _____ Lisa. (old)

54 Lisa is _____ Brian. (short)

55 Brian is _____ David. (light)

도시	Suwon	Incheon	Busan
평균 기온	13.4 °C	13.4 °C	15.7 °C
면적	121 ㎢	1,066 ㎢	770 ㎢
인구	1,190,368	2,962,388	3,322,286

56 Suwon is _____ Incheon. (cool)

57 Busan is _____ Incheon. (small)

58 Busan's population is _____ Suwon's. (big)

기출문제를 풀었으면 채점한 후, 짝문제를 푸세요. ▶

CHAPTER

11

접속사

🔹 **POINT 1**   등위접속사와 상관접속사

🔹 **POINT 2**   부사절을 이끄는 접속사: 조건, 양보

🔹 **POINT 3**   부사절을 이끄는 접속사: 이유, 결과

🔹 **POINT 4**   부사절을 이끄는 접속사: 시간

🔹 **POINT 5**   명사절을 이끄는 접속사: that

🔹 **POINT 6**   간접의문문

기출문제 풀고 짝문제로 마무리!

우리말과 같도록 빈칸에 알맞은 말을 쓰시오.

그는 산에 올랐고 일출을 보았다.

He climbed the mountain _____ watched the sunrise.

문법적으로 대등한 구(climbed the mountain)와 구 (watched the sunrise)를 연결하면서 '그리고'라는 의미를 나타내는 등위접속사 and를 쓴다.

정답: and

- 문법적으로 대등한 단어와 단어, 구와 구, 절과 절을 연결할 때는 등위접속사 and, but, or, so를 쓴다.
  TIP 「명령문 + and ~」는 '···해라, 그러면 ~'이라는 의미이고, 「명령문 + or ~」는 '···해라, 그렇지 않으면 ~'이라는 의미이다.
- 두 개 이상의 단어와 짝을 이루는 상관접속사도 단어와 단어, 구와 구, 절과 절을 연결할 수 있다.

not only A but (also) B = B as well as A A뿐만 아니라 B도	either A or B A나 B 둘 중 하나
both A and B A와 B 둘 다	neither A nor B A도 B도 아닌

[1-5] 우리말과 같도록 괄호 안의 말을 알맞게 배열하시오.

1 그녀는 축구뿐만 아니라 야구도 좋아한다. (well, soccer, as, baseball, as)

= She likes _____.

2 나는 오이를 싫어하지만, 나의 엄마는 그것을 좋아하신다. (likes, but, it, my mom)

= I hate cucumber, _____.

3 지금 자러 가라, 그렇지 않으면 너는 내일 피곤할 것이다. (be, or, tomorrow, you'll, tired)

= Go to bed now, _____.

4 그는 저녁에 산책을 하거나 텔레비전을 본다. (in, watches, the evening, TV, or)

= He takes a walk _____.

5 교통사고가 나서, 도로가 폐쇄되었다. (was, so, closed, the road)

= There was a car accident, _____.

[6-10] 우리말과 같도록 괄호 안의 말을 활용하여 문장을 완성하시오.

6 그들의 커피는 비쌌지만 맛있었다. (expensive, tasty)

= Their coffee _____.

7 그녀는 목도리와 장갑 둘 다 착용했다. (a muffler, gloves)

= She _____.

8 창희는 집에 갔고 그의 숙제를 했다. (go home, do homework)

= Changhee _____.

9 눈이 많이 와서, 모든 항공편이 취소되었다. (all flights, cancel)

= It snowed a lot, _____.

10 이 약을 먹어라, 그러면 너는 곧 나을 것이다. (get well, soon)

= Take this medicine, _____.

POINT 2 부사절을 이끄는 접속사: 조건, 양보

우리말과 같도록 괄호 안의 말을 활용하여 문장을 완성하시오.

> 만약 네가 안경을 쓴다면, 너는 사물을 또렷하게 볼 것이다. (wear, glasses)
>
> _____, you will see things clearly.

'만약 네가 안경을 쓴다면'이라는 의미로 조건을 나타내는 부사절이 와야 하므로 접속사 if(만약 ~한다면)가 이끄는 부사절을 쓴다.

정답: If you wear glasses

- 조건, 이유, 시간 등을 나타내는 부사절과 주절을 연결할 때는 부사절 접속사를 쓴다.
- 조건을 나타내는 부사절은 '만약 ~한다면'이라는 의미의 접속사 if 또는 '만약 ~하지 않는다면'이라는 의미의 unless(= if ~ not)가 이끈다.
  TIP 조건을 나타내는 부사절에서는 의미상 미래의 일을 나타내도 현재시제를 쓴다.
- 양보를 나타내는 부사절은 '비록 ~이지만'이라는 의미의 접속사 though, although, even though가 이끈다.

[1-5] 우리말과 같도록 괄호 안의 말을 알맞게 배열하시오.

1 만약 우리가 택시를 탄다면, 우리는 늦지 않을 것이다. (take, if, a taxi, we)

= _____, we won't be late.

2 비록 이 오븐은 오래되었지만 여전히 잘 작동한다. (old, though, is, this oven)

= _____, it still works well.

3 만약 바깥이 춥지 않다면, 나는 창문을 열 것이다. (outside, it's, unless, cold)

= _____, I'll open the windows.

4 만약 그가 돈이 좀 생긴다면, 그는 새 지갑을 살 것이다. (gets, he, money, some, if)

= He'll buy a new wallet _____.

5 비록 나는 햄버거 세 개를 먹었지만 여전히 배가 고프다. (though, three, ate, I, even, hamburgers)

= _____, I'm still hungry.

[6-10] 우리말과 같도록 괄호 안의 말을 활용하여 문장을 완성하시오.

6 만약 우리가 규칙적으로 달린다면, 우리는 더 건강해질 것이다. (if, regularly)

= _____, we'll be healthier.

7 만약 날씨가 좋다면, 나는 나의 자전거를 탈 것이다. (if, the weather, fine)

= _____, I'll ride my bike.

8 만약 네가 방을 나간다면, 불을 꺼라. (if, leave, the room)

= Turn off the lights _____.

9 비록 나는 늦게 일어났지만, 통학 버스를 놓치지 않았다. (though, wake up)

= _____, I didn't miss the school bus.

10 만약 그들이 입장권이 없다면, 그들은 박물관에 입장할 수 없다. (unless, have, a ticket)

= _____, they can't enter the museum.

POINT 3 부사절을 이끄는 접속사: 이유, 결과

우리말과 같도록 빈칸에 알맞은 말을 쓰시오.

> Mary는 너무 용감해서 번지점프를 시도했다.
>
> **Mary was _____ brave _____ she tried bungee jumping.**

'너무 용감해서 번지점프를 시도했다'라는 의미로 결과를 나타내므로 「so + 형용사(brave) + that」을 쓴다.

정답: so, that

- 이유를 나타내는 부사절은 '~하기 때문에'라는 의미의 접속사 because, since, as가 이끈다.
  TIP because of(~ 때문에)는 전치사이므로 뒤에 명사(구)를 쓴다.
- '너무 ~해서 …하다'라는 의미로 결과를 나타낼 때는 「so + 형용사/부사 + that …」을 쓴다.
  TIP 「so + 형용사/부사 + that + 주어 + can」은 「형용사/부사 + enough + to부정사」로, 「so + 형용사/부사 + that + 주어 + can't」는 「too + 형용사/부사 + to부정사」로 바꿔 쓸 수 있다.

[1-5] 우리말과 같도록 괄호 안의 말을 알맞게 배열하시오.

1 비 때문에, 소풍은 연기되었다. (the rain, of, because)

= _____, the picnic was delayed.

2 그녀는 그녀의 휴대폰을 잃어버렸기 때문에 기분이 나빴다. (lost, since, her cell phone, she)

= _____, she felt bad.

3 네가 집에 없었기 때문에, 나는 그 편지를 너의 책상 위에 뒀다. (home, as, weren't, you)

= _____, I put the letter on your desk.

4 우리는 많이 연습했기 때문에 노래 대회에서 우승했다. (a lot, we, because, practiced)

= We won the singing contest _____.

5 나는 심한 두통 때문에 의사에게 갔다. (of, a terrible headache, because)

= I went to the doctor _____.

[6-10] 「so + 형용사/부사 + that …」 구문을 이용하여 다음 두 문장을 한 문장으로 연결하시오.

6 I'm tired. I won't play basketball tonight.

→ _____

7 Steven is kind. Everyone likes him.

→ _____

8 You're strong. You can carry these boxes.

→ _____

9 Betty was thirsty. She drank three cups of juice.

→ _____

10 This math problem was hard. I couldn't solve it.

→ _____

POINT 4 부사절을 이끄는 접속사: 시간

우리말과 같도록 괄호 안의 말을 활용하여 문장을 완성하시오.

나는 13살이었을 때 수민이를 처음으로 만났다. (years old)

_____, I met Sumin for the first time.

'나는 13살이었을 때'라는 의미로 시간을 나타내는 부사절이 와야 하므로 접속사 when(~할 때)이 이끄는 부사절을 쓴다.

정답: When I was 13 years old

시간을 나타내는 부사절은 다음 접속사가 이끈다.

when ~할 때	while ~하는 동안	before ~하기 전에	after ~한 후에
until ~할 때까지	as soon as ~하자마자	since ~한 이후로	as ~하고 있을 때, ~하면서

TIP 시간을 나타내는 부사절에서는 의미상 미래의 일을 나타내도 현재시제를 쓴다.

[1-5] 우리말과 같도록 괄호 안의 말을 알맞게 배열하시오.

1 나는 그녀와 이야기하면서 기분이 좋아졌다. (talked, I, as, with her)

   = I felt better _____.

2 그녀는 John을 만나기 전에 선물을 포장했다. (John, before, met, she)

   = She wrapped the gift _____.

3 Daniel은 영화를 보는 동안 잠들었다. (while, the movie, he, watched)

   = Daniel fell asleep _____.

4 그녀가 기차에서 내렸을 때, 비가 오기 시작했다. (got off, she, the train, when)

   = _____, it began to rain.

5 내가 그곳에서 산 이후로 그 마을은 많이 바뀌었다. (there, since, lived, I)

   = The town has changed a lot _____.

[6-10] 우리말과 같도록 괄호 안의 말을 활용하여 문장을 완성하시오.

6 그가 나에게 전화할 때까지 나는 기다릴 것이다. (call)

   = I'll wait _____.

7 나는 공부하는 동안 음악을 듣지 않는다. (study)

   = _____, I don't listen to music.

8 Laura는 외출하기 전에 샤워를 했다. (go out)

   = Laura took a shower _____.

9 인도 사람들은 음식을 먹을 때 손을 사용한다. (eat)

   = Indians use their hands _____.

10 그가 그의 연설을 마치자마자, 청중은 박수를 쳤다. (end)

   = _____, the audience clapped.

POINT 5 명사절을 이끄는 접속사: that

우리말과 같도록 괄호 안의 말을 활용하여 빈칸에 알맞은 말을 쓰시오.

그는 오렌지가 사과보다 더 맛있다고 생각한다. (think, oranges)

He _____ _____
_____ **more delicious than apples.**

'그는 오렌지가 더 맛있다고 생각한다'라는 의미로 명사절이 동사의 목적어로 와야 하므로 동사 thinks 뒤에 접속사 that이 이끄는 명사절을 쓴다.

정답: thinks that oranges are

문장 안에서 주어·보어·목적어로 쓰이는 명사절은 접속사 that이 이끈다.
It was surprising **that** *they lost the game.* <주어> 그들이 경기에서 졌다는 것은 놀라웠다.
The problem is **that** *we don't meet often.* <보어> 문제는 우리가 자주 만나지 않는다는 것이다.
I think **(that)** *I left my book in the library.* <목적어> 나는 도서관에 나의 책을 두고 왔다고 생각한다.

* that절이 주어로 쓰이면 주로 주어 자리에 가주어 it을 쓰고, 진주어 that절을 뒤로 보낸다.
* 목적어로 쓰인 that절에서는 that을 생략할 수 있다.

[1-5] 우리말과 같도록 괄호 안의 말을 알맞게 배열하시오.

1 나는 그녀가 그 목걸이를 좋아할 것이라고 생각한다. (that, I, like, think, she'll)

= _____ the necklace.

2 개가 질투할 수 있다는 것은 흥미롭다. (can, interesting, it, become, dogs, that, is)

= _____ jealous.

3 나는 Kyle이 이 케이크를 구웠다는 것을 믿을 수 없다. (baked, Kyle, can't, that, believe, I)

= _____ this cake.

4 Kate는 그 가방이 사기에 너무 비싸다는 것을 안다. (that, is, Kate, the bag, knows)

= _____ too expensive to buy.

5 문제는 대기 오염이 더 심해지고 있다는 것이다. (getting, air pollution, the issue, is, that, is)

= _____ worse.

[6-10] 우리말과 같도록 접속사 that과 괄호 안의 말을 활용하여 문장을 완성하시오.

6 사실은 Carol이 우리에게 거짓말했다는 것이다. (the fact, lie)

= _____ to us.

7 그들은 내가 새를 무서워한다는 것을 안다. (know, scared)

= _____ of birds.

8 그는 그가 에세이를 어젯밤에 끝냈다고 말했다. (say, finish)

= _____ the essay last night.

9 그녀가 우리의 약속을 잊은 것은 실망스러웠다. (disappointing, forget)

= _____ our appointment.

10 나는 중국어를 배우는 것이 쉽다고 생각하지 않는다. (think, learning Chinese)

= _____ easy.

 **POINT 6** 간접의문문

간접의문문을 이용하여 다음 두 문장을 한 문장으로 연결하시오.

I wonder. + When will he visit me?

→ **I wonder** _____ .

의문사(when)가 있는 간접의문문은 「의문사 + 주어 + 동사」의 형태로 쓴다. 의문사 의문문과 동일하게 「의문사 + 동사 + 주어」의 형태로 쓰지 않도록 주의한다.

정답: when he will[he'll] visit me
해석: 나는 궁금하다. + 그는 언제 나를 방문할 것이니?
→ 나는 그가 언제 나를 방문할 것인지 궁금하다.

• 간접의문문은 다른 문장의 일부로 쓰여 질문의 내용을 간접적으로 묻는 의문문이다.
• 의문사가 있는 간접의문문은 「의문사 + 주어 + 동사」의 형태로, 의문사가 없는 간접의문문은 「if[whether](~인지 아닌지) + 주어 + 동사」의 형태로 쓴다.

[1-12] 간접의문문을 이용하여 다음 두 문장을 한 문장으로 연결하시오.

1 Do you know? + Where is Michael from?

→ _____

2 I want to know. + How can we help you?

→ _____

3 I'm not sure. + When will the sun rise?

→ _____

4 I don't know. + Why was she absent from school?

→ _____

5 Do you know? + What color does he like?

→ _____

6 Can you tell me? + Who wrote this poem?

→ _____

7 I'm not sure. + Is there a park nearby?

→ _____

8 I wonder. + Did she have her car fixed?

→ _____

9 I want to know. + How many hours do you exercise each day?

→ _____

10 I wonder. + Did Jenny bring a lunch box?

→ _____

11 Can you tell me? + Does that bus go to city hall?

→ _____

12 Do you know? + Is the library open this evening?

→ _____

기출문제 풀고 짝문제로 마무리!

기출문제를 풀고 정답과 해설을 확인하세요. 짝문제를 풀면서 복습하고, 틀린 문제는 다시 틀리지 않도록 꼼꼼히 점검하세요.

주어진 단어 활용하여 영작하기
우리말과 같도록 괄호 안의 말을 활용하여 문장을 완성하시오.

기출문제 풀고	짝문제로 마무리

01 만약 네가 오늘 한가하다면, 함께 동물원에 가자. (free, today)

= _____,
　let's go to the zoo together.

02 그 이야기가 슬펐기 때문에 Susan은 울었다. (story, sad)

= Susan cried _____

_____.

03 나는 남들의 의견을 존중하는 것이 중요하다고 생각한다. (respecting, others' opinions, important)

= I think _____

_____.

04 나의 가족이 놀이동산에 갔을 때 아빠는 나에게 풍선을 사주셨다. (the amusement park)

= Dad bought me a balloon _____

_____.

05 비록 그의 연설은 짧았지만 매우 인상적이었다. (speech, short)

= _____

_____, it was very impressive.

06 만약 네가 덥게 느낀다면, 에어컨을 켜라. (feel, hot)

= _____,
　turn on the air conditioner.

07 교실이 시끄럽기 때문에, Richard는 집중할 수 없다. (the classroom, noisy)

= _____,

Richard can't concentrate.

08 Emily는 수영하는 것이 달리는 것보다 더 흥미롭다고 생각한다. (swimming, interesting, running)

= Emily thinks _____

_____.

09 나는 초등학생이었을 때 우주 비행사가 되기를 바랐다. (an elementary school student)

= _____

_____, I hoped to become an astronaut.

10 비록 그녀는 그 드레스를 지난주에 주문했지만, 그것은 아직 도착하지 않았다. (order, last week)

= _____

_____, it hasn't arrived yet.

기출문제를 풀었으면 채점한 후, 짝문제를 푸세요. ▶

단어 배열하여 영작하기

우리말과 같도록 괄호 안의 말을 알맞게 배열하시오.

기출문제 풀고

11 우리는 런던이나 로마 둘 중 한 곳을 방문할 것이다. (London, visit, or, Rome, either)

= We'll _____.

12 영화가 끝날 때까지 수미와 진호는 그들의 자리에 있었다. (ended, until, the movie)

= Sumi and Jinho were in their seats

_____.

13 그 신발은 나에게 맞지 않아서, 나는 그것을 더 작은 것으로 교환할 것이다. (for smaller ones, exchange, so, them, I'll)

= The shoes don't fit me, _____

_____.

14 우리는 우리가 세상을 더 좋게 만들 수 있다고 믿는다. (we, make, that, believe, can, we)

= _____

the world better.

15 고난도 네가 그 배우를 만날 기회를 놓쳤다는 것은 유감이다. (the chance, that, it's, lost, a pity, you)

= _____

_____ to meet the actor.

16 내가 그녀의 이름을 부르자마자 Linda는 나를 돌아봤다. (soon, called, as, her name, I, as)

= Linda turned back to me _____

_____.

짝문제로 마무리

17 나는 포도나 멜론 둘 중 하나를 살 것이다. (or, grapes, buy, melons, either)

= I'll _____.

18 네가 집에 돌아올 때까지 너의 부모님은 기다리실 것이다. (home, you, come back, until)

= Your parents will wait _____

_____.

19 그 식당은 훌륭한 음식과 음료를 제공해서 사람들로 붐빈다. (is, with people, so, it, crowded)

= The restaurant serves great food and

drink, _____.

20 나는 네가 그 발표를 준비하기 위해 최선을 다했다는 것을 안다. (that, did, I, you, know)

= _____ your

best to prepare for the presentation.

21 고난도 그가 그 보고서를 쓰는 것을 그렇게 빠르게 끝냈다는 것은 놀라웠다. (surprising, was, he, that, finished, it)

= _____

_____ writing the report so quickly.

22 Frank는 그 편지를 받자마자 그것을 열어봤다. (as, it, received, he, soon, as)

= Frank opened the letter _____

_____.

문장 바꿔 쓰기

다음 두 문장의 의미가 같도록 문장을 완성하시오.

|

23

Before she drinks a cup of tea, she'll take a shower.

→ _____ ,

she'll drink a cup of tea.

24

He cooked dinner after he washed his hands with soap.

→ He washed his hands with soap _____

_____ .

25

If the weather isn't too cold tomorrow, we'll go hiking.

→ _____ ,

we'll go hiking.

26

If I don't have homework today, I'll play tennis.

→ _____ ,

I'll play tennis.

27

The truck is large enough to carry all of our furniture.

→ The truck is _____

_____ .

28

Ms. Jones is a popular writer as well as a teacher.

→ Ms. Jones is _____

_____ .

29

Before I clean the living room, I'll do the laundry.

→ _____ ,

I'll clean the living room.

30

She published her new novel after she returned to Korea.

→ She returned to Korea _____

_____ .

31

If they don't miss the train, they'll arrive on time.

→ _____ ,

they'll arrive on time.

32

If you don't exercise regularly, you won't stay healthy.

→ _____ ,

you won't stay healthy.

33

Juhee was smart enough to answer all of my questions.

→ Juhee was _____

_____ .

34

Justin collects foreign coins as well as stamps.

→ Justin collects _____

_____ .

기출문제를 풀었으면 채점한 후, 짝문제를 푸세요. ▶

두 문장을 한 문장으로 연결하기

다음 두 문장을 한 문장으로 연결하시오.

기출문제 풀고

35

- Do you know?
- What did the teacher talk about?

→ _____

_____

36

- I don't know.
- When will the festival take place?

→ _____

_____

37

- I wonder.
- Was he invited to the wedding?

→ _____

_____

38

- Tony is tall.
- He can reach the top shelf.

→ Tony is so _____

_____ .

39 고난도

- She chopped the vegetables.
- Then, she fried them.

→ After _____

_____ .

40 고난도

- His birthday is coming.
- So his friends are planning a party.

→ Since _____

_____ .

짝문제로 마무리

41

- I wonder.
- What will you do during winter vacation?

→ _____

_____

42

- I'm not sure.
- When will I finish my homework?

→ _____

_____

43

- I'm not sure.
- Does the store sell pet food?

→ _____

_____

44

- This book is big.
- I can't put it in my bag.

→ This book is so _____

_____ .

45 고난도

- He walked his dog.
- Then, he played a video game.

→ Before _____

_____ .

46 고난도

- The song was sung by her favorite singer.
- So she listened to it all day.

→ As _____

_____ .

그림 보고 영작하기
다음 그림을 보고 빈칸에 알맞은 말을 쓰시오.

기출문제 풀고	짝문제로 마무리

47

He has a blue pen _____

_____ _____ a red pen.

49

She speaks English _____

_____ _____ French.

48

Mark is _____ hungry _____

he wants to eat a whole pizza.

50

Sarah is _____ tired _____

she wants to sleep right now.

기출문제를 풀었으면 채점한 후, 짝문제를 푸세요. ▶

조건에 맞게 영작하기
우리말과 같도록 주어진 <조건>에 맞게 문장을 완성하시오.

기출문제 풀고	짝문제로 마무리

51

우산을 가져가라, 그렇지 않으면 너는 젖을
것이다.

──── <조건> ────
1. bring, get, wet를 활용하시오.
2. 7단어로 쓰시오.

= _____

_____

52

재사용할 수 있는 컵을 사용해라, 그러면 너는
쓰레기를 줄일 수 있다.

──── <조건> ────
1. reusable, reduce, waste를 활용하시오.
2. 9단어로 쓰시오.

= _____

_____

기출문제를 풀었으면 채점한 후, 짝문제를 푸세요. ▶

CHAPTER
12

관계사

🔹 **POINT 1**   관계대명사의 역할과 종류

🔹 **POINT 2**   주격 관계대명사

🔹 **POINT 3**   목적격 관계대명사

🔹 **POINT 4**   소유격 관계대명사

🔹 **POINT 5**   관계대명사 that, what

🔹 **POINT 6**   관계부사

기출문제 풀고 짝문제로 마무리!

관계대명사를 이용하여 두 문장을 한 문장으로 연결하시오. (단, that은 쓰지 마시오.)

The man is from Canada. I met him yesterday.

→ **The man _____ I met yesterday is from Canada.**

두 번째 문장을 첫 번째 문장에 있는 명사 The man을 꾸미는 관계대명사절로 바꿀 수 있다. The man은 사람 선행사이고, 빈칸은 빈칸이 이끄는 절 안에서 목적어 역할을 하므로 빈칸에는 who 또는 whom을 쓴다.

정답: who[whom]
해석: 그 남자는 캐나다 출신이다. 나는 어제 그를 만났다.
　　→ 내가 어제 만난 남자는 캐나다 출신이다.

관계대명사는 접속사와 대명사 역할을 하며, 관계대명사가 이끄는 절은 앞에 온 명사, 즉 선행사를 꾸민다. 관계대명사는 선행사의 종류와 관계대명사가 이끄는 절 안에서의 역할에 따라 알맞은 것을 쓴다.

선행사 　　　　　 격	주격	목적격	소유격
사람	who	who(m)	whose
사물, 동물	which	which	whose
사람, 사물, 동물	that	that	-

[1-4] 관계대명사를 이용하여 다음 두 문장을 한 문장으로 연결하시오. (단, that은 쓰지 마시오.)

1 He ate the soup. I made it.

　　→ _____

2 There is a store. It sells organic products.

　　→ _____

3 The woman will sing at the party. She works with me.

　　→ _____

4 He invited the students to the wedding. He taught them.

　　→ _____

[5-9] 우리말과 같도록 괄호 안의 말을 알맞게 배열하시오.

5 나는 나의 집 가까이에 사는 친구가 있다. (who, near my house, a friend, lives)

　　= I have _____.

6 내가 어제 찍은 사진은 액자에 넣어질 것이다. (took, which, I, the photo, yesterday)

　　= _____ will be framed.

7 그녀는 설탕을 함유한 음료들을 좋아하지 않는다. (contain, drinks, which, sugar)

　　= She doesn't like _____.

8 공항으로 가는 버스가 곧 도착할 것이다. (goes to, the bus, the airport, which)

　　= _____ will arrive soon.

9 우리는 주인이 나의 이모인 식당에 갔다. (whose, my aunt, the restaurant, owner, is)

　　= We went to _____.

POINT 2 주격 관계대명사

빈칸에 알맞은 관계대명사를 쓰시오. (단, that은 쓰지 마시오.)

> I bought flowers _____ smelled good.

빈칸이 이끄는 절은 flowers를 꾸민다. flowers는 사물 선행사이고, 빈칸은 빈칸이 이끄는 절 안에서 주어 역할을 하므로 빈칸에는 which를 쓴다.

정답: which
해석: 나는 좋은 냄새가 난 꽃들을 샀다.

- 주격 관계대명사는 관계대명사가 이끄는 절 안에서 주어 역할을 한다. 선행사가 사람이면 who를 쓰고, 사물이나 동물이면 which를 쓴다. 선행사와 상관없이 that도 쓸 수 있다.
- 주격 관계대명사절의 동사는 선행사에 수일치시킨다.

[1-6] 관계대명사를 이용하여 다음 두 문장을 한 문장으로 연결하시오. (단, that은 쓰지 마시오.)

1 I know a man. He studies Japanese.

→ _____

2 The shirt is expensive. It is made of silk.

→ _____

3 We'll meet a professor. He teaches history.

→ _____

4 There is a café. It is open until midnight.

→ _____

5 The girl is my sister. She is wearing a red dress.

→ _____

6 She likes the actor. He appeared in this movie.

→ _____

[7-11] 우리말과 같도록 관계대명사와 괄호 안의 말을 활용하여 문장을 완성하시오. (단, that은 쓰지 마시오.)

7 이곳에 주차되어 있는 자동차는 나의 엄마의 것이다. (the car, park, here)

= _____ is my mom's.

8 나는 은행에서 근무하는 나의 삼촌에게 전화했다. (my uncle, work)

= I called _____ at the bank.

9 곰은 겨울 동안 잠자는 동물이다. (animals, sleep)

= Bears are _____ during winter.

10 우리는 성처럼 보이는 호텔에서 묵었다. (the hotel, look)

= We stayed at _____ like a castle.

11 축구를 하고 있는 소년들은 나의 반 친구들이다. (the boys, play, soccer)

= _____ are my classmates.

빈칸에 알맞은 관계대명사를 쓰시오. (단, that은 쓰지 마시오.)

This is the boy _____ I called last night.

빈칸이 이끄는 절은 the boy를 꾸민다. the boy는 사람 선행사이고, 빈칸은 빈칸이 이끄는 절 안에서 목적어 역할을 하므로 빈칸에는 who 또는 whom을 쓴다.

정답: who[whom]
해석: 이 사람은 내가 어젯밤에 전화한 소년이다.

목적격 관계대명사는 관계대명사가 이끄는 절 안에서 목적어 역할을 한다. 선행사가 사람이면 who(m)을 쓰고, 사물이나 동물이면 which를 쓴다. 선행사와 상관없이 that도 쓸 수 있다.

TIP 목적격 관계대명사는 생략할 수 있다.

[1-5] 관계대명사를 이용하여 다음 두 문장을 한 문장으로 연결하시오. (단, that은 쓰지 마시오.)

1 He is the teacher. I respect him.

→ _____

2 I'm eating a sandwich. My mom made it.

→ _____

3 The boy is my brother. Jenny is dancing with him.

→ _____

4 The book is about planets. She borrowed it yesterday.

→ _____

5 This is the ticket for the exhibition. I want to see it.

→ _____

[6-11] 우리말과 같도록 관계대명사와 괄호 안의 말을 활용하여 문장을 완성하시오. (단, that은 쓰지 마시오.)

6 그들은 내가 구운 머핀들을 좋아했다. (the muffins, bake)

= They liked _____.

7 이 사람은 그가 결혼할 여자이다. (the woman, marry)

= This is _____.

8 나는 네가 나에게 사준 인형을 여전히 가지고 있다. (the doll, buy)

= I still have _____ for me.

9 그는 피카소가 그린 그림들을 좋아한다. (the pictures, Picasso, paint)

= He's fond of _____.

10 Thomas는 그녀가 나에게 소개해준 소년이다. (the boy, introduce)

= Thomas is _____ to me.

11 너는 내가 파티에서 만난 소녀의 이름을 아니? (the girl, meet)

= Do you know the name of _____ at the party?

● POINT 4 소유격 관계대명사

빈칸에 알맞은 관계대명사를 쓰시오.

I like the girl _____ hair is long and curly.

빈칸이 이끄는 절은 the girl을 꾸민다. 빈칸 뒤에 온 명사 hair는 선행사 the girl이 소유하는 대상이므로 빈칸에는 whose를 쓴다.

정답: whose
해석: 나는 머리카락이 길고 곱슬거리는 그 소녀를 좋아한다.

소유격 관계대명사는 관계대명사가 이끄는 절 안에서 소유격 역할을 한다. 선행사에 상관없이 whose를 쓰며, whose 바로 뒤에는 소유의 대상이 되는 명사가 온다.

[1-5] 관계대명사를 이용하여 다음 두 문장을 한 문장으로 연결하시오.

1 Nancy is the girl. Her eyes are blue.

→ _____

2 The car is mine. Its door is broken.

→ _____

3 He is the man. His daughter is a lawyer.

→ _____

4 Kevin is my friend. His hobby is running.

→ _____

5 I like the author. You're reading her book now.

→ _____

[6-11] 우리말과 같도록 whose와 괄호 안의 말을 활용하여 문장을 완성하시오.

6 우리는 털이 갈색인 강아지를 기른다. (a dog, hair, brown)

= We have _____.

7 이 사람은 이름이 Anne인 나의 사촌이다. (my cousin, name)

= This is _____.

8 그녀는 열매가 달콤한 나무들을 심었다. (trees, fruit, sweet)

= She planted _____.

9 그는 목소리가 멋진 여자를 만났다. (a woman, voice, wonderful)

= He met _____.

10 나는 부모님이 해외에 사시는 소년을 안다. (a boy, parents, live)

= I know _____ overseas.

11 그들은 정원에 많은 꽃들이 있는 집을 샀다. (a house, garden, many flowers)

= They bought _____.

what과 괄호 안의 말을 활용하여 문장을 완성하시오.

나를 행복하게 만든 것은 너의 친절함이었다. (make)

_____ **was your kindness.**

'나를 행복하게 만든 것'은 선행사를 포함하여 '~한 것' 이라는 의미를 나타내는 what으로 나타낸다. what이 이끄는 절에서 what이 주어 역할을 하므로 what 뒤에 made me happy를 쓴다.

정답: What made me happy

- 선행사가 「사람 + 사물/동물」이거나, 선행사에 -thing/-body로 끝나는 대명사, 최상급, 서수, the only/the same/the very, all/no/little/much 등이 포함되면 주로 관계대명사 that을 쓴다.
- 관계대명사 what은 선행사를 포함하여 '~한 것'이라는 의미이며, the thing which[that]로 바꿔 쓸 수 있다.

[1-12] 우리말과 같도록 괄호 안의 말을 알맞게 배열하시오.

1 내가 지금 할 수 있는 전부는 그들의 답장을 기다리는 것이다. (now, is, can, that, do, I, all)

= _____ to wait for their reply.

2 제가 말하고 있는 것을 적어 놓으세요. (what, saying, write down, I'm)

= Please _____.

3 그는 내가 사용하는 같은 컴퓨터를 사용한다. (computer, the, I, that, same, use)

= He uses _____.

4 나는 그가 어제 입었던 것을 기억하지 못한다. (wore, he, can't, remember, what)

= I _____ yesterday.

5 나는 내가 저녁으로 먹을 것에 대해 생각하고 있다. (what, eat, thinking, about, I'll)

= I'm _____ for dinner.

6 그녀는 Sandra에 의해 쓰인 첫 번째 시를 읽었다. (was, the, written, poem, that, first)

= She read _____ by Sandra.

7 이 주스는 내가 주문했던 것이 아니다. (I, isn't, ordered, what)

= This juice _____.

8 네가 더 배우고 싶은 것을 나에게 말해라. (want, me, what, to learn, tell, you)

= _____ more about.

9 빗속에서 달리는 소년 두 명과 개 한 마리가 있었다. (and, that, a dog, ran, two boys)

= There were _____ in the rain.

10 우리는 우리가 너에 대해 들었던 것을 믿지 않는다. (we, believe, heard, don't, what)

= We _____ about you.

11 민지는 그녀가 그 행사를 위해 필요한 모든 것을 샀다. (that, needed, everything, she)

= Minji bought _____ for the event.

12 Billy는 내가 만났던 사람들 중에서 가장 똑똑한 사람이다. (met, person, I've, that, smartest, the, ever)

= Billy is _____.

POINT 6 관계부사

빈칸에 알맞은 관계부사를 쓰시오.

> **This café is the place _____ I have lunch on weekends.**

빈칸이 이끄는 절은 the place를 꾸민다. the place 는 장소를 나타내고, 빈칸은 빈칸이 이끄는 절에서 부사 역할을 하므로 빈칸에는 where를 쓴다.

정답: where
해석: 이 카페는 내가 주말마다 점심을 먹는 곳이다.

관계부사는 접속사와 부사 역할을 한다. 관계부사 where, when, why, how는 각각 장소, 시간, 이유, 방법을 나타낸다.

TIP ① 선행사가 the place, the day, the reason과 같은 일반적인 명사인 경우 선행사나 관계부사 둘 중 하나를 생략할 수 있다.
② 관계부사 how 앞에는 선행사 the way를 쓸 수 없고, how와 the way 둘 중 하나만 쓴다.

[1-6] 관계부사를 이용하여 다음 두 문장을 한 문장으로 연결하시오.

1 I don't know the reason. You're angry for that reason.

→ I don't know _____.

2 Tomorrow is the day. Emily is leaving for Norway on that day.

→ Tomorrow is _____.

3 I remember the place. I used to play with my friends in that place.

→ I remember _____.

4 She explained the reason. She was late for school for that reason.

→ She explained _____.

5 Eric showed me the way. He solved the math problem that way.

→ Eric showed me _____.

6 This is the hospital. My dad worked for five years at this hospital.

→ This is _____.

[7-11] 우리말과 같도록 관계부사와 괄호 안의 말을 활용하여 문장을 완성하시오.

7 4시는 그 수업이 끝나는 시간이다. (the class, end)

= Four o'clock is _____.

8 나는 그가 그의 감정을 조절하는 방법을 알고 싶다. (control, emotions)

= I'd like to know _____.

9 내가 매일 운동하는 공원에는 호수가 있다. (the park, exercise, every day)

= _____ has a lake.

10 그 책은 우리가 환경을 보호할 수 있는 방법에 대한 것이다. (protect, the environment)

= The book is about _____.

11 너는 나에게 그들이 소풍을 취소했던 이유를 말해줄 수 있니? (cancel, the picnic)

= Can you tell me _____?

기출문제 풀고 짝문제로 마무리!

기출문제를 풀고 정답과 해설을 확인하세요. 짝문제를 풀면서 복습하고, 틀린 문제는 다시 틀리지 않도록 꼼꼼히 점검하세요.

두 문장을 한 문장으로 연결하기
관계대명사를 이용하여 다음 두 문장을 한 문장으로 연결하시오.

기출문제 풀고

01
I'll buy a sweater. Its color is grey.

→ I'll _____.

02
Sam is my cousin. He studies art in the US.

→ Sam _____

_____.

03
We're waiting for a train. It will arrive at noon.

→ We're _____

_____.

04
This is a house. My grandfather built it last year.

→ This _____

_____.

05
There are some sheep and a girl. They are walking in the field.

→ There _____

_____.

06
James interviewed a boy. He won the speech competition.

→ James _____

_____.

짝문제로 마무리

07
I saw a movie. Its theme was friendship.

→ I _____.

08
I visited my aunt. She is a great composer.

→ I visited _____

_____.

09
They go to the school. It has a large playground.

→ They _____

_____.

10
The subject is social studies. Mr. Davis teaches it.

→ The subject _____

_____.

11
Look at the man and the dog. They are swimming in the lake.

→ Look _____

_____.

12
The woman went to the police station. She picked up a wallet.

→ The woman _____

_____.

기출문제를 풀었으면 채점한 후, 짝문제를 푸세요. ▶

주어진 단어 활용하여 영작하기
우리말과 같도록 관계대명사와 괄호 안의 말을 활용하여 문장을 완성하시오. (단, that은 쓰지 마시오.)

기출문제 풀고

13 탁자 위에 있는 책은 나의 것이다. (on the table)

= _____
is mine.

14 엄마는 내가 어제 잃어버린 시계를 찾으셨다.
(the watch, lose)

= Mom found _____
yesterday.

15 Tim은 내가 가장 좋아하는 나의 친구이다. (my friend, like)

= Tim is _____
the most.

16 나는 집에 가는 길에 나를 도와줬던 남자를 찾고 싶다. (the man, on the way home)

= I want to find _____

_____ .

17 [고난도] 그는 첫 번째 책이 작년에 출간된 작가이다. (a writer, first book, publish)

= He's _____

_____ .

18 [고난도] 이 박물관에는 19세기에 그려졌던 많은 초상화들이 있다. (many portraits, paint, in the 19th century)

= This museum has _____

_____ .

짝문제로 마무리

19 펭귄은 무리 지어 사는 동물이다. (animals, live)

= Penguins are _____
in groups.

20 내가 타곤 했던 자전거는 망가져 있다. (the bike, ride)

= _____
is broken.

21 Sara는 내가 지난주에 만났던 유명 인사를 안다.
(the celebrity, meet)

= Sara knows _____
last week.

22 이 사람들은 악기를 연주하는 것을 즐기는 학생들이다. (students, enjoy, instruments)

= These are _____

_____ .

23 [고난도] 꿈이 운동선수가 되는 것인 어린이들이 많이 있다.
(many children, dream, an athlete)

= There are _____

_____ .

24 [고난도] White 선생님은 그녀의 학생들에 의해 쓰여진 편지를 읽고 있다. (the letters, write, by her students)

= Ms. White is reading _____

_____ .

단어 배열하여 영작하기

우리말과 같도록 괄호 안의 말을 알맞게 배열하시오.

25 내가 이야기한 여자는 나의 선생님이었다.
(whom, the woman, to, talked, I)

= _____

_____ was my teacher.

26 Brian이 산 재킷은 비쌌다. (Brian, the jacket, which, bought)

= _____

was expensive.

27 그는 선생님이 말하시는 모든 것을 필기했다.
(everything, said, the teacher, that)

= He took notes of _____

_____ .

28 너는 Andrew가 이번 주말에 할 것을 아니?
(will, this weekend, what, do, Andrew)

= Do you know _____

_____ ?

29 그는 그 화재에서 사람들을 구했던 소방관이다.
(the people, who, in the fire, the firefighter, saved)

= He's _____

_____ .

30 민수는 꿀 같은 맛이 나는 아이스크림을 먹었다.
(which, like honey, tasted, an ice cream)

= Minsu ate _____

_____ .

31 나는 Lisa가 함께 노래했던 소년을 모른다. (the boy, with, whom, Lisa, sang)

= I don't know _____

_____ .

32 내가 너에게 빌린 잡지는 흥미로웠다.
(which, the magazine, borrowed, I)

= _____

from you was interesting.

33 파티에 온 모든 사람이 좋은 시간을 보냈다.
(came, that, to the party, everybody)

= _____

had a good time.

34 네가 역사 박물관에서 봤던 것을 나에게 말해줘.
(saw, what, you, at the history museum)

= Tell me _____

_____ .

35 그녀는 이탈리아 음식을 요리하는 유명한 요리사이다. (cooks, a famous chef, Italian food, who)

= She's _____

_____ .

36 그는 나에게 너무 길어 보이는 바지를 줬다. (too long, which, for me, pants, looked)

= He gave me _____

_____ .

틀린 부분 고쳐 쓰기

다음 문장에서 틀린 부분을 올바르게 고쳐 완전한 문장을 쓰시오.

기출문제 풀고

37 I bought a cup who looked like a boot.

→ _____

38 The nurse which took care of me was kind.

→ _____

39 They discovered the thing what caused the accident.

→ _____

40 She is the architect which designed this building.

→ _____

41 Is there a restaurant which serve Indian dishes?

→ _____

42 The boy which Jihee likes is good at dancing.

→ _____

43 The town who we'll move to has a big shopping mall.

→ _____

짝문제로 마무리

44 We're on the bus who goes to Sokcho.

→ _____

45 My neighbor which lives next door is noisy.

→ _____

46 The thing what impressed me was the size of the statue.

→ _____

47 We know the man which drives our school bus.

→ _____

48 I took a photo of birds which was flying in the sky.

→ _____

49 I miss a friend which I met in France last year.

→ _____

50 The gloves who I'm wearing are made of wool.

→ _____

보기에서 단어 골라 영작하기

주어진 우리말과 같도록 <보기>에서 알맞은 단어를 골라서 문장을 완성하시오. (단, 필요 시 단어의 형태를 바꾸시오.)

기출문제풀고

— <보기> —

which   who   sit   grow

51

그들은 수박과 딸기를 재배하는 농부들을 만났다.

= They met farmers _____
watermelons and strawberries.

52

소파 위에 앉아 있는 고양이는 귀엽다.

= The cat _____
on the sofa is cute.

기출문제를 풀었으면 채점한 후, 짝문제를 푸세요. ▶

짝문제로 마무리

— <보기> —

which   who   do   make

53

나는 매일 아침에 요가를 하는 여자를 안다.

= I know a woman _____
yoga every morning.

54

아빠에 의해 만들어졌던 의자는 편안하다.

= The chair _____
by Dad is comfortable.

조건에 맞게 영작하기

우리말과 같도록 주어진 <조건>에 맞게 문장을 완성하시오.

기출문제풀고

55

그녀는 그들이 피곤하게 느꼈던 이유를 이해한다.

— <조건> —
1. understand, tired를 활용하시오.
2. 6단어로 쓰시오.

= _____

56
고난도

이 경기장은 그 축구 시합이 열릴 곳이다.

— <조건> —
1. this stadium, the soccer match, hold를
활용하시오.
2. 10단어로 쓰시오.

= _____

기출문제를 풀었으면 채점한 후, 짝문제를 푸세요. ▶

짝문제로 마무리

57

나는 네가 그렇게 일찍 일어났던 이유가 궁금하다.

— <조건> —
1. wonder, wake up, so를 활용하시오.
2. 8단어로 쓰시오.

= _____

58
고난도

그는 그가 지난달에 묵었던 그 호텔을 추천했다.

— <조건> —
1. recommend, stay, last month를
활용하시오.
2. 9단어로 쓰시오.

= _____

쓰기가 쉬워지는
암기 리스트

1. 동사의 형태 변화

2. 명사의 형태 변화와 관사의 쓰임

3. 형용사와 부사의 형태 변화

1 동사의 형태 변화

1. 일반동사의 3인칭 단수 현재형

대부분의 동사	동사원형 + -s	work - works love - loves arrive - arrives speak - speaks
-o, -s, -x, -ch, -sh로 끝나는 동사	동사원형 + -es	go - goes pass - passes mix - mixes watch - watches
「자음 + y」로 끝나는 동사	y를 i로 바꾸고 + -es	fly - flies cry - cries carry - carries study - studies **TIP** 「모음 + y」로 끝나는 동사: buy - buys
불규칙하게 변하는 동사	have - has	

2. 일반동사의 과거형: 규칙 변화

대부분의 동사	동사원형 + -ed	call - called open - opened watch - watched cook - cooked
-e로 끝나는 동사	동사원형 + -d	move - moved lie - lied invite - invited agree - agreed
「자음 + y」로 끝나는 동사	y를 i로 바꾸고 + -ed	try - tried copy - copied study - studied worry - worried **TIP** 「모음 + y」로 끝나는 동사: stay - stayed
「단모음 + 단자음」으로 끝나는 동사	마지막 자음을 한 번 더 쓰고 + -ed	stop - stopped drop - dropped plan - planned grab - grabbed **TIP** 강세가 앞에 오는 2음절 동사: visit - visited enter - entered

TIP 규칙 변화하는 일반동사의 과거분사형은 과거형과 형태가 같다.

3. 일반동사의 과거형과 과거분사형: 불규칙 변화

① A-A-A형: 원형-과거형-과거분사형이 모두 같다.

원형	과거형	과거분사형	원형	과거형	과거분사형
cost 비용이 들다	cost	cost	cut 베다, 자르다	cut	cut
hit 치다	hit	hit	hurt 다치게 하다	hurt	hurt
put 놓다	put	put	read[ri:d] 읽다	read[red]	read[red]
set 놓다	set	set	spread 펼치다	spread	spread

② A-B-A형: 원형-과거분사형이 같다.

원형	과거형	과거분사형	원형	과거형	과거분사형
become ~이 되다	became	become	come 오다	came	come
overcome 극복하다	overcame	overcome	run 달리다	ran	run

③ A-B-B형: 과거형-과거분사형이 같다.

원형	과거형	과거분사형	원형	과거형	과거분사형
bring 가져오다	brought	brought	build 짓다	built	built
buy 사다	bought	bought	catch 잡다	caught	caught
feed 먹이를 주다	fed	fed	fight 싸우다	fought	fought
find 찾다	found	found	get 얻다	got	got(ten)
have 가지다	had	had	hear 듣다	heard	heard
keep 유지하다	kept	kept	lay 놓다, 낳다	laid	laid
leave 떠나다	left	left	lose 잃다, 지다	lost	lost
make 만들다	made	made	meet 만나다	met	met
say 말하다	said	said	sell 팔다	sold	sold
send 보내다	sent	sent	sit 앉다	sat	sat
sleep 자다	slept	slept	spend 쓰다	spent	spent
stand 서다	stood	stood	teach 가르치다	taught	taught
tell 말하다	told	told	think 생각하다	thought	thought
understand 이해하다	understood	understood	win 이기다	won	won

④ A-B-C형: 원형-과거형-과거분사형이 모두 다르다.

원형	과거형	과거분사형	원형	과거형	과거분사형
begin 시작하다	began	begun	break 깨다	broke	broken
choose 선택하다	chose	chosen	do 하다	did	done
draw 그리다	drew	drawn	drink 마시다	drank	drunk
drive 운전하다	drove	driven	eat 먹다	ate	eaten
fall 떨어지다, 넘어지다	fell	fallen	fly 날다	flew	flown
forget 잊다	forgot	forgotten	give 주다	gave	given
go 가다	went	gone	grow 자라다	grew	grown
know 알다	knew	known	mistake 실수하다	mistook	mistaken
ride 타다	rode	ridden	rise 오르다	rose	risen
see 보다	saw	seen	sing 노래하다	sang	sung
speak 말하다	spoke	spoken	swim 수영하다	swam	swum
take 가지고 가다	took	taken	wake 깨우다	woke	woken
wear 입고 있다	wore	worn	write 쓰다	wrote	written

2 명사의 형태 변화와 관사의 쓰임

1. 셀 수 있는 명사의 복수형: 규칙 변화
셀 수 있는 명사의 복수형은 대부분 명사에 -(e)s를 붙여 만든다.

대부분의 명사	명사 + -s	book - books egg - eggs	cookie - cookies tree - trees
-s, -x, -ch, -sh로 끝나는 명사	명사 + -es	bus - buses church - churches	box - boxes dish - dishes
「자음 + o」로 끝나는 명사	명사 + -es	potato - potatoes **TIP** · 예외: piano - pianos　photo - photos · 「모음 + o」로 끝나는 명사: radio - radios	tomato - tomatoes
「자음 + y」로 끝나는 명사	y를 i로 바꾸고 + -es	baby - babies diary - diaries **TIP** 「모음 + y」로 끝나는 명사: key - keys	story - stories country - countries
-f, -fe로 끝나는 명사	f, fe를 v로 바꾸고 + -es	leaf - leaves **TIP** 예외: roof - roofs　cliff - cliffs	knife - knives

2. 셀 수 있는 명사의 복수형: 불규칙 변화
① 단수형과 복수형이 다른 명사

man - men	woman - women	child - children	mouse - mice
ox - oxen	goose - geese	foot - feet	tooth - teeth

② 단수형과 복수형이 같은 명사

sheep - sheep	deer - deer	fish - fish	salmon - salmon

3. 셀 수 없는 명사
셀 수 없는 명사는 단위명사를 활용하여 수량을 나타내고, 복수형은 단위명사에 -(e)s를 붙여 만든다.

a glass of water/milk/juice	a cup of tea/coffee	a bottle of water/juice
a can of coke/soda/paint	a bowl of rice/soup/cereal	a loaf of bread
a slice of pizza/cheese/bread/cake	a piece of paper/furniture/information/advice/news	

4. 부정관사 a(n)의 쓰임

셀 수 있는 명사의 단수형 앞에 쓰며, 첫소리가 자음으로 발음되는 명사 앞에는 a를, 첫소리가 모음으로 발음되는 명사 앞에는 an을 쓴다.

정해지지 않은 막연한 하나를 가리킬 때	Daniel is **a student**. Daniel은 학생이다.
'하나의(one)'를 나타낼 때	I ate **an apple** for breakfast. 나는 아침으로 한 개의 사과를 먹었다.
'~마다(per)'를 나타낼 때	Jimin usually goes to the gym twice **a week**. 지민이는 보통 일주일에 두 번 체육관에 간다.

5. 정관사 the의 쓰임

앞에서 언급된 명사가 반복될 때	We watched a movie last night. **The movie** was scary. 우리는 어젯밤에 영화를 봤다. 그 영화는 무서웠다.
정황상 서로 알고 있는 것을 말할 때	Can you open **the door**? 그 문을 열어주겠니?
유일한 것을 말할 때	**The sun** sets in the west. 태양은 서쪽에서 진다.
악기 이름 앞에	He can play **the guitar** well. 그는 기타를 잘 연주할 수 있다.
서수, last, only 앞에	My classroom is on **the second** floor. 나의 교실은 2층에 있다.

6. 관사를 쓰지 않는 경우

다음과 같은 경우에는 명사 앞에 관사를 쓰지 않는다.

운동, 식사, 과목 이름 앞에	We played **badminton** all day. 우리는 종일 배드민턴을 쳤다. I will meet Jane for **dinner**. 나는 저녁 식사를 위해 Jane을 만날 것이다. **English** is a interesting subject for me. 영어는 나에게 흥미로운 과목이다.
「by + 교통·통신수단」	Let's go there **by bus**. 거기에 버스로 가자. Contact me **by email**. 이메일로 나에게 연락해.
장소나 건물이 본래의 목적으로 쓰일 때	Students go to **school** on weekdays. 학생들은 평일에 학교에 간다. **TIP** 장소나 건물이 본래의 목적으로 쓰이지 않을 때는 관사를 써야 한다. Tony's mother went to **the school** to meet his teacher. Tony의 어머니는 그의 선생님을 만나기 위해 학교에 가셨다.

③ 형용사와 부사의 형태 변화

1. 부사의 형태

부사는 대부분 형용사에 -ly를 붙여 만든다.

대부분의 형용사	형용사 + -ly	slow - slowly kind - kindly	sad - sadly poor - poorly
「자음 + y」로 끝나는 형용사	y를 i로 바꾸고 + -ly	easy - easily	lucky - luckily
-le로 끝나는 형용사	e를 없애고 + -y	simple - simply	terrible - terribly
불규칙 변화	good - well		

TIP 다음 단어는 -ly로 끝나지만 부사가 아닌 형용사로 쓰이는 것에 주의한다.
friendly 친절한 lovely 사랑스러운 lonely 외로운 weekly 주간의 likely 그럴듯한

2. 형용사와 형태가 같은 부사

다음 단어는 형용사와 부사의 형태가 같다.

late	형 늦은	부 늦게	high	형 높은	부 높이
early	형 이른	부 일찍	long	형 긴	부 길게, 오래
fast	형 빠른	부 빠르게	enough	형 충분한	부 충분히
deep	형 깊은	부 깊이	close	형 가까운	부 가까이
near	형 가까운	부 가까이	far	형 먼	부 멀리

TIP 형용사와 형태가 같지만 의미가 달라지는 부사에 주의한다.
hard 형 어려운, 단단한 부 열심히 pretty 형 예쁜 부 꽤

3. -ly가 붙으면 의미가 달라지는 부사

다음 부사에 -ly가 붙으면 의미가 다른 부사가 된다.

late 늦게 - lately 최근에   high 높이 - highly 매우, 대단히   near 가까이 - nearly 거의
hard 열심히 - hardly 거의 ~않다   close 가까이 - closely 면밀히   most 가장 많이 - mostly 대체로, 주로
deep 깊은 - deeply 몹시   short 짧게 - shortly 곧

4. 비교급 / 최상급 규칙 변화

원급은 형용사나 부사의 원래 형태이며, 비교급은 대부분 원급에 -(e)r을, 최상급은 대부분 원급에 -(e)st를 붙여 만든다.

비교급/최상급 만드는 법		원급 - 비교급 - 최상급
대부분의 형용사·부사	+ -er/-est	tall - taller - tallest
-e로 끝나는 형용사·부사	+ -r/-st	large - larger - largest
「자음 + y」로 끝나는 형용사·부사	y를 i로 바꾸고 + -er/-est	happy - happier - happiest
「단모음 + 단자음」으로 끝나는 형용사·부사	마지막 자음을 한 번 더 쓰고 + -er/-est	big - bigger - biggest
대부분의 2음절 이상인 형용사·부사 (-y로 끝나는 형용사 제외)	more/most + 원급	famous - more famous - most famous
「형용사 + ly」형태의 부사		safely - more safely - most safely

5. 비교급 / 최상급 불규칙 변화

원급		비교급	최상급	원급		비교급	최상급
good	좋은	better	best	many	(수가) 많은	more	most
well	건강한, 잘			much	(양이) 많은		
bad	나쁜	worse	worst	little	(양이) 적은	less	least
badly	나쁘게			late	(시간이) 늦은	later	latest
ill	아픈, 병든				(순서가) 늦은	latter	last
old	나이든, 오래된	older	oldest	far	(거리가) 먼	farther	farthest
	연상의	elder	eldest		(정도가) 먼	further	furthest

문법 사항	세부 내용	Level 1	Level 2	Level 3
be동사	be동사	O		
	There + be동사	O		
일반동사	일반동사	O		
시제	현재시제		p.16	
	과거시제		p.16	
	미래시제	O	p.16	
	현재진행시제	O	p.17	
	과거진행시제		p.17	
	현재완료시제		p.18	O
	과거완료시제			O
	완료진행시제			O
조동사	can	O	p.28	
	may	O	p.28	
	must	O	p.30	
	have to	O	p.30	
	should	O	p.29	
	should의 생략			O
	would like to		p.31	
	had better		p.29	O
	used to		p.31	O
	would rather			O
	조동사 + have + p.p.			O
수동태	수동태		p.50	O
	수동태의 다양한 형태		p.52	O
	4형식 문장의 수동태			O
	5형식 문장의 수동태			O
	by 이외의 전치사를 쓰는 수동태		p.53	O
	목적어가 that절인 문장의 수동태			O
	구동사의 수동태			O
부정사	to부정사	O	p.60	O
	부정사를 목적격 보어로 쓰는 동사			O
	목적격 보어로 쓰이는 원형부정사			O
	to부정사의 의미상 주어		p.60	O
	to부정사 구문		p.65	O
동명사	동명사	O	p.72	O
분사	현재분사, 과거분사		p.83	O
	분사구문		p.85	O
	주의해야 할 분사구문			O
동사의 종류	주격 보어가 필요한 동사	O		
	감각동사	O	p.38	
	두 개의 목적어가 필요한 동사(수여동사)	O	p.39	
	목적격 보어가 필요한 동사	O	p.40	

문법 사항	세부 내용	Level 1	Level 2	Level 3
문장의 종류	명령문, 청유문, 감탄문	O		
	의문사 의문문	O		
	부정의문문, 선택의문문, 부가의문문	O		
명사	셀 수 있는 명사, 셀 수 없는 명사	O		
대명사	인칭대명사	O		
	재귀대명사	O	p.95	
	지시대명사			
	비인칭 주어 it	O		
	부정대명사		p.92	
형용사와 부사	형용사, 부사	O	p.102	
비교구문	원급/비교급/최상급 비교	O	p.112	O
	비교구문을 이용한 표현		p.112	O
전치사	장소 전치사	O		
	시간 전치사	O		
	기타 전치사	O		
접속사	등위접속사	O	p.122	
	시간 접속사	O	p.125	O
	이유 접속사	O	p.124	O
	결과 접속사		p.124	O
	조건 접속사	O	p.123	O
	양보 접속사		p.123	O
	that	O	p.126	O
	명령문 + and/or	O	p.122	
	상관접속사		p.122	
	간접의문문		p.127	
관계사	관계대명사		p.134	O
	관계대명사의 계속적 용법			O
	전치사 + 관계대명사			O
	관계부사		p.139	O
	복합관계사			O
가정법	가정법 과거			O
	가정법 과거완료			O
	I wish 가정법			O
	as if 가정법			O
	Without 가정법			O
	It's time 가정법			O
일치와 화법	시제 일치			O
	수의 일치			O
	화법			O
특수구문	강조, 도치, 부정			O

MEMO

MEMO

MEMO

서술형 잡는 영작 훈련서

해커스
쓰기
자신감 Level 2

초판 3쇄 발행 2024년 8월 19일
초판 1쇄 발행 2023년 2월 28일

지은이	해커스 어학연구소
펴낸곳	㈜해커스 어학연구소
펴낸이	해커스 어학연구소 출판팀

주소	서울특별시 서초구 강남대로61길 23 ㈜해커스 어학연구소
고객센터	02-537-5000
교재 관련 문의	publishing@hackers.com
	해커스북 사이트(HackersBook.com) 고객센터 Q&A 게시판
동영상강의	star.Hackers.com

ISBN	978-89-6542-567-0 (53740)
Serial Number	01-03-01

중고등영어 1위,
해커스북 HackersBook.com

· 중학 영어 서술형의 필수 표현을 모은 **어휘 리스트**
· 효과적인 단어 암기를 돕는 **어휘 테스트**

Smart, Useful, and Essential Grammar

HACKERS
GRAMMAR SMART

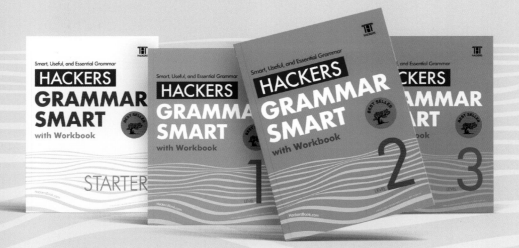

- 간결한
  문법 설명
- 유용한
  표현과 예문
- 학교 시험 기출경향
  완벽 반영
- 풍부하고 다양한
  부가 학습 자료

Smart, Skillful, and Fun Reading

HACKERS
READING SMART

- 유익하고 흥미로운
  독해 지문
- 최신 개정 교과서
  완벽 반영
- 직독직해 및 서술형
  문제 대비 워크북

해커스북 중·고등
HackersBook.com

서술형 잡는 영작 훈련서

해커스

쓰기자신감 Level 2

정답 및 해설

HACKERS

해커스

쓰기자신감 Level 2

정답 및 해설

해커스 어학연구소

시제

POINT 1   현재시제, 과거시제, 미래시제   p. 16

1 He lived in Busan five years ago.
2 Sue won't write in her diary this evening.
3 My sister and I go to the library on weekends.
4 Sandra ran with her dog yesterday.
5 Jake will do his homework soon.
6 Plants need light and water to grow.
7 Tyler called me when I arrived home.
8 My mother eats an apple every morning.
9 Rachel met her grandparents last week.
10 I will[am going to] bake cookies after breakfast.

POINT 2   현재진행시제, 과거진행시제   p. 17

1 My brother was making pasta an hour ago.
2 She is studying math for the exam.
3 Janet wasn't drinking tea at that time.
4 Is Matt practicing the dance now?
5 We were preparing for your birthday party.
6 Chris was crying when the movie was over.
7 Mary is taking photos of her cat.
8 He is playing soccer with his friends.
9 Aaron was exercising at that time.
10 The teacher is reading the students' essays.

POINT 3   현재완료시제의 형태   p. 18

1 I have eaten Spanish food.
2 He has lived in Japan since last year.
3 Have they won the drawing contest?
4 We haven't seen each other for a long time.
5 Have you solved the problem with your computer?
6 I have talked with Joshua before.
7 She has taught science for ten years.
8 My mom has not[hasn't] cooked dinner yet.
9 Billy has been a member of the band since 2020.
10 Jessie has not[hasn't] forgotten the singer's voice.

POINT 4   현재완료시제의 용법: 계속   p. 19

1 I started to live in Daegu last month. I still live in Daegu.
   나는 지난달에 대구에서 살기 시작했다. 나는 여전히 대구에서 산다.
   → I have lived in Daegu since last month.
     나는 지난달 이후로 대구에서 살아왔다.
2 The clerk began to work at the store three weeks ago. He still works at the store.
   그 점원은 3주 전에 그 가게에서 일하기 시작했다. 그는 여전히 그 가게에서 일한다.
   → The clerk has worked at the store for three weeks.

그 점원은 3주 동안 그 가게에서 일해왔다.
3 Erin started to play the cello last year. She still plays the cello.
   Erin은 작년에 첼로를 연주하기 시작했다. 그녀는 여전히 첼로를 연주한다.
   → Erin has played the cello since last year.
     Erin은 작년 이후로 첼로를 연주해왔다.
4 Jacob got a turtle seven years ago. He still has it.
   Jacob은 7년 전에 거북이가 생겼다. 그는 여전히 그것을 기른다.
   → Jacob has had a turtle for seven years.
     Jacob은 7년 동안 거북이를 길러왔다.
5 Jane and I became friends five years ago. We are still friends.
   Jane과 나는 5년 전에 친구가 되었다. 우리는 여전히 친구이다.
   → Jane and I have been friends for five years.
     Jane과 나는 5년 동안 친구였다.
6 I have used this smartphone for two years.
7 Sarah has liked the actor for a long time.
8 The price of oil has increased since last year.
9 The heavy rain has caused traffic problems since yesterday.
10 How long has Tom stayed at this hotel?

POINT 5   현재완료시제의 용법: 경험   p. 20

1 I have seen dolphins in the sea before.
2 He has never gone fishing.
3 Has Betty ever been to Paris?
4 My parents have climbed the mountain twice.
5 My cousin hasn't visited the aquarium before.
6 I have never had a pet.
7 Paul has taken yoga lessons.
8 We have heard the song once.
9 Karen has ridden a skateboard before.
10 Have you ever thought about climate change?

POINT 6   현재완료시제의 용법: 완료, 결과   p. 21

1 I have just finished my homework.
2 Yuri has gone to Australia.
3 My brother has already read this book.
4 I have just arrived at the station.
5 She hasn't written the letter yet.
6 Peter has been to Greece.
7 Kelly has lost her suitcase.
8 I have not[haven't] bought the concert ticket yet.
9 Ryan has left his hometown.
10 He has already become a famous artist.

기출문제 풀고 짝문제로 마무리!   p. 22

01 I have many friends at school.
02 Charles is walking his dog in the park.
03 Jang Youngsil invented the rain gauge in 1442.
04 My dad has taught English for 20 years.
05 She has visited the space museum before.
06 I graduated from elementary school last year.
07 Joe likes historical films.
08 Tina is eating lunch at the restaurant.
09 The Berlin Wall came down in 1989.

10 Alice and I <u>have known each other since</u> 2020.

11 William <u>has failed the test once</u>.

12 I <u>received a gift from Helen</u> yesterday.

13 <u>Have you ever grown a plant in your house?</u> If you haven't, try it. Plants can clean the air and reduce your stress. Also, you'll feel happy when they grow well.

14 I saw some friends at the shopping mall yesterday. Edward was drinking a cup of juice. Alicia was looking around a clothing store. <u>Emily and Ron were eating ice cream on a bench.</u>

15 A: What did you buy yesterday?
B: I bought a new game called *Shadow Country*.
A: It sounds fun. Can I try it sometime?
B: Sure. <u>I will[I'll] lend you the game next week.</u>

16 A: You looked happy at the party.
B: It was a lot of fun.
A: It seemed like you had many good friends there.
B: <u>I know most of them from school.</u>

17 When I first went camping with my family, I wanted to remember the view. So I drew the birds and trees around me. <u>Since then, I have drawn many other things around me.</u>

18 Who made the kitchen table dirty this morning? Alex was playing basketball outside. <u>Rebecca was sleeping in her room.</u> Were Alice and Nick eating in the kitchen? I think they made the table dirty.

19 A: Why aren't you swimming?
B: I didn't bring my swimsuit.
A: Oh, I have an extra one in my room.
B: Really? May I borrow it?
A: Sure. <u>I will[I'll] give you the key.</u>

20 A: Your soup is delicious.
B: Thank you. I'm glad you like it.
A: Can you tell me your secret?
B: It's not a secret. <u>I always use fresh vegetables.</u>

21 <u>I am going to clean my room</u> tomorrow.

22 <u>He was in the art gallery</u> two hours ago.

23 <u>She will watch the baseball game</u> in the evening.

24 <u>He has not decided on his plan for winter vacation yet.</u>

25 <u>He is going to study Japanese soon.</u>

26 <u>My sister became a nurse</u> three years ago.

27 <u>My family will travel to South America</u> next summer.

28 <u>The plane from Jejudo has not arrived at the airport yet.</u>

29 They <u>are listening</u> to music.

30 She <u>is sleeping</u> on the sofa.

31 They <u>are running</u> in the park.

32 He <u>is waiting</u> for a bus.

33 David <u>has gone to</u> Germany.

34 I <u>have learned Chinese for</u> two years.

35 Mina <u>has lost her earrings.</u>

36 We <u>have practiced the violin for</u> five days.

37 I <u>have</u> not <u>baked</u> the muffins <u>yet</u>.

38 My brother <u>has already come</u> back home.

39 He <u>has</u> not <u>called</u> his parents <u>yet</u>.

40 Christina <u>has already washed</u> the dishes.

41 Mijoo <u>has taken a ship</u> before.

42 Mijoo <u>has not[hasn't] played hockey</u> before.

43 Mijoo <u>has visited the museum</u> before.

44 Junseo <u>has talked with a foreigner</u> before.

45 Junseo <u>has not[hasn't] had a party</u> before.

46 Junseo <u>has swum in the ocean</u> before.

---

01 해설 현재의 상태를 나타내는 현재시제를 쓴다. (▶ POINT 1)

02 해설 지금 진행되고 있는 동작을 나타내는 현재진행시제 「am/is/are + V-ing」를 쓴다. (▶ POINT 2)

03 해설 역사적 사실을 나타내는 과거시제를 쓴다. (▶ POINT 1)

04 해설 for(~ 동안)와 함께 과거부터 현재까지 계속되는 일을 나타내는 현재완료시제 「has + p.p.」를 쓴다. (▶ POINT 4)

05 해설 before(전에)와 함께 과거부터 현재까지의 경험을 나타내는 현재완료시제 「have/has + p.p.」를 쓴다. (▶ POINT 5)

06 해설 과거의 동작이나 상태를 나타내는 과거시제를 쓴다. (▶ POINT 1)

07 해설 현재의 상태를 나타내는 현재시제를 쓴다. (▶ POINT 1)

08 해설 지금 진행되고 있는 동작을 나타내는 현재진행시제 「am/is/are + V-ing」를 쓴다. (▶ POINT 2)

09 해설 역사적 사실을 나타내는 과거시제를 쓴다. (▶ POINT 1)

10 해설 since(~ 이후로)와 함께 과거부터 현재까지 계속되는 일을 나타내는 현재완료시제 「have/has + p.p.」를 쓴다. (▶ POINT 4)

11 해설 once(한 번)와 함께 과거부터 현재까지의 경험을 나타내는 현재완료시제 「have/has + p.p.」를 쓴다. (▶ POINT 5)

12 해설 과거의 동작이나 상태를 나타내는 과거시제를 쓴다. (▶ POINT 1)

13 해설 ever(지금까지)와 함께 과거에 발생한 일이 현재까지 영향을 미치고 있음을 나타내는 현재완료시제이므로 동사원형 grow를 과거분사형 grown으로 고쳐야 한다. (▶ POINT 3)

　　해석 당신은 당신의 집에서 식물을 길러본 적이 있는가? 만약 해본 적이 없다면, 그것을 시도해보라. 식물은 공기를 깨끗하게 하고 당신의 스트레스를 줄일 수 있다. 또한, 당신은 그것들이 잘 자랄 때 행복하게 느낄 것이다.

14 해설 과거의 특정 시점에 진행되고 있던 동작을 나타내고 있으므로 현재진행시제 are eating을 과거진행시제 were eating으로 고쳐야 한다. (▶ POINT 2)

　　해석 나는 어제 쇼핑몰에서 친구들 몇 명을 봤다. Edward는 주스 한 컵을 마시고 있었다. Alicia는 옷 가게를 둘러보고 있었다. Emily와 Ron은 벤치에서 아이스크림을 먹고 있었다.

15 해설 미래의 일을 나타내고 있으므로 과거시제 lent를 미래시제 will lend로 고쳐야 한다. (▶ POINT 1)

　　해석 A: 너는 어제 무엇을 샀니?
B: 나는 '그림자 나라'라고 불리는 새로운 게임을 샀어.
A: 재밌게 들려. 언젠가 그것을 해봐도 될까?
B: 물론이지. 내가 그 게임을 다음 주에 빌려줄게.

16 해설 현재의 상태를 나타내고 있으므로 미래시제 will know를 현재시제 know로 고쳐야 한다. (▶ POINT 1)

　　해석 A: 너는 그 파티에서 행복해 보였어.
B: 아주 재밌었어.
A: 너는 그곳에 좋은 친구들이 많이 있는 것처럼 보였어.
B: 그들 중 대부분을 학교에서부터 알아.

17 해설 since(~ 이후로)와 함께 과거에 발생한 일이 현재까지 영향을 미치고 있음을 나타내는 현재완료시제이므로 동사원형 draw를 과거분사형 drawn으로 고쳐야 한다. (▶ POINT 3)

　　해석 나는 처음으로 나의 가족과 캠핑을 갔을 때 그 풍경을 기억하고 싶었다. 그래서 나는 내 주변의 새와 나무를 그렸다. 그때 이후로, 나는 내 주변의 다른 많은 것들을 그려왔다.

18 해설 과거의 특정 시점에 진행되고 있던 동작을 나타내고 있으므로 현재진행시제 is sleeping을 과거진행시제 was sleeping으로 고쳐야 한다. (▶ POINT 2)

　　해석 누가 오늘 아침에 부엌 탁자를 더럽게 만들었는가? Alex는 밖에서 농구를 하고 있었다. Rebecca는 그녀의 방에서 자고 있었다. Alice와 Nick은 부엌에서 식사하고 있었는가? 나는 그들이 탁자를 더럽게 만들었다고 생각한다.

19 해설 미래의 일을 나타내고 있으므로 과거시제 gave를 미래시제 will give로 고쳐야 한다. (▶ POINT 1)

　　해석 A: 너는 왜 수영하지 않고 있어?
B: 나는 내 수영복을 가져오지 않았어.
A: 오, 나는 내 방에 여분이 하나 있어.
B: 정말? 내가 그것을 빌려도 될까?
A: 물론이지. 내가 너에게 열쇠를 줄게.

20 해설 현재의 습관을 나타내고 있으므로 과거진행시제 was using을 현재시제 use

로 고쳐야 한다. (▶ POINT 1)

[해석] A: 너의 수프는 맛있어.
B: 고마워. 네가 그것을 좋아하다니 기뻐.
A: 나에게 너의 비결을 말해주겠니?
B: 비결은 아니야. 나는 항상 신선한 야채를 사용해.

21 [해설] 미래의 일을 나타내는 미래시제는 「will + 동사원형」 또는 「be going to + 동사원형」을 쓴다. 단, 8단어로 써야 하므로 「be going to + 동사원형」을 쓴다. (▶ POINT 1)

22 [해설] 과거의 동작이나 상태를 나타내는 과거시제를 쓴다. (▶ POINT 1)

23 [해설] 미래의 일을 나타내는 미래시제는 「will + 동사원형」 또는 「be going to + 동사원형」을 쓴다. 단, 9단어로 써야 하므로 「will + 동사원형」을 쓴다. (▶ POINT 1)

24 [해설] 과거에 발생하여 현재에 완료된 일을 나타내는 현재완료시제와 '아직'이라는 의미의 yet을 쓴다. 현재완료시제의 부정문은 「have/has + not + p.p.」로 쓴다. (▶ POINT 6)

25 [해설] 미래의 일을 나타내는 미래시제는 「will + 동사원형」 또는 「be going to + 동사원형」을 쓴다. 단, 7단어로 써야 하므로 「be going to + 동사원형」을 쓴다. (▶ POINT 1)

26 [해설] 과거의 동작이나 상태를 나타내는 과거시제를 쓴다. (▶ POINT 1)

27 [해설] 미래의 일을 나타내는 미래시제는 「will + 동사원형」 또는 「be going to + 동사원형」을 쓴다. 단, 9단어로 써야 하므로 「will + 동사원형」을 쓴다. (▶ POINT 1)

28 [해설] 과거에 발생하여 현재에 완료된 일을 나타내는 현재완료시제와 '아직'이라는 의미의 yet을 쓴다. 현재완료시제의 부정문은 「have/has + not + p.p.」로 쓴다. (▶ POINT 6)

29 [해설] 지금 진행되고 있는 동작을 나타내는 현재진행시제 「am/is/are + V-ing」를 쓴다. (▶ POINT 2)
[해석] 그들은 음악을 듣고 있다.

30 [해설] 지금 진행되고 있는 동작을 나타내는 현재진행시제 「am/is/are + V-ing」를 쓴다. (▶ POINT 2)
[해석] 그녀는 소파 위에서 자고 있다.

31 [해설] 지금 진행되고 있는 동작을 나타내는 현재진행시제 「am/is/are + V-ing」를 쓴다. (▶ POINT 2)
[해석] 그들은 공원에서 달리고 있다.

32 [해설] 지금 진행되고 있는 동작을 나타내는 현재진행시제 「am/is/are + V-ing」를 쓴다. (▶ POINT 2)
[해석] 그는 버스를 기다리고 있다.

33 [해설] 과거에 발생한 일의 결과가 현재까지 영향을 미치고 있음을 나타내는 현재완료시제 「have/has + p.p.」를 쓴다. (▶ POINT 6)
[해석] • David는 독일에 갔다.
• 그는 지금 여기에 있지 않다.
→ David는 독일에 갔다.

34 [해설] 과거부터 현재까지 계속되는 일을 나타내는 현재완료시제 「have/has + p.p.」를 쓰고, 계속된 기간을 나타내는 for를 쓴다. (▶ POINT 4)
[해석] • 나는 2년 전에 중국어를 배우기 시작했다.
• 나는 여전히 중국어를 배운다.
→ 나는 2년 동안 중국어를 배워왔다.

35 [해설] 과거에 발생한 일의 결과가 현재까지 영향을 미치고 있음을 나타내는 현재완료시제 「have/has + p.p.」를 쓴다. (▶ POINT 6)
[해석] • 미나는 그녀의 귀걸이를 잃어버렸다.
• 그녀는 여전히 그것들을 찾지 못했다.
→ 미나는 그녀의 귀걸이를 잃어버렸다.

36 [해설] 과거부터 현재까지 계속되는 일을 나타내는 현재완료시제 「have/has + p.p.」를 쓰고, 계속된 기간을 나타내는 for를 쓴다. (▶ POINT 4)
[해석] • 우리는 5일 전에 바이올린은 연습하기 시작했다.
• 우리는 여전히 그것을 연습한다.
→ 우리는 5일 동안 바이올린을 연습해왔다.

37 [해설] 과거에 발생하여 현재에 완료된 일을 나타내는 현재완료시제와 '아직'이라는 의미의 yet을 쓴다. 현재완료시제의 부정문 「have/has + not + p.p.」로 쓴다. (▶ POINT 6)

38 [해설] 과거에 발생하여 현재에 완료된 일을 나타내는 현재완료시제 「have/has + p.p.」와 '이미'라는 의미의 already를 쓴다. (▶ POINT 6)

39 [해설] 과거에 발생하여 현재에 완료된 일을 나타내는 현재완료시제와 '아직'이라는 의미의 yet을 쓴다. 현재완료시제의 부정문 「have/has + not + p.p.」로 쓴다. (▶ POINT 6)

40 [해설] 과거에 발생하여 현재에 완료된 일을 나타내는 현재완료시제 「have/has + p.p.」와 '이미'라는 의미의 already를 쓴다. (▶ POINT 6)

41 ~ 43 [해석]

미주의 경험	예/아니오
배를 타다	예
하키를 하다	아니오
박물관을 방문하다	예

41 [해설] before(전에)와 함께 과거부터 현재까지의 경험을 나타내는 현재완료시제 「have/has + p.p.」를 쓴다. (▶ POINT 5)
[해석] 미주는 전에 배를 타본 적이 있다.

42 [해설] before(전에)와 함께 과거부터 현재까지의 경험을 나타내는 현재완료시제를 쓴다. 현재완료시제의 부정문은 「have/has + not + p.p.」로 쓴다. (▶ POINT 5)
[해석] 미주는 전에 하키를 해본 적이 없다.

43 [해설] before(전에)와 함께 과거부터 현재까지의 경험을 나타내는 현재완료시제를 쓴다. (▶ POINT 5)
[해석] 미주는 전에 박물관을 방문해본 적이 있다.

44 ~ 46 [해석]

준서의 경험	예/아니오
외국인과 이야기하다	예
파티를 열다	아니오
바다에서 수영하다	예

44 [해설] before(전에)와 함께 과거부터 현재까지의 경험을 나타내는 현재완료시제를 쓴다. (▶ Point 5)
[해석] 준서는 전에 외국인과 이야기해본 적이 있다.

45 [해설] before(전에)와 함께 과거부터 현재까지의 경험을 나타내는 현재완료시제를 쓴다. 현재완료시제의 부정문은 「have/has + not + p.p.」로 쓴다. (▶ POINT 5)
[해석] 준서는 전에 파티를 열어본 적이 없다.

46 [해설] before(전에)와 함께 과거부터 현재까지의 경험을 나타내는 현재완료시제를 쓴다. (▶ POINT 5)
[해석] 준서는 전에 바다에서 수영해본 적이 있다.

CHAPTER 02

조동사

POINT 1   can, may
p. 28

1 Pine trees can grow in cold weather.
2 May I take a break now?
3 He is able to read the English book.
4 Can you take care of my puppy?
5 The shoes may not be expensive.
6 Goldfish can live up to ten years.
7 Can I try on these sunglasses?
8 She can make an apple pie.
9 Brian cannot[can't] play the flute.
10 You can experience new cultures by traveling.

POINT 2   should, had better
p. 29

1 Billy had better wake up early.
2 You should remember our promise.
3 Helen should take her medicine every day.
4 You shouldn't chat with friends during class.
5 You had better not give chocolate to your cat.
6 You should drink hot water.
7 She should exercise regularly.
8 We should not[shouldn't] forget the teacher's advice.
9 You should stay indoors because of the storm.
10 Susan should not[shouldn't] play computer games too long.

POINT 3   must, have to
p. 30

1 I have to wear a suit for an interview.
2 We must be quiet in the library.
3 Andrea had to ask me for help.
4 You don't have to make a reservation.
5 She has to prepare a meal for her guest.
6 Steve has to take the last bus.
7 I had to clean my house yesterday.
8 You have to finish the history report by noon.
9 He doesn't have to return the books today.
10 You will[You'll] have to submit your assignment tomorrow.

POINT 4   would like to, used to
p. 31

1 Sophia used to run in the park.
2 There used to be a bank in this building.
3 Would you like to try our new dish?
4 We would like to attend the party.
5 His aunt used to be a popular singer.
6 We would[We'd] like to spend our vacation in Spain.
7 Karen used to be taller than Philip.
8 I would[I'd] like to participate in the speech contest.

9 Tim used to practice piano every day.
10 Would you like to go to the gallery this Friday?

기출문제 풀고 짝문제로 마무리!
p. 32

01 I had to study hard for the math test.
02 Owls can see well at night.
03 Janet may have an interest in the singer's album.
04 Can you lock the door?
05 Peter used to walk to school.
06 Suhyun cannot[can't] understand the science report.
07 We had to wait for an hour for the bus.
08 Bears can control their body temperature.
09 Henry may like the new dessert at the restaurant.
10 Can you close the window?
11 Sandra used to watch movies on weekends.
12 Minju cannot[can't] remember the topic of the project.
13 Jenna is able to run as fast as Sean.
14 We should follow the classroom rules.
15 You can't touch this statue.
16 He had better behave well in school.
17 I would like to invite Kevin and Anna to the party.
18 We should wear seatbelts on the plane.
19 Nicole is able to complete this puzzle alone.
20 We should take our seats before the movie starts.
21 You can't take a picture of the store's products.
22 She had better go to bed early.
23 Jack would like to go shopping this Sunday.
24 Drivers should be careful on rainy days.
25 It's noisy outside, so I can't fall asleep.
26 Mary would like to buy a new bed.
27 Nicholas had better get advice from his teacher.
28 Lisa may not be from America.
29 You had better not park your car here.
30 I used to get up late in the past.
31 Can Jenny finish the painting today?
32 Ryan would like to look at the artwork.
33 You had better spend more time with your parents.
34 You may not be satisfied with the score.
35 He had better not drink too much juice.
36 There used to be a bookstore across from the school.
37 You should wear a coat.
38 You must not eat food here.
39 You should turn off the radio.
40 You must not use a cell phone.
41 A: I studied a lot for this test.
    B: Do you have everything you need?
    A: Can you lend me an eraser?
    B: Sure. I've got an extra one.
42 A: Have you talked to Dave?
    B: I heard he's in the hospital.
    A: Yeah, he is. We should visit him to cheer him up.
    B: That's a good idea.
43 A: I'm moving furniture.
    B: Do you want some help?
    A: Can you move those chairs?
    B: That won't be a problem.

44 A: Do you want to see a movie tonight?
　　B: I can't. I have to wake up early tomorrow.
　　A: You sometimes oversleep. <u>You should set an alarm</u> to wake up early.
　　B: Yeah. I'll go to bed early, too.

45 <u>May I use the bathroom?</u>

46 <u>You should come home before dinner.</u>

47 <u>May I taste the soup?</u>

48 <u>You should leave for the train station now.</u>

49 (1) Kate <u>has to</u> wash the dishes.
　　(2) Kate <u>has to</u> remove the empty bottles.

50 (1) Kate <u>doesn't have to</u> bring in the laundry.
　　(2) Kate <u>doesn't have to</u> bake a pumpkin pie.

51 (1) Thomas <u>has to</u> buy some milk.
　　(2) Thomas <u>has to</u> write a letter to Dad.

52 (1) Thomas <u>doesn't have to</u> water the plants.
　　(2) Thomas <u>doesn't have to</u> clean the living room.

---

01 해설 '~해야 한다(의무)'라는 의미를 나타내는 have to의 과거형 had to를 쓴다. (▶ POINT 3)

02 해설 '~할 수 있다(능력·가능)'라는 의미를 나타내는 can을 쓴다. (▶ POINT 1)

03 해설 '~일지도 모른다(약한 추측)'라는 의미를 나타내는 may를 쓴다. (▶ POINT 1)

04 해설 '~해주겠니?(요청)'라는 의미를 나타내는 can이 있는 의문문 「Can + 주어 + 동사원형 ~?」을 쓴다. (▶ POINT 1)

05 해설 '~하곤 했다'라는 의미를 나타내는 used to를 쓴다. (▶ POINT 4)

06 해설 '~할 수 있다(능력·가능)'라는 의미를 나타내는 can이 있는 부정문 「cannot[can't] + 동사원형」을 쓴다. (▶ POINT 1)

07 해설 '~해야 한다(의무)'라는 의미를 나타내는 have to의 과거형 had to를 쓴다. (▶ POINT 3)

08 해설 '~할 수 있다(능력·가능)'라는 의미를 나타내는 can을 쓴다. (▶ POINT 1)

09 해설 '~일지도 모른다(약한 추측)'라는 의미를 나타내는 may를 쓴다. (▶ POINT 1)

10 해설 '~해주겠니?(요청)'라는 의미를 나타내는 can이 있는 의문문 「Can + 주어 + 동사원형 ~?」을 쓴다. (▶ POINT 1)

11 해설 '~하곤 했다'라는 의미를 나타내는 used to를 쓴다. (▶ POINT 4)

12 해설 '~할 수 있다(능력·가능)'라는 의미를 나타내는 can이 있는 부정문 「cannot[can't] + 동사원형」을 쓴다. (▶ POINT 1)

13 해설 '~할 수 있다(능력·가능)'라는 의미를 나타내는 「be able to + 동사원형」을 쓴다. (▶ POINT 1)

14 해설 '~해야 한다(충고·의무)'라는 의미를 나타내는 should를 쓴다. (▶ POINT 2)

15 해설 '~해도 된다(허가)'라는 의미를 나타내는 can이 있는 부정문 「cannot[can't] + 동사원형」을 쓴다. (▶ POINT 1)

16 해설 '~하는 것이 낫다(강한 충고)'라는 의미를 나타내는 had better를 쓴다. (▶ POINT 2)

17 해설 '~하기를 원하다'라는 의미를 나타내는 would like to를 쓴다. (▶ POINT 4)

18 해설 '~해야 한다(충고·의무)'라는 의미를 나타내는 should를 쓴다. (▶ POINT 2)

19 해설 '~할 수 있다(능력·가능)'라는 의미를 나타내는 「be able to + 동사원형」을 쓴다. (▶ POINT 1)

20 해설 '~해야 한다(충고·의무)'라는 의미를 나타내는 should를 쓴다. (▶ POINT 2)

21 해설 '~해도 된다(허가)'라는 의미를 나타내는 can이 있는 부정문 「cannot[can't] + 동사원형」을 쓴다. (▶ POINT 1)

22 해설 '~하는 것이 낫다(강한 충고)'라는 의미를 나타내는 had better를 쓴다. (▶ POINT 2)

23 해설 '~하기를 원하다'라는 의미를 나타내는 would like to를 쓴다. (▶ POINT 4)

24 해설 '~해야 한다(충고·의무)'라는 의미를 나타내는 should를 쓴다. (▶ POINT 2)

25 해설 can이 있는 부정문은 「cannot[can't] + 동사원형」으로 써야 하므로 to fall을 fall로 고쳐야 한다. (▶ POINT 1)

26 해설 '새 침대를 사기를 원한다'라는 의미이므로 would like를 '~하기를 원하다'라는 의미의 would like to로 고쳐야 한다. (▶ POINT 4)

27 해설 had better 뒤에는 동사원형을 써야 하므로 got을 get으로 고쳐야 한다. (▶ POINT 2)

28 해설 may가 있는 부정문은 「may not + 동사원형」으로 써야 하므로 may be not을 may not be로 고쳐야 한다. (▶ POINT 1)

29 해설 had better가 있는 부정문은 「had better not + 동사원형」으로 써야 하므로 had not better를 had better not으로 고쳐야 한다. (▶ POINT 2)

30 해설 '~하곤 했다'라는 의미를 나타내는 used to 뒤에는 동사원형을 써야 하므로 getting을 get으로 고쳐야 한다. (▶ POINT 4)

31 해설 can이 있는 의문문은 「Can + 주어 + 동사원형 ~?」으로 써야 하므로 to finish를 finish로 고쳐야 한다. (▶ POINT 1)

32 해설 '그 예술 작품을 보기를 원한다'라는 의미이므로 would like를 '~하기를 원하다'라는 의미의 would like to로 고쳐야 한다. (▶ POINT 4)

33 해설 had better 뒤에는 동사원형을 써야 하므로 spent를 spend로 고쳐야 한다. (▶ POINT 2)

34 해설 may가 있는 부정문은 「may not + 동사원형」으로 써야 하므로 may be not을 may not be로 고쳐야 한다. (▶ POINT 1)

35 해설 had better가 있는 부정문은 「had better not + 동사원형」으로 써야 하므로 had not better를 had better not으로 고쳐야 한다. (▶ POINT 2)

36 해설 '전에는 ~이었다'라는 의미를 나타내는 used to 뒤에는 동사원형이 와야 하므로 being을 be로 고쳐야 한다. (▶ POINT 4)

37 해설 '~해야 한다(충고·의무)'라는 의미를 나타내는 should를 쓴다. (▶ POINT 2)
　　해석 너는 코트를 입어야 한다.

38 해설 '~하면 안 된다(강한 금지)'라는 의미를 나타내는 must not을 쓴다. (▶ POINT 3)
　　해석 너는 이곳에서 음식을 먹으면 안 된다.

39 해설 '~해야 한다(충고·의무)'라는 의미를 나타내는 should를 쓴다. (▶ POINT 2)
　　해석 너는 라디오를 꺼야 한다.

40 해설 '~하면 안 된다(강한 금지)'라는 의미를 나타내는 must not을 쓴다. (▶ POINT 3)
　　해석 너는 휴대폰을 사용하면 안 된다.

41 해설 '~해주겠니?(요청)'라는 의미를 나타내는 can이 있는 의문문 「Can + 주어 + 동사원형 ~?」을 쓴다. (▶ POINT 1)
　　해석 A: 나는 이번 시험을 위해 많이 공부했어.
　　　　B: 필요한 모든 것을 가지고 있니?
　　　　A: 나에게 지우개를 빌려주겠니?
　　　　B: 물론이지. 나는 여분이 하나 있어.

42 해설 '~해야 한다(충고·의무)'라는 의미를 나타내는 should를 쓴다. (▶ POINT 2)
　　해석 A: Dave와 이야기한 적 있니?
　　　　B: 그가 병원에 있다고 들었어.
　　　　A: 응, 그는 병원에 있어. 그를 격려하기 위해 우리는 그를 방문해야 해.
　　　　B: 좋은 생각이야.

43 해설 '~해주겠니?(요청)'라는 의미를 나타내는 can이 있는 의문문 「Can + 주어 + 동사원형 ~?」을 쓴다. (▶ POINT 1)
　　해석 A: 나는 가구를 옮길 거야.
　　　　B: 너는 도움을 좀 원하니?
　　　　A: 저 의자들을 옮겨주겠니?
　　　　B: 문제없을 거야.

44 해설 '~해야 한다(충고·의무)'라는 의미를 나타내는 should를 쓴다. (▶ POINT 2)
　　해석 A: 너는 오늘 밤에 영화를 보고 싶니?
　　　　B: 못 해. 나는 내일 일찍 일어나야 해.
　　　　A: 너는 때때로 늦잠을 자. 일찍 일어나기 위해 너는 알람을 맞춰야 해.
　　　　B: 그래. 일찍 자기도 할거야.

45 해설 '~해도 된다(허가)'라는 의미를 나타내는 may가 있는 의문문 「May + 주어 + 동사원형 ~?」을 쓴다. (▶ POINT 1)

46 해설 '~해야 한다(충고·의무)'라는 의미를 나타내는 should를 쓴다. (▶ POINT 2)

47 해설 '~해도 된다(허가)'라는 의미를 나타내는 may가 있는 의문문 「May + 주어 +

동사원형 ~?」을 쓴다. (▶ POINT 1)

48 [해설] '~해야 한다(충고·의무)'라는 의미를 나타내는 should를 쓴다. (▶ POINT 2)

49 50 [해석]

Kate가 할 일	James가 할 일
• 설거지를 하다	• 빨래를 걷다
• 빈 병들을 치우다	• 호박 파이를 굽다

49 [해설] Kate가 해야 할 일을 나타내기 위해 '~해야 한다(의무)'라는 의미의 has to를 쓴다. (▶ POINT 3)

[해석] (1) Kate는 설거지를 해야 한다.
(2) Kate는 빈 병들을 치워야 한다.

50 [해설] James가 할 일이라서 Kate가 할 필요가 없는 일을 나타내기 위해 '~할 필요가 없다(불필요)'라는 의미의 doesn't have to를 쓴다. (▶ POINT 3)

[해석] (1) Kate는 빨래를 걷을 필요가 없다.
(2) Kate는 호박 파이를 구울 필요가 없다.

51 52 [해석]

Sarah가 할 일	Thomas가 할 일
• 식물에 물을 주다	• 약간의 우유를 사다
• 거실을 청소하다	• 아빠에게 편지를 쓰다

51 [해설] Thomas가 해야 할 일을 나타내기 위해 '~해야 한다(의무)'라는 의미의 has to를 쓴다. (▶ POINT 3)

[해석] (1) Thomas는 약간의 우유를 사야 한다.
(2) Thomas는 아빠에게 편지를 써야 한다.

52 [해설] Sarah가 할 일이라서 Thomas가 할 필요가 없는 일을 나타내기 위해 '~할 필요가 없다(불필요)'라는 의미의 doesn't have to를 쓴다. (▶ POINT 3)

[해석] (1) Thomas는 식물에 물을 줄 필요가 없다.
(2) Thomas는 거실을 청소할 필요가 없다.

CHAPTER 03

동사의 종류

POINT 1 감각동사   p. 38

1 The seawater tastes salty.
2 This perfume smells like roses.
3 The coffee looks very hot.
4 Subin felt sad while she watched the movie.
5 That cloud looks like cotton candy.
6 Her suggestion sounds good.
7 The island looks like a turtle.
8 This cookie tastes like peanuts.
9 The soccer player looked tired.
10 I felt like an important person.

POINT 2 수여동사   p. 39

1 Betty told Bruce her worries.
2 She bought a cap for her son.
3 I gave a Christmas card to Roy.
4 Someone asked me the way to the bank.
5 Ms. Park teaches students Korean history.
6 I'll bring you a towel.
7 I showed him my passport.
8 Sean sent her a flower basket.
9 The interviewer asked some questions of me.
10 Emily gave a birthday gift to her friend.

POINT 3 목적격 보어로 명사나 형용사를 쓰는 동사   p. 40

1 Your song made me happy.
2 Joshua found my advice helpful.
3 Sarah always keeps her desk tidy.
4 He wants to leave the window open.
5 We elected Michael the leader.
6 We call our cat Coco.
7 They named their daughter Dorothy.
8 Many students found the science test easy.
9 You need to keep the plates dry.
10 This book made him a popular writer.

POINT 4 목적격 보어로 to부정사를 쓰는 동사   p. 41

1 They allowed me to take a break.
2 We don't permit visitors to enter this room.
3 He advised me to run every day.
4 The police ordered him to stop his car.
5 I'll ask her not to be late for the meeting.
6 We expect you to have fun here.
7 I asked him to show me the menu.
8 Jason told her not to make noise.

9 My dad <u>wants me to eat</u> more vegetables.
10 They <u>will not[won't] allow me to play</u> outside tomorrow.

POINT 5 사역동사 p. 42

1 Your mom <u>won't let you drink</u> coffee.
2 His speech <u>made the audience cry</u>.
3 Judy <u>helped me carry</u> those boxes.
4 The teacher <u>got them to finish</u> their essays.
5 <u>Let me introduce</u> the new member of our club.
6 The teacher <u>had Eric read</u> the book aloud.
7 My dad <u>got me to wear</u> a heavy coat.
8 Mr. Jones <u>will have them repair</u> the computer.
9 A warm bath <u>will make you feel</u> better.
10 My parents <u>do not[don't] let me play</u> games for very long.
11 Grace <u>helped me (to) understand</u> the poem.

POINT 6 지각동사 p. 43

1 Emma <u>watched the baby sleep</u>.
2 I <u>felt the sweat running</u> down my face.
3 Can you <u>hear someone walking</u> upstairs?
4 I <u>smelled trees burning</u> outside.
5 I <u>saw the cat hide</u> under the bed.
6 The students <u>listened to Mark play</u> the piano.
7 I <u>saw you talking</u> with Hyunsu.
8 I <u>heard Ashley shout</u> out my name.
9 Gary <u>smelled the soup cooking</u>.
10 They <u>listened to me sing</u> the song.
11 We <u>felt our house shake</u> last night.
12 Lisa's family <u>watched her ride</u> the bike.

기출문제 풀고 짝문제로 마무리! p. 44

01 His classmates <u>call him a genius</u>.
02 She <u>lent me her headphones[lent her headphones to me]</u>.
03 The customers <u>found the clerk kind</u>.
04 I <u>saw my uncle wash[washing]</u> his car.
05 Helen <u>got the painter to draw her</u>.
06 My parents <u>told me to study hard</u> for the final exam.
07 The contest <u>made her a famous singer</u>.
08 Please <u>show me your ticket[show your ticket to me]</u>.
09 This bag <u>will keep your lunch fresh</u>.
10 We <u>saw Laura read[reading]</u> a newspaper.
11 Ronald <u>helped me (to) do</u> my homework.
12 The teacher <u>ordered the students to pick up the balls</u> after class.
13 I <u>felt sick</u> when I woke up this morning.
14 His grandma <u>will make him a muffler</u> this winter.
15 Evelyn tried to <u>make her daughter fall asleep</u>.
16 People <u>call this flower lilac</u>.
17 My little brother <u>made the bed dirty</u>.
18 They don't <u>allow visitors to take photos</u> in the gallery.
19 Tom <u>looked happy</u> when he was in the forest.
20 David <u>told me his dreams</u> for the future.

21 You should <u>have a dentist look at your teeth</u>.
22 <u>Years of practice made him a great artist.</u>
23 <u>We found this sofa comfortable.</u>
24 We expect <u>you to behave well</u> in public places.
25 (1) ⓐ → This blanket kept me warm.
   (2) ⓔ → I heard a bee fly[flying] near my ear.
26 (1) ⓐ → My juice tastes like strawberries.
   (2) ⓓ → Ms. Green gave a piece of cake to me. [Ms. Green gave me a piece of cake.]
27 (1) ⓒ → My teacher let me go home early.
   (2) ⓔ → The manager asked people to wait in line.
28 (1) ⓑ → My lies made them angry.
   (2) ⓔ → We smelled the chef fry[frying] chicken.
29 (1) ⓑ → This pasta smells like cheese.
   (2) ⓒ → Adam and I bought a watch for Amy. [Adam and I bought Amy a watch.]
30 (1) ⓐ → Nancy will have him cut her hair.
   (2) ⓒ → Carl wants her to apologize to him.
31 Brian <u>saw Jamie walk[walking]</u> the dog.
32 Mirae <u>heard the telephone ring[ringing]</u>.
33 Angela <u>watched Jack feed[feeding]</u> the birds.
34 Minsu <u>listened to Juhee beat[beating]</u> the drum.
35 He <u>watched Sean and Ann play[playing]</u> tennis.
36 Mom <u>allowed me to go</u> camping with Paul.
37 She <u>saw the kids swim[swimming]</u> in the pool.
38 Sandra's dad <u>told her to buy</u> some eggs.
39 My grandfather <u>told me to hold</u> the ladder.
40 We <u>allow them to park</u> their vehicles here.
41 The doctor <u>advised him to exercise</u> regularly.
42 Jane <u>asked him to go</u> to the concert with her.
43 Rachel's dad will let her <u>watch</u> a <u>movie</u> this weekend.
44 Kelly told Aaron <u>to</u> <u>write</u> a <u>letter</u> to Mom.
45 Steven's mom won't let him <u>go skiing</u> with his friends.
46 Alice wants Louis <u>to</u> <u>move</u> <u>those</u> <u>chairs</u>.

01 해설 '~을 -이라고 부르다'라는 의미의 동사 call은 「call + 목적어 + 목적격 보어(명사)」의 형태로 쓴다. (▶ POINT 3)
02 해설 수여동사 lend는 「lend + 간접 목적어(~에게) + 직접 목적어(-을)」 또는 「lend + 직접 목적어(-을) + to + 간접 목적어(~에게)」의 형태로 쓴다. (▶ POINT 2)
03 해설 '~을 -하다고 생각하다'라는 의미의 동사 find는 「find + 목적어 + 목적격 보어(형용사)」의 형태로 쓴다. (▶ POINT 3)
04 해설 지각동사 see는 「see + 목적어 + 목적격 보어(동사원형/V-ing형)」의 형태로 쓴다. (▶ POINT 6)
05 해설 '~가 -하게 하다'라는 의미의 동사 get은 「get + 목적어 + 목적격 보어(to부정사)」의 형태로 쓴다. (▶ POINT 5)
06 해설 '~에게 -하라고 말하다'라는 의미의 동사 tell은 「tell + 목적어 + 목적격 보어(to부정사)」의 형태로 쓴다. (▶ POINT 4)
07 해설 '~을 -으로 만들다'라는 의미의 동사 make는 「make + 목적어 + 목적격 보어(명사)」의 형태로 쓴다. (▶ POINT 3)
08 해설 수여동사 show는 「show + 간접 목적어(~에게) + 직접 목적어(-을)」 또는 「show + 직접 목적어(-을) + to + 간접 목적어(~에게)」의 형태로 쓴다. (▶ POINT 2)
09 해설 '~을 -하게 유지하다'라는 의미의 동사 keep은 「keep + 목적어 + 목적격 보어(형용사)」의 형태로 쓴다. (▶ POINT 3)
10 해설 지각동사 see는 「see + 목적어 + 목적격 보어(동사원형/V-ing형)」의 형태로 쓴다. (▶ POINT 6)
11 해설 '~가 -하는 것을 돕다'라는 의미의 동사 help는 「help + 목적어 +목적격 보어

（동사원형/to부정사）」의 형태로 쓴다. (▶ POINT 5)

12 [해설] '~에게 -하라고 지시하다'라는 의미의 동사 order는 「order + 목적어 + 목적격 보어(to부정사)」의 형태로 쓴다. (▶ POINT 4)

13 [해설] 감각동사 feel은 주격 보어로 형용사를 쓴다. (▶ POINT 1)

14 [해설] 수여동사 make는 「make + 간접 목적어(~에게) + 직접 목적어(-을)」의 형태로 쓴다. (▶ POINT 2)

15 [해설] 사역동사 make는 「make + 목적어 + 목적격 보어(동사원형)」의 형태로 쓴다. (▶ POINT 5)

16 [해설] '~을 -이라고 부르다'라는 의미의 동사 call은 「call + 목적어 + 목적격 보어(명사)」의 형태로 쓴다. (▶ POINT 3)

17 [해설] '~을 -하게 만들다'라는 의미의 동사 make는 「make + 목적어 + 목적격 보어(형용사)」의 형태로 쓴다. (▶ POINT 3)

18 [해설] '~가 -하는 것을 허락하다'라는 의미의 동사 allow는 「allow + 목적어 + 목적격 보어(to부정사)」의 형태로 쓴다. (▶ POINT 4)

19 [해설] 감각동사 look은 주격 보어로 형용사를 쓴다. (▶ POINT 1)

20 [해설] 수여동사 tell은 「tell + 간접 목적어(~에게) + 직접 목적어(-을)」의 형태로 쓴다. (▶ POINT 2)

21 [해설] 사역동사 have는 「have + 목적어 + 목적격 보어(동사원형)」의 형태로 쓴다. (▶ POINT 5)

22 [해설] '~을 -으로 만들다'라는 의미의 동사 make는 「make + 목적어 + 목적격 보어(명사)」의 형태로 쓴다. (▶ POINT 3)

23 [해설] '~을 -하다고 생각하다'라는 의미의 동사 find는 「find + 목적어 + 목적격 보어(형용사)」의 형태로 쓴다. (▶ POINT 3)

24 [해설] '~가 -하기를 기대하다'라는 의미의 동사 expect는 「expect + 목적어 + 목적격 보어(to부정사)」의 형태로 쓴다. (▶ POINT 4)

25 [해설] (1) '~을 -하게 유지하다'라는 의미의 동사 keep은 목적격 보어로 형용사를 써야 하므로 부사 warmly를 warm으로 고쳐야 한다. (▶ POINT 3)
(2) 지각동사 hear는 목적격 보어로 동사원형 또는 V-ing형을 써야 하므로 to부정사 to fly를 fly 또는 flying으로 고쳐야 한다. (▶ POINT 6)

[해석] ⓐ 이 담요는 나를 따뜻하게 유지했다.
ⓑ James는 그녀가 택시를 잡는 것을 봤다.
ⓒ 우리는 그에게 파티에 올 것을 요청했다.
ⓓ 그녀는 내가 그 검은 드레스를 사게 허락했다.
ⓔ 나는 벌이 나의 귀 근처에서 나는 것을 들었다.

26 [해설] (1) 감각동사 taste는 뒤에 명사가 오려면 「taste + like + 명사」의 형태로 써야 하므로 strawberries를 like strawberries로 고쳐야 한다. (▶ POINT 1)
(2) 수여동사 give는 「give + 직접 목적어(-을) + to + 간접 목적어(~에게)」의 형태로 써야 하므로 for me를 to me로 고쳐야 한다. 또는 「give + 간접 목적어(~에게) + 직접 목적어(-을)」의 형태인 gave me a piece of cake로 고쳐도 된다. (▶ POINT 2)

[해석] ⓐ 나의 주스는 딸기 같은 맛이 난다.
ⓑ 밤하늘은 아름다워 보인다.
ⓒ 엄마는 우리의 집을 깨끗하게 유지하기를 원하신다.
ⓓ Green씨는 나에게 케이크 한 조각을 주셨다.
ⓔ 그는 그녀에게 일찍 잠자리에 들라고 조언했다.

27 [해설] (1) 사역동사 let은 목적격 보어로 동사원형을 써야 하므로 to부정사 to go를 go로 고쳐야 한다. (▶ POINT 5)
(2) 동사 ask는 목적격 보어로 to부정사를 써야 하므로 동사원형 wait를 to wait로 고쳐야 한다. (▶ POINT 4)

[해석] ⓐ 그녀는 나에게 버스를 타라고 말했다.
ⓑ 나는 누군가가 나의 등에 손을 대는 것을 느꼈다.
ⓒ 나의 선생님은 내가 집에 일찍 가게 허락하셨다.
ⓓ 아빠는 내가 방과 후에 우유 한 잔을 마시게 했다.
ⓔ 그 지배인은 사람들에게 줄을 서서 기다릴 것을 요청했다.

28 [해설] (1) '~을 -하게 만들다'라는 의미의 동사 make는 목적격 보어로 형용사를 써야 하므로 부사 angrily를 angry로 고쳐야 한다. (▶ POINT 3)
(2) 지각동사 smell은 목적격 보어로 동사원형 또는 V-ing형을 써야 하므로 to부정사 to fry를 fry 또는 frying으로 고쳐야 한다. (▶ POINT 6)

[해석] ⓐ 나는 그녀에게 제시간에 도착하라고 말했다.
ⓑ 나의 거짓말은 그들을 화나게 만들었다.
ⓒ 그는 내가 어젯밤에 공부하게 했다.
ⓓ 그들은 그가 문을 잠그는 것을 봤다.

ⓔ 우리는 그 요리사가 닭고기를 튀기는 것을 냄새 맡았다.

29 [해설] (1) 감각동사 smell은 뒤에 명사가 오려면 「smell + like + 명사」의 형태로 써야 하므로 cheese를 like cheese로 고쳐야 한다. (▶ POINT 1)
(2) 수여동사 buy는 「buy + 직접 목적어(-을) + for + 간접 목적어(~에게)」의 형태로 써야 하므로 to Amy를 for Amy로 고쳐야 한다. 또는 「buy + 간접 목적어(~에게) + 직접 목적어(-을)」의 형태인 bought Amy a watch로 고쳐도 된다. (▶ POINT 2)

[해석] ⓐ 너의 휴일 계획은 신나게 들린다.
ⓑ 이 파스타는 치즈 같은 냄새가 난다.
ⓒ Adam과 나는 Amy에게 시계를 사줬다.
ⓓ 그 전쟁에 대한 이야기는 나를 슬프게 만들었다.
ⓔ 아빠는 내가 그들과 함께 노는 것을 허락하셨다.

30 [해설] (1) 사역동사 have는 목적격 보어로 동사원형을 써야 하므로 to부정사 to cut를 cut로 고쳐야 한다. (▶ POINT 5)
(2) 동사 want는 목적격 보어로 to부정사를 써야 하므로 동사원형 apologize를 to apologize로 고쳐야 한다. (▶ POINT 4)

[해석] ⓐ Nancy는 그에게 그녀의 머리를 자르게 할 것이다.
ⓑ Teresa는 그녀의 아들이 그의 책상에 앉게 했다.
ⓒ Carl은 그녀가 그에게 사과하기를 원한다.
ⓓ 이 선생님은 우리에게 수업에 집중하라고 말하셨다.
ⓔ 너는 어젯밤에 누군가가 문에 노크하고 있는 것을 들었니?

31 [해설] 지각동사 see는 「see + 목적어 + 목적격 보어(동사원형/V-ing형)」의 형태로 쓴다. (▶ POINT 6)

[해석] Brian은 Jamie가 강아지를 산책시키는 것을 봤다.

32 [해설] 지각동사 hear는 「hear + 목적어 + 목적격 보어(동사원형/V-ing형)」의 형태로 쓴다. (▶ POINT 6)

[해석] 미래는 전화기가 울리는 것을 들었다.

33 [해설] 지각동사 watch는 「watch + 목적어 + 목적격 보어(동사원형/V-ing형)」의 형태로 쓴다. (▶ POINT 6)

[해석] Angela는 Jack이 새들에게 모이를 주는 것을 봤다.

34 [해설] 지각동사 listen to는 「listen to + 목적어 + 목적격 보어(동사원형/V-ing형)」의 형태로 쓴다. (▶ POINT 6)

[해석] 민수는 주희가 드럼을 치는 것을 들었다.

35 / 36

<보기>
나는 Scott을 봤다. 그는 무대에서 연기하고 있었다.
→ 나는 Scott이 무대에서 연기하는 것을 봤다.

35 [해설] 지각동사 watch는 「watch + 목적어 + 목적격 보어(동사원형/V-ing형)」의 형태로 쓴다. (▶ POINT 6)

[해석] 그는 Sean과 Ann을 봤다. 그들은 테니스를 치고 있었다.
→ 그는 Sean과 Ann이 테니스를 치는 것을 봤다.

36 [해설] '~가 -하는 것을 허락하다'라는 의미의 동사 allow는 「allow + 목적어 + 목적격 보어(to부정사)」의 형태로 쓴다. (▶ POINT 4)

[해석] 나는 Paul과 함께 캠핑을 갔다. 엄마는 내가 그것을 하는 것을 허락하셨다.
→ 엄마는 내가 Paul과 함께 캠핑을 가는 것을 허락하셨다.

37 / 38

<보기>
나는 Scott을 봤다. 그는 무대에서 연기하고 있었다.
→ 나는 Scott이 무대에서 연기하는 것을 봤다.

37 [해설] 지각동사 see는 「see + 목적어 + 목적격 보어(동사원형/V-ing형)」의 형태로 쓴다. (▶ POINT 6)

[해석] 그녀는 어린이들을 봤다. 그들은 수영장에서 수영하고 있었다.
→ 그녀는 어린이들이 수영장에서 수영하는 것을 봤다.

38 [해설] '~에게 -하라고 말하다'라는 의미의 동사 tell은 「tell + 목적어 + 목적격 보어(to부정사)」의 형태로 쓴다. (▶ POINT 4)

[해석] Sandra는 달걀 몇 개를 샀다. 그녀의 아빠는 그녀에게 그것을 하라고 말하셨다.
→ Sandra의 아빠는 그녀에게 달걀 몇 개를 사라고 말씀하셨다.

39 [해설] '~에게 -하라고 말하다'라는 의미의 동사 tell은 「동사 + 목적어 + 목적격 보어(to부정사)」의 형태로 쓴다. (▶ POINT 4)

40 [해설] '~가 -하는 것을 허락하다'라는 의미의 동사 allow는 「동사 + 목적어 + 목적격 보어(to부정사)」의 형태로 쓴다. (▶ POINT 4)

41 해설 '~에게 -하라고 조언하다'라는 의미의 동사 advise는 「동사 + 목적어 + 목적격 보어(to부정사)」의 형태로 쓴다. (▶ POINT 4)

42 해설 '~에게 -할 것을 요청하다'라는 의미의 동사 ask는 「동사 + 목적어 + 목적격 보어(to부정사)」의 형태로 쓴다. (▶ POINT 4)

43 해설 사역동사 let은 「let + 목적어 + 목적격 보어(동사원형)」의 형태로 쓴다.
(▶ POINT 5)

해석 Rachel: 아빠, 제가 이번 주말에 영화를 봐도 될까요?
아빠: 물론이지. 무슨 영화?
→ Rachel의 아빠는 그녀가 이번 주말에 영화를 보게 허락할 것이다.

44 해설 '~에게 -하라고 말하다'라는 의미의 동사 tell은 「tell + 목적어 + 목적격 보어(to부정사)」의 형태로 쓴다. (▶ POINT 4)

해석 Aaron: Kelly, 내가 어머니 날에 무엇을 해야 할까?
Kelly: 엄마에게 편지를 쓰는 것은 어때?
→ Kelly는 Aaron에게 엄마에게 편지를 쓰라고 말했다.

45 해설 사역동사 let은 「let + 목적어 + 목적격 보어(동사원형)」의 형태로 쓴다.
(▶ POINT 5)

해석 Steven: 엄마, 제가 친구들과 함께 스키를 타러 가도 될까요?
엄마: 미안하지만 너는 실내에 머무는 게 나아.
→ Steven의 엄마는 그가 그의 친구들과 함께 스키를 타러 가게 허락하지 않을 것이다.

46 해설 '~가 -하기를 원하다'라는 의미의 동사 want는 「want + 목적어 + 목적격 보어(to부정사)」의 형태로 쓴다. (▶ POINT 4)

해석 Louis: Alice, 너 바빠 보여. 도움을 좀 원하니?
Alice: 응. 저 의자들을 옮겨주겠니?
→ Alice는 Louis가 저 의자들을 옮기기를 원한다.

CHAPTER 04

수동태

POINT 1 수동태 문장 만드는 법
p. 50

1 Carol broke the window. → The window was broken by Carol.
Carol은 그 창문을 깼다. → 그 창문은 Carol에 의해 깨졌다.

2 Justin wrote the poems. → The poems were written by Justin.
Justin은 그 시들을 썼다. → 그 시들은 Justin에 의해 쓰여졌다.

3 The chef cooked this pizza. → This pizza was cooked by the chef.
그 요리사는 이 피자를 요리했다. → 이 피자는 그 요리사에 의해 요리되었다.

4 Many people visit the museum. → The museum is visited by many people.
많은 사람들이 그 박물관을 방문한다. → 그 박물관은 많은 사람들에 의해 방문된다.

5 My brother made this model car. → This model car was made by my brother.
나의 형은 이 모형 자동차를 만들었다. → 이 모형 자동차는 나의 형에 의해 만들어졌다.

6 English is spoken in Australia.

7 Juhyun is loved by her friends.

8 Her album was released last month.

9 This letter was sent by Daniel.

10 The clothing store is closed on Mondays.

11 Batteries are produced in the factory.

POINT 2 수동태의 시제
p. 51

1 My dolls were put into the box.

2 This computer is used by the students.

3 Dr. Hill's book was published in 2000.

4 This hanbok was worn by a famous actor.

5 The band's concert will be held next Saturday.

6 My smartphone was fixed yesterday.

7 Many fish are caught in this river.

8 The new bridge will be built next year.

9 This picture frame was bought by Joshua.

10 Sweet potatoes are grown by the farmer.

POINT 3 수동태의 부정문과 의문문
p. 52

1 The door wasn't locked by Linda.

2 How was this robot made?

3 Was the Christmas tree decorated by Kate?

4 The photo on the desk wasn't taken by James.

5 When will the classroom walls be painted?

6 Where was your wallet found?

7 My room is not[isn't] cleaned every day.

8 Was her portrait drawn by Joseph?

9 His car was not[wasn't] parked in front of his house.

10 These trees were not[weren't] planted by my parents.

POINT 4 by 이외의 전치사를 쓰는 수동태 p. 53

1 Mr. Taylor <u>is known as</u> a good teacher.
2 Anna <u>is interested in</u> French films.
3 This jam <u>is made from</u> strawberries.
4 Judy <u>was delighted with</u> her grades.
5 The roof of the house <u>was covered with</u> snow.
6 This towel <u>is made of</u> cotton.
7 Kevin <u>was disappointed with[by]</u> the result of the game.
8 Bulgogi <u>is known to</u> a lot of foreigners.
9 Sam <u>was surprised at</u> the price of the shoes.
10 We <u>are satisfied with</u> our singing performance.

기출문제 풀고 짝문제로 마무리! p. 54

01 The artwork was purchased by her.
02 Was the meat chopped by him?
03 The chicks are fed by my dad.
04 Your opinion was not[wasn't] ignored by them.
05 The tourists will be led by a local guide.
06 The price of the ticket was paid by Taehun.
07 The telephone was invented by Antonio Meucci.
08 The treasure was discovered by him.
09 Was the can of peaches opened by you?
10 The principal is respected by many students.
11 Bobby was not[wasn't] bitten by my dog.
12 All the guests will be greeted by us.
13 This cheesecake was ordered by Minju.
14 Many Marvel characters were created by Stan Lee.
15 Where was your suitcase stolen?
16 The festival was canceled due to bad weather.
17 His movie was not[wasn't] watched by many people.
18 Jack's closet is filled with blue jeans.
19 Many antiques are sold at the flea market.
20 The incorrect information will be deleted by the editor.
21 When was her postcard delivered?
22 Some old furniture was stored in the basement.
23 The schedule was not[wasn't] changed by Mr. Baker.
24 The amusement park is crowded with visitors.
25 Dessert is served at the end of the meal.
26 The new traffic laws will be followed by drivers.
27 damage → damaged
28 for → at
29 was → were
30 raise → are raised
31 moved → was moved
32 publishing → published
33 recycle → be recycled
34 choose → chosen
35 from → with
36 were → was
37 enjoys → is enjoyed
38 picked → were picked
39 making → made
40 provide → be provided

41 Empty bottles were collected after the picnic.
42 This restaurant is known for its various steaks.
43 The environmental issue was addressed at the meeting.
44 We were satisfied with our vacation in Busan.
45 The harp will be played at her concert.
46 The old car was driven by my grandfather.
47 The juice will be kept in your refrigerator.
48 The charity event was supported by the government.
49 The flowers are watered every morning.
50 Mike was disappointed with the novel.
51 This library was designed by a famous architect.
52 Our yoga class is recommended for you.
53 This vase is made of glass.
54 The whole town was destroyed by an earthquake.
55 A: How about playing games with me?
   B: Sorry, but I am[I'm] not interested in games.
56 A: Did you buy this bread?
   B: No. (1) It was bought by Ben.
   A: (2) Where was it bought?
   B: At the new bakery across the street.
57 A: Did your mom like your gift?
   B: Yes. She was pleased[delighted] with the gloves.
58 A: Who sent this letter?
   B: (1) It was sent by Anne.
   A: (2) When was it sent?
   B: Last week, I believe.

01 [해설] 능동태의 목적어를 수동태의 주어로 쓰고, 동사를 「be동사 + p.p.」의 형태로 바꾼다. 능동태의 주어는 「by + 목적격」의 형태로 바꾼다. (▶ POINT 1)
  [해석] 그녀는 그 예술 작품을 구매했다.
    → 그 예술 작품은 그녀에 의해 구매되었다.

02 [해설] 의문사가 없는 수동태의 의문문은 「be동사 + 주어 + p.p. ~?」의 형태로 쓴다. (▶ POINT 3)
  [해석] 그는 그 고기를 다졌니?
    → 그 고기는 그에 의해 다져졌니?

03 [해설] 능동태의 목적어를 수동태의 주어로 쓰고, 동사를 「be동사 + p.p.」의 형태로 바꾼다. 능동태의 주어는 「by + 목적격」의 형태로 바꾼다. (▶ POINT 1)
  [해석] 나의 아빠는 병아리들에게 모이를 주신다.
    → 병아리들은 나의 아빠에 의해 모이가 주어진다.

04 [해설] 수동태의 부정문은 「be동사 + not + p.p.」의 형태로 쓴다. (▶ POINT 3)
  [해석] 그들은 너의 의견을 무시하지 않았다.
    → 너의 의견은 그들에 의해 무시되지 않았다.

05 [해설] 능동태의 목적어를 수동태의 주어로 쓰고, 동사를 「be동사 + p.p.」의 형태로 바꾼다. 능동태의 주어는 「by + 목적격」의 형태로 바꾼다. (▶ POINT 1)
  [해석] 지역 가이드가 그 관광객들을 안내할 것이다.
    → 그 관광객들은 지역 가이드에 의해 안내받을 것이다.

06 [해설] 능동태의 목적어를 수동태의 주어로 쓰고, 동사를 「be동사 + p.p」의 형태로 바꾼다. 능동태의 주어는 「by + 목적격」의 형태로 바꾼다. (▶ POINT 1)
  [해석] 태훈이는 그 입장권의 값을 치렀다.
    → 그 입장권의 값은 태훈이에 의해 치러졌다.

07 [해설] 능동태의 목적어를 수동태의 주어로 쓰고, 동사를 「be동사 + p.p.」의 형태로 바꾼다. 능동태의 주어는 「by + 목적격」의 형태로 바꾼다. (▶ POINT 1)
  [해석] 안토니오 무치는 전화기를 발명했다.
    → 전화기는 안토니오 무치에 의해 발명되었다.

08 [해설] 능동태의 목적어를 수동태의 주어로 쓰고, 동사를 「be동사 + p.p」의 형태로 바꾼다. 능동태의 주어는 「by + 목적격」의 형태로 바꾼다. (▶ POINT 1)
  [해석] 그는 보물을 발견했다.
    → 보물은 그에 의해 발견되었다.

09 해설 의문사가 없는 수동태의 의문문은 「be동사 + 주어 + p.p. ~?」의 형태로 쓴다. (▶ POINT 3)

해석 너는 그 복숭아 통조림을 열었니?
→ 그 복숭아 통조림은 너에 의해 열렸니?

10 해설 능동태의 목적어를 수동태의 주어로 쓰고, 동사를 「be동사 + p.p.」의 형태로 바꾼다. 능동태의 주어는 「by + 목적격」의 형태로 바꾼다. (▶ POINT 1)

해석 많은 학생들이 그 교장 선생님을 존경한다.
→ 그 교장 선생님은 많은 학생들에 의해 존경받는다.

11 해설 수동태의 부정문은 「be동사 + not + p.p.」의 형태로 쓴다. (▶ POINT 3)

해석 나의 개는 Bobby를 물지 않았다.
→ Bobby는 나의 개에 의해 물리지 않았다.

12 해설 능동태의 목적어를 수동태의 주어로 쓰고, 동사를 「be동사 + p.p.」의 형태로 바꾼다. 능동태의 주어는 「by + 목적격」의 형태로 바꾼다. (▶ POINT 1)

해석 우리는 모든 손님들을 환영할 것이다.
→ 모든 손님들은 우리에 의해 환영받을 것이다.

13 해설 능동태의 목적어를 수동태의 주어로 쓰고, 동사를 「be동사 + p.p.」의 형태로 바꾼다. 능동태의 주어는 「by + 목적격」의 형태로 바꾼다. (▶ POINT 1)

해석 민주는 이 치즈케이크를 주문했다.
→ 이 치즈케이크는 민주에 의해 주문되었다.

14 해설 능동태의 목적어를 수동태의 주어로 쓰고, 동사를 「be동사 + p.p.」의 형태로 바꾼다. 능동태의 주어는 「by + 목적격」의 형태로 바꾼다. (▶ POINT 1)

해석 스탠 리는 많은 마블 캐릭터들을 창조했다.
→ 많은 마블 캐릭터들이 스탠 리에 의해 창조되었다.

15 해설 의문사가 있는 수동태의 의문문은 「의문사 + be동사 + 주어 + p.p. ~?」의 형태로 쓴다. (▶ POINT 3)

16 해설 과거시제 수동태는 「was/were + p.p.」의 형태로 쓴다. (▶ POINT 2)

17 해설 수동태의 부정문은 「be동사 + not + p.p.」의 형태로 쓴다. (▶ POINT 3)

18 해설 '~으로 가득 차 있다'라는 의미의 be filled with를 쓴다. (▶ POINT 4)

19 해설 현재시제 수동태는 「am/is/are + p.p.」의 형태로 쓴다. (▶ POINT 2)

20 해설 미래시제 수동태는 「will be + p.p.」의 형태로 쓴다. 수동태 문장에서 행위자는 「by + 목적격」으로 나타낸다. (▶ POINT 2)

21 해설 의문사가 있는 수동태의 의문문은 「의문사 + be동사 + 주어 + p.p. ~?」의 형태로 쓴다. (▶ POINT 3)

22 해설 과거시제 수동태는 「was/were + p.p.」의 형태로 쓴다. (▶ POINT 2)

23 해설 수동태의 부정문은 「be동사 + not + p.p.」의 형태로 쓴다. (▶ POINT 3)

24 해설 '~로 붐비다'라는 의미의 be crowded with를 쓴다. (▶ POINT 4)

25 해설 현재시제 수동태는 「am/is/are + p.p.」의 형태로 쓴다. (▶ POINT 2)

26 해설 미래시제 수동태는 「will be + p.p.」의 형태로 쓴다. 수동태 문장에서 행위자는 「by + 목적격」으로 나타낸다. (▶ POINT 2)

27 해설 '(주어가) ~되다/해지다, 당하다'라는 의미이므로 damage를 be동사와 함께 쓰여 수동태를 만드는 damaged로 고쳐야 한다. (▶ POINT 1)

해석 그 숲은 화재에 의해 훼손되었다.

28 해설 '~에 놀라다'라는 의미는 be surprised at으로 나타내므로 for를 at으로 고쳐야 한다. (▶ POINT 4)

해석 우리는 Brian의 성적에 놀랐다.

29 해설 수동태의 be동사는 주어(Eric and Sara)의 인칭과 수에 일치시켜야 하므로 was를 were로 고쳐야 한다. (▶ POINT 1)

해석 Eric과 Sara는 나의 생일 파티에 초대되었다.

30 해설 '(주어가) ~되다/해지다, 당하다'라는 의미이므로 능동태 raise를 수동태 are raised로 고쳐야 한다. (▶ POINT 1)

해석 많은 양들이 뉴질랜드에서 길러진다.

31 해설 '(주어가) ~되다/해지다, 당하다'라는 의미이므로 능동태 moved를 수동태 was moved로 고쳐야 한다. (▶ POINT 1)

해석 이 탁자는 어제 Ryan에 의해 옮겨졌다.

32 해설 '(주어가) ~되다/해지다, 당하다'라는 의미이므로 publishing을 be동사와 함께 쓰여 수동태를 만드는 published로 고쳐야 한다. (▶ POINT 1)

해설 그 책은 Smith씨가 그것을 재검토한 후에 출판될 것이다.

33 해설 '(주어가) ~되다/해지다, 당하다'라는 의미이므로 능동태 recycle을 수동태 be recycled로 고쳐야 한다. 미래시제 수동태의 의문문이므로 「의문사 + will + 주어 + be + p.p. ~?」의 형태로 쓴다. (▶ POINT 1, 3)

해석 플라스틱은 어떻게 그 공장에 의해 재활용될 것이니?

34 해설 '(주어가) ~되다/해지다, 당하다'라는 의미이므로 choose를 be동사와 함께 쓰여 수동태를 만드는 chosen으로 고쳐야 한다. (▶ POINT 1)

해석 저 빨간 드레스는 Kelly에 의해 선택되었다.

35 해설 '~으로 덮여 있다'라는 의미는 be covered with로 나타내므로 from을 with로 고쳐야 한다. (▶ POINT 4)

해석 나의 컴퓨터는 먼지로 덮여 있었다.

36 해설 수동태의 be동사는 주어(Black tea)의 인칭과 수에 일치시켜야 하므로 were를 was로 고쳐야 한다. (▶ POINT 1)

해석 홍차는 16세기에 영국으로 전해졌다.

37 해설 '(주어가) ~되다/해지다, 당하다'라는 의미이므로 능동태 enjoys를 수동태 is enjoyed로 고쳐야 한다. (▶ POINT 1)

해석 축구는 전 세계의 사람들에 의해 즐겨진다.

38 해설 '(주어가) ~되다/해지다, 당하다'라는 의미이므로 능동태 picked를 수동태 were picked로 고쳐야 한다. (▶ POINT 1)

해석 그 오렌지들은 지난주에 따졌다.

39 해설 '(주어가) ~되다/해지다, 당하다'라는 의미이므로 making을 be동사와 함께 쓰여 수동태를 만드는 made로 고쳐야 한다. (▶ POINT 1)

해석 케이크는 Laura가 집에 오기 전에 만들어질 것이다.

40 해설 '(주어가) ~되다/해지다, 당하다'라는 의미이므로 능동태 provide를 수동태 be provided로 고쳐야 한다. 미래시제 수동태의 의문문이므로 「의문사 + will + 주어 + be + p.p. ~?」의 형태로 쓴다. (▶ POINT 1, 3)

해석 달력들은 언제 직원에 의해 제공될 것이니?

41 해설 과거시제 수동태는 「was/were + p.p.」의 형태로 쓴다. (▶ POINT 2)

42 해설 '~으로 유명하다'라는 의미의 be known for를 쓴다. (▶ POINT 4)

43 해설 과거시제 수동태는 「was/were + p.p.」의 형태로 쓴다. (▶ POINT 2)

44 해설 '~에 만족하다'라는 의미의 be satisfied with를 쓴다. (▶ POINT 4)

45 해설 미래시제 수동태는 「will be + p.p.」의 형태로 쓴다. (▶ POINT 2)

46 해설 과거시제 수동태는 「was/were + p.p.」의 형태로 쓴다. 수동태 문장에서 행위자는 「by + 목적격」으로 나타낸다. (▶ POINT 2)

47 해설 미래시제 수동태는 「will be + p.p.」의 형태로 쓴다. (▶ POINT 2)

48 해설 과거시제 수동태는 「was/were + p.p.」의 형태로 쓴다. 수동태 문장에서 행위자는 「by + 목적격」으로 나타낸다. (▶ POINT 2)

49 해설 현재시제 수동태는 「am/is/are + p.p.」의 형태로 쓴다. (▶ POINT 2)

50 해설 '~에 실망하다'라는 의미의 be disappointed with를 쓴다. (▶ POINT 4)

51 해설 과거시제 수동태는 「was/were + p.p.」의 형태로 쓴다. 수동태 문장에서 행위자는 「by + 목적격」으로 나타낸다. (▶ POINT 2)

52 해설 현재시제 수동태는 「am/is/are + p.p.」의 형태로 쓴다. (▶ POINT 2)

53 해설 '~으로 만들어지다'라는 의미의 be made of를 쓴다. (▶ POINT 4)

54 해설 과거시제 수동태는 「was/were + p.p.」의 형태로 쓴다. 수동태 문장에서 행위자는 「by + 목적격」으로 나타낸다. (▶ POINT 2)

55 해설 '~에 흥미가 있다'라는 의미의 be interested in을 쓴다. (▶ POINT 4)

해석 A: 나와 함께 게임들을 하는 것은 어때?
B: 미안하지만 나는 게임들에 흥미가 있지 않아.

56 해설 (1) 과거시제 수동태는 「was/were + p.p.」의 형태로 쓴다. 수동태 문장에서 행위자는 「by + 목적격」으로 나타낸다. (▶ POINT 2)
(2) 의문사가 있는 수동태의 의문문은 「의문사 + be동사 + 주어 + p.p. ~?」의 형태로 쓴다. (▶ POINT 3)

해석 A: 네가 이 빵을 샀니?
B: 아니. 그것은 Ben에 의해 구입되었어.
A: 그것은 어디에서 구입되었어?
B: 길 건너편의 새로운 빵집에서.

57 해설 '~에 기뻐하다'라는 의미의 be pleased with 또는 be delighted with를 쓴다. (▶ POINT 4)

해석 A: 너의 엄마는 너의 선물을 좋아하셨니?
B: 응. 그녀는 그 장갑들에 기뻐하셨어.

58 해설 (1) 과거시제 수동태는 「was/were + p.p.」의 형태로 쓴다. 수동태 문장에서 행위자는 「by + 목적격」으로 나타낸다. (▶ POINT 2)
(2) 의문사가 있는 수동태의 의문문은 「의문사 + be동사 + 주어 + p.p. ~?」의 형태로 쓴다. (▶ POINT 3)

해석 A: 누가 이 편지를 보냈어?
B: 그것은 Anne에 의해 보내졌어.
A: 그것은 언제 보내졌어?
B: 내 생각에는 지난주였어.

CHAPTER 05
to부정사

POINT 1 명사 역할을 하는 to부정사: 주어와 주격 보어   p. 60

1 To watch animations is fun. 만화영화를 보는 것은 재미있다.
→ It is[It's] fun to watch animations.

2 To exercise regularly is necessary. 규칙적으로 운동하는 것은 필요하다.
→ It is[It's] necessary to exercise regularly.

3 To talk to my teacher was helpful.
나의 선생님에게 이야기하는 것은 도움이 되었다.
→ It was helpful to talk to my teacher.

4 To learn a new language is difficult. 새로운 언어를 배우는 것은 어렵다.
→ It is[It's] difficult to learn a new language.

5 To climb the Himalayas is my dream.
히말라야 산맥을 오르는 것은 나의 꿈이다.
→ It is[It's] my dream to climb the Himalayas.

6 To ride a skateboard is not easy. 스케이트보드를 타는 것은 쉽지 않다.
→ It is not[It's not/It isn't] easy to ride a skateboard.

7 His plan is to move to Seoul.

8 It is exciting to dive into the ocean.

9 It was hard to understand the movie.

10 It was easy for me to get to the national park.

11 Karen's job is to teach English at a school.

12 It is important for children to experience many things.

13 It was interesting for Henry to read the author's new book.

POINT 2 명사 역할을 하는 to부정사: 목적어   p. 61

1 I need to get up early in the morning.

2 We expected to win the soccer game.

3 They wish to volunteer at a hospital.

4 Susan decided not to move into the apartment.

5 My little sister will learn to use chopsticks.

6 Matt wants to be an astronaut.

7 Emily refused to watch the horror movie.

8 I would like to have good friends.

9 She planned to visit the history museum.

10 He promised not to forget my birthday.

POINT 3 명사 역할을 하는 to부정사: 의문사 + to부정사   p. 62

1 Do you know where to return the car?

2 She couldn't decide what to write for her essay.

3 He explained how to cook spaghetti.

4 The doctor told me when to take the medicine.

5 My mom taught me how to swim.

6 I don't know where to leave my puppy.

7 She told me when to arrive at the airport.

8 They'll discuss what to sing for the contest.

9 Please show me how to get to the library.

10 I can't decide what to buy for his birthday gift.

POINT 4 형용사 역할을 하는 to부정사 p. 63

1 It is time to turn off your computer.
2 I need boots to wear on rainy days.
3 Do you have any paper to write on?
4 Where are the shirts to wash?
5 She gave her son a toy to play with.
6 Linda brought a book to read.
7 I want something warm to drink.
8 He was looking for someone to talk to[with].
9 We can't find any seats to sit on.
10 Spring is the season to go on a picnic.

POINT 5 부사 역할을 하는 to부정사 p. 64

1 I'm glad to receive a letter from you.
2 Chris studied hard to get better grades.
3 We should recycle paper to save Earth.
4 Mr. Clark lived to be 99 years old.
5 Jessica must be happy to hang out with her friends.
6 I was disappointed not to go to the concert.
7 She was happy to come back to Korea.
8 He jumps rope every day not to gain weight.
9 His daughter grew up to be a programmer.
10 Robert went to the bank to open an account.
11 She was surprised to see him on television.

POINT 6 to부정사 구문 p. 65

1 The coffee is so hot that I can't drink it.
   그 커피는 너무 뜨거워서 나는 그것을 마실 수 없다.
   → The coffee is too hot for me to drink.
   그 커피는 내가 마시기에 너무 뜨겁다.

2 I was so busy that I couldn't talk on the phone.
   나는 너무 바빠서 전화 통화를 할 수 없었다.
   → I was too busy to talk on the phone.
   나는 전화 통화를 하기에 너무 바빴다.

3 He is so smart that he can understand this book.
   그는 너무 똑똑해서 이 책을 이해할 수 있다.
   → He is smart enough to understand this book.
   그는 이 책을 이해할 만큼 충분히 똑똑하다.

4 She got up so late that she couldn't arrive on time.
   그녀는 너무 늦게 일어나서 제시간에 도착할 수 없었다.
   → She got up too late to arrive on time.
   그녀는 제시간에 도착하기에 너무 늦게 일어났다.

5 The mouse is so small that it can go into the hole.
   그 쥐는 너무 작아서 그 구멍 안으로 갈 수 있다.
   → The mouse is small enough to go into the hole.
   그 쥐는 그 구멍 안으로 갈 만큼 충분히 작다.

6 Sophie was too tired to go out.
7 Daniel is tall enough to reach the top shelf.
8 This sofa is too heavy to carry alone.
9 My grandmother is healthy enough to walk all day.
10 The cap was cheap enough for him to buy.

기출문제 풀고 짝문제로 마무리! p. 66

01 I want to know the recipe for this soup.
02 My car trunk is big enough to carry the boxes.
03 They need a house to live in near school.
04 His goal is to get a good score on the final exam.
05 We'll talk about the way to help people in need.
06 My brother hopes to meet his favorite singer.
07 Lisa was honest enough to tell the truth.
08 My mom bought me a diary to write in.
09 My preference is to spend time with my family.
10 You'll have a chance to see the stadium.
11 It is interesting to experience a new culture.
12 I'm not sure what I should do during my summer vacation.
13 Sharon is too shy to speak in public.
14 The sofa is wide enough for my entire family to sit on.
15 He was clever enough to understand the science class.
16 This jacket is too small for Nancy to wear.
17 It is dangerous to walk on this street at night.
18 She doesn't know when she should water the plants in the garden.
19 George is too weak to climb this mountain.
20 The room was dark enough for me to sleep well.
21 The laptop is thin enough to fit in your bag.
22 The watch was too expensive for him to buy.
23 Do I need to prepare anything to eat?
24 Samuel and I hope to go to Mars someday.
25 He raised his hand to ask a question.
26 It is possible for them to delay the festival for a week.
27 Janice brought a sketchbook to draw in.
28 I decided not to skip breakfast from now on.
29 I borrowed some books to read after school.
30 Peter would like to add some sugar to his tea.
31 You need a ticket to enter the museum.
32 It is necessary for Jenny and me to take vitamins every day.
33 A bear is looking for a cave to sleep in.
34 We agreed not to make any noise in this room.
35 They'll come onto the stage to perform the play.
36 It is[It's] easy to make Helen laugh.
37 Yerin plans to travel abroad after graduation.
38 We don't have money to purchase a new car.
39 I wrote down his phone number not to forget it.
40 He was excited to try the puzzle by himself.
41 She's wearing a helmet to protect her head.
42 It is[It's] difficult to take pictures of my cat.
43 Minsung wishes to be class president next year.
44 They had some time to shop at the market.
45 She took a taxi not to miss her flight.
46 I was shocked to hear the news about the war.
47 A: You made a lot of noise last night.
   B: Did I wake you up?
   A: Yes, and it was very late.
   B: I'm sorry. I promise to be quiet next time.
48 A: What time should I pick you up?
   B: How about two hours before the movie?
   A: Why? It won't take that long to get there.
   B: Yeah, but I don't want to be late again.

49 She <u>wants</u> <u>something to drink</u>.

50 He <u>entered</u> his room <u>to sleep</u>.

51 He's <u>looking for a coat to wear</u>.

52 She <u>went to the park to run</u>.

01 [해설] 동사 want의 목적어로 to부정사를 쓴다. (▶ POINT 2)

02 [해설] '…할 만큼 충분히 ~한/하게'라는 의미의 「형용사/부사 + enough + to부정사」를 쓴다. (▶ POINT 6)

03 [해설] '~할, ~하는'이라는 의미로 (대)명사를 뒤에서 꾸미는 to부정사를 쓴다. 이때, to부정사가 꾸미는 (대)명사가 전치사의 목적어이므로 to부정사 뒤에 전치사를 쓴다. (▶ POINT 4)

04 [해설] '~하는 것, ~하기'라는 의미의 주격 보어로 to부정사를 쓴다. (▶ POINT 1)

05 [해설] '~할, ~하는'이라는 의미로 (대)명사를 뒤에서 꾸미는 to부정사를 쓴다. (▶ POINT 4)

06 [해설] 동사 hope의 목적어로 to부정사를 쓴다. (▶ POINT 2)

07 [해설] '…할 만큼 충분히 ~한/하게'라는 의미의 「형용사/부사 + enough + to부정사」를 쓴다. (▶ POINT 6)

08 [해설] '~할, ~하는'이라는 의미로 (대)명사를 뒤에서 꾸미는 to부정사를 쓴다. 이때, to부정사가 꾸미는 (대)명사가 전치사의 목적어이므로 to부정사 뒤에 전치사를 쓴다. (▶ POINT 4)

09 [해설] '~하는 것, ~하기'라는 의미의 주격 보어로 to부정사를 쓴다. (▶ POINT 1)

10 [해설] '~할, ~하는'이라는 의미로 (대)명사를 뒤에서 꾸미는 to부정사를 쓴다. (▶ POINT 4)

11 [해설] to부정사가 주어로 쓰이면 주어 자리에 가주어 it을 쓰고 진주어인 to부정사는 문장 뒤로 보낸다. (▶ POINT 1)
[해석] 새로운 문화를 경험하는 것은 흥미롭다.

12 [해설] 「의문사 + to부정사」는 「의문사 + 주어 + should + 동사원형」으로 바꿔 쓸 수 있다. (▶ POINT 3)
[해석] 나는 나의 여름 방학 동안 무엇을 해야 할지 확실하지 않다.

13 [해설] 「so + 형용사/부사 + that + 주어 + can't + 동사원형」은 「too + 형용사/부사 + to부정사」로 바꿔 쓸 수 있다. (▶ POINT 6)
[해석] Sharon은 너무 수줍어해서 많은 사람들 앞에서 연설할 수 없다.
→ Sharon은 많은 사람들 앞에서 연설하기에 너무 수줍어한다.

14 [해설] 「so + 형용사/부사 + that + 주어 + can + 동사원형」은 「형용사/부사 + enough + to부정사」로 바꿔 쓸 수 있다. 이때, to부정사가 나타내는 동작의 주체와 문장의 주어가 다르므로 to부정사 앞에 「for + 목적격」 형태의 의미상 주어를 쓴다. (▶ POINT 6)
[해석] 그 소파는 너무 넓어서 나의 온 가족이 그것 위에 앉을 수 있다.
→ 그 소파는 나의 온 가족이 앉을 만큼 충분히 넓다.

15 [해설] 「so + 형용사/부사 + that + 주어 + can + 동사원형」은 「형용사/부사 + enough + to부정사」로 바꿔 쓸 수 있다. (▶ POINT 6)
[해석] 그는 너무 똑똑해서 그 과학 수업을 이해할 수 있었다.
→ 그는 그 과학 수업을 이해할 만큼 충분히 똑똑했다.

16 [해설] 「so + 형용사/부사 + that + 주어 + can't + 동사원형」은 「too + 형용사/부사 + to부정사」로 바꿔 쓸 수 있다. 이때, to부정사가 나타내는 동작의 주체와 문장의 주어가 다르므로 to부정사 앞에 「for + 목적격」 형태의 의미상 주어를 쓴다. (▶ POINT 6)
[해석] 이 재킷은 너무 작아서 Nancy는 그것을 입을 수 없다.
→ 이 재킷은 Nancy가 입기에 너무 작다.

17 [해설] to부정사가 주어로 쓰이면 주어 자리에 가주어 it을 쓰고 진주어인 to부정사는 문장 뒤로 보낸다. (▶ POINT 1)
[해석] 밤에 이 거리를 걷는 것은 위험하다.

18 [해설] 「의문사 + to부정사」는 「의문사 + 주어 + should + 동사원형」으로 바꿔 쓸 수 있다. (▶ POINT 3)
[해석] 그녀는 언제 정원의 식물에 물을 줘야 할지 모른다.

19 [해설] 「so + 형용사/부사 + that + 주어 + can't + 동사원형」은 「too + 형용사/부사 + to부정사」로 바꿔 쓸 수 있다. (▶ POINT 6)

20 [해설] 「so + 형용사/부사 + that + 주어 + can + 동사원형」은 「형용사/부사 + enough + to부정사」로 바꿔 쓸 수 있다. 이때, to부정사가 나타내는 동작의 주체와 문장의 주어가 다르므로 to부정사 앞에 「for + 목적격」 형태의 의미상 주어를 쓴다. (▶ POINT 6)
[해석] George는 너무 약해서 이 산을 오를 수 없다.
→ George는 이 산을 오르기에 너무 약하다.

20 [해석] 그 방은 너무 어두워서 나는 푹 잘 수 있었다.
→ 그 방은 내가 푹 잘 만큼 충분히 어두웠다.

21 [해설] 「so + 형용사/부사 + that + 주어 + can + 동사원형」은 「형용사/부사 + enough + to부정사」로 바꿔 쓸 수 있다. (▶ POINT 6)
[해석] 그 노트북은 너무 얇아서 너의 가방에 들어갈 수 있다.
→ 그 노트북은 너의 가방에 들어갈 만큼 충분히 얇다.

22 [해설] 「so + 형용사/부사 + that + 주어 + can't + 동사원형」은 「too + 형용사/부사 + to부정사」로 바꿔 쓸 수 있다. 이때, to부정사가 나타내는 동작의 주체와 문장의 주어가 다르므로 to부정사 앞에 「for + 목적격」 형태의 의미상 주어를 쓴다. (▶ POINT 6)
[해석] 그 시계는 너무 비싸서 그는 그것을 살 수 없었다.
→ 그 시계는 그가 사기에 너무 비쌌다.

23 [해설] '~할, ~하는'이라는 의미로 (대)명사를 뒤에서 꾸미는 to부정사를 쓴다. (▶ POINT 4)

24 [해설] 동사 hope의 목적어로 to부정사를 쓴다. (▶ POINT 2)

25 [해설] '~하기 위해'라는 의미로 목적을 나타내는 to부정사를 쓴다. (▶ POINT 5)

26 [해설] to부정사가 주어로 쓰이면 주어 자리에 가주어 it을 쓰고 진주어인 to부정사는 문장 뒤로 보낸다. 이때, to부정사가 나타내는 동작의 주체와 문장의 주어가 다르므로 to부정사 앞에 「for + 목적격」 형태의 의미상 주어를 쓴다. (▶ POINT 1)

27 [해설] '~할, ~하는'이라는 의미로 (대)명사를 뒤에서 꾸미는 to부정사를 쓴다. 이때, to부정사가 꾸미는 (대)명사가 전치사의 목적어이므로 to부정사 뒤에 전치사를 쓴다. (▶ POINT 4)

28 [해설] 동사 decide의 목적어로 to부정사를 쓴다. to부정사의 부정형은 「not + to부정사」이다. (▶ POINT 2)

29 [해설] '~할, ~하는'이라는 의미로 (대)명사를 뒤에서 꾸미는 to부정사를 쓴다. (▶ POINT 4)

30 [해설] 동사 would like의 목적어로 to부정사를 쓴다. (▶ POINT 2)

31 [해설] '~하기 위해'라는 의미로 목적을 나타내는 to부정사를 쓴다. (▶ POINT 5)

32 [해설] to부정사가 주어로 쓰이면 주어 자리에 가주어 it을 쓰고 진주어인 to부정사는 문장 뒤로 보낸다. 이때, to부정사가 나타내는 동작의 주체와 문장의 주어가 다르므로 to부정사 앞에 「for + 목적격」 형태의 의미상 주어를 쓴다. (▶ POINT 1)

33 [해설] '~할, ~하는'이라는 의미로 (대)명사를 뒤에서 꾸미는 to부정사를 쓴다. 이때, to부정사가 꾸미는 (대)명사가 전치사의 목적어이므로 to부정사 뒤에 전치사를 쓴다. (▶ POINT 4)

34 [해설] 동사 agree의 목적어로 to부정사를 쓴다. to부정사의 부정형은 「not + to부정사」이다. (▶ POINT 2)

35 [해설] '~하기 위해'라는 의미로 목적을 나타내는 to부정사를 쓴다. (▶ POINT 5)

36 [해설] to부정사가 주어로 쓰이면 주어 자리에 가주어 it을 쓰고 진주어인 to부정사는 문장 뒤로 보낸다. (▶ POINT 1)

37 [해설] 동사 plan의 목적어로 to부정사를 쓴다. (▶ POINT 2)

38 [해설] '~할, ~하는'이라는 의미로 (대)명사를 뒤에서 꾸미는 to부정사를 쓴다. (▶ POINT 4)

39 [해설] '~하기 위해'라는 의미로 목적을 나타내는 to부정사를 쓴다. to부정사의 부정형은 「not + to부정사」이다. (▶ POINT 5)

40 [해설] '~해서, ~하니'라는 의미로 감정의 원인을 나타내는 to부정사를 쓴다. (▶ POINT 5)

41 [해설] '~하기 위해'라는 의미로 목적을 나타내는 to부정사를 쓴다. (▶ POINT 5)

42 [해설] to부정사가 주어로 쓰이면 주어 자리에 가주어 it을 쓰고 진주어인 to부정사는 문장 뒤로 보낸다. (▶ POINT 1)

43 [해설] 동사 wish의 목적어로 to부정사를 쓴다. (▶ POINT 2)

44 해설 '~할, ~하는'이라는 의미로 (대)명사를 뒤에서 꾸미는 to부정사를 쓴다. (▶ POINT 4)

45 해설 '~하기 위해'라는 의미로 목적을 나타내는 to부정사를 쓴다. to부정사의 부정형은 「not + to부정사」이다. (▶ POINT 5)

46 해설 '~해서, ~하니'라는 의미로 감정의 원인을 나타내는 to부정사를 쓴다. (▶ POINT 5)

47 해설 동사 promise의 목적어로 to부정사를 쓴다. (▶ POINT 2)
   해석 A: 너는 어젯밤에 많은 소음을 냈어.
        B: 내가 너를 깨웠니?
        A: 응, 그리고 아주 늦은 시간이었어.
        B: 미안해. 나는 다음번에는 조용할 거라고 약속해.

48 해설 동사 want의 목적어로 to부정사를 쓴다. (▶ POINT 2)
   해석 A: 내가 몇 시에 너를 태우러 가야 할까?
        B: 영화 두 시간 전은 어때?
        A: 왜? 그곳까지 가는 데 그리 오래 걸리지 않을 거야.
        B: 맞아, 하지만 나는 또다시 늦고 싶지 않아.

49 해설 '~할, ~하는'이라는 의미로 (대)명사를 뒤에서 꾸미는 to부정사를 쓴다. (▶ POINT 4)
   해석 그녀는 마실 무언가를 원한다.

50 해설 '~하기 위해'라는 의미로 목적을 나타내는 to부정사를 쓴다. (▶ POINT 5)
   해석 그는 자기 위해 그의 방으로 들어갔다.

51 해설 '~할, ~하는'이라는 의미로 (대)명사를 뒤에서 꾸미는 to부정사를 쓴다. (▶ POINT 4)
   해석 그는 입을 코트를 찾고 있다.

52 해설 '~하기 위해'라는 의미로 목적을 나타내는 to부정사를 쓴다. (▶ POINT 5)
   해석 그녀는 달리기 위해 공원에 갔다.

CHAPTER 06

동명사

POINT 1 동명사의 형태와 쓰임   p. 72

1 Riding a roller coaster is fun.
2 Reading books makes you smarter.
3 Laura enjoys playing tennis with her brother.
4 Using a cell phone in class is not polite.
5 Watching a movie with Eric is a good idea.
6 Betty passed by me without saying hello.
7 Recycling is good for the environment.
8 Making true friends takes a lot of time.
9 Her hobby is listening to rock music.
10 Taking walks helps you stay healthy.

POINT 2 동명사를 목적어로 쓰는 동사   p. 73

1 I avoid using plastic bags.
2 I can't imagine living without a smartphone.
3 Lori enjoyed playing with the dog.
4 He suggested sharing the cake with us.
5 Jacob should consider eating more fruit.
6 Roy put off cleaning his room.
7 He denied spreading the rumor.
8 I stopped chatting with my friend.
9 They practiced singing for the contest.
10 She will not[won't] give up running marathons.

POINT 3 동명사와 to부정사를 모두 목적어로 쓰는 동사   p. 74

1 Cathy likes taking pictures.
2 I remember closing the window.
3 Don't forget to turn off the light.
4 The firefighters tried to save more people.
5 He forgot calling me this morning.
6 Adam began climbing[to climb] up the tree.
7 Remember to bring your passport.
8 Sara tried to write a poem about nature.
9 She'll never forget spending her vacation in Hawaii.
10 I remember reading an article about air pollution.

POINT 4 동명사 관용 표현   p. 75

1 He is good at drawing cartoons.
2 Jamie will go rafting this weekend.
3 He was busy packing for the trip.
4 They're thinking of moving to the country.
5 I cannot help laughing at the comedian.
6 The pyramids are worth visiting.
7 We look forward to getting on the ship.
8 Brian got used to doing yoga every morning.

9　We can reduce waste by not using paper cups.

10　Cindy spent some time reading a magazine.

기출문제 풀고 짝문제로 마무리!

p. 76

01　Stretching[To stretch] in the morning is a good habit.

02　I'm sorry for breaking your headphones.

03　Would you mind turning off the radio?

04　Her favorite activity in summer is swimming[to swim] in the sea.

05　He remembered to stop by the library after school.

06　Bats got used to moving in the dark.

07　Driving[To drive] a school bus is Mr. Carter's job.

08　This book will be helpful for writing your report.

09　Did Karen finish baking the cake?

10　The most important thing in our class is respecting[to respect] other students.

11　She forgot to buy cheese on the way home.

12　Tyler looked forward to receiving her letter.

13　I kept reading reviews of the restaurant.

14　His concern is getting[to get] a good score on the exam.

15　Daniel postponed doing his homework.

16　Julia was afraid of touching the sheep.

17　My dad is busy cooking dinner.

18　Eating[To eat] too much junk food is bad for your health.

19　Taking warm baths helps us relieve stress.

20　He enjoys running in the park.

21　Her dream is doing[to do] volunteer work abroad in the future.

22　Ann gave up looking for a four-leaf clover.

23　Bruce is interested in learning a new sport.

24　Their new song was worth hearing.

25　Living[To live] with a new roommate is difficult for me.

26　Achieving your goals requires a lot of effort.

27　John began washing the dishes.

28　Somi will try to improve her English.

29　My parents spent some money decorating the house.

30　You can save money by using public transportation.

31　Wearing a seatbelt is necessary for passengers on a plane.

32　Walking up and down stairs is healthy exercise.

33　Lisa will start writing an essay.

34　Robert tried to keep his room clean.

35　She went hiking with her friends last Saturday.

36　We helped the animal shelter by donating old blankets.

37　Riding a bike without a helmet is dangerous.

38　Having a snack before bed is a bad habit.

39　Sean felt like calling his aunt.

40　She looks forward to traveling to Italy.

41　I forgot putting the remote control on the sofa.

42　Diane is good at playing the piano.

43　I thanked him for lending me his notes.

44　He remembers playing with Amy when he was six.

45　Matt always worries that someone will break into his house. He forgets to lock the windows when he leaves home.

46　M: Why do you look so tired?
　　W: I had trouble sleeping last night.
　　M: Maybe you should drink some tea and read tonight.

47　Nicole thought that she wasn't good at cooking. Her friend told her to try taking a cooking class.

48　M: Hey, Julie! What are you doing?
　　W: Hi, Mike. I'm making a gate.
　　M: A gate? What for?
　　W: I want to keep my dog from going into the kitchen.

49　He's bad at speaking Japanese.

50　I'm thinking of joining the art club.

51　My mom is fond of growing flowers.

52　She was interested in adopting a cat.

53　We practiced dancing for the party.

54　They were busy cleaning the classroom.

55　James quit making fun of his friend.

56　I cannot help buying the jacket.

01　해설　'~하는 것, ~하기'라는 의미의 주어로 동명사 또는 to부정사를 쓴다. (▶ POINT 1)

02　해설　전치사의 목적어로 동명사를 쓴다. (▶ POINT 1)

03　해설　동사 mind의 목적어로 동명사를 쓴다. (▶ POINT 2)

04　해설　'~하는 것, ~하기'라는 의미의 주격 보어로 동명사 또는 to부정사를 쓴다. (▶ POINT 1)

05　해설　'(미래에) ~할 것을 기억하다'라는 의미이므로 동사 remember의 목적어로 to부정사를 쓴다. (▶ POINT 3)

06　해설　'~하는 데 익숙해지다'라는 의미의 「get used to + V-ing」를 쓴다. (▶ POINT 4)

07　해설　'~하는 것, ~하기'라는 의미의 주어로 동명사 또는 to부정사를 쓴다. (▶ POINT 1)

08　해설　전치사의 목적어로 동명사를 쓴다. (▶ POINT 1)

09　해설　동사 finish의 목적어로 동명사를 쓴다. (▶ POINT 2)

10　해설　'~하는 것, ~하기'라는 의미의 주격 보어로 동명사 또는 to부정사를 쓴다. (▶ POINT 1)

11　해설　'(미래에) ~할 것을 잊다'라는 의미이므로 동사 forget의 목적어로 to부정사를 쓴다. (▶ POINT 3)

12　해설　'~하는 것을 기대하다'라는 의미의 「look forward to + V-ing」를 쓴다. (▶ POINT 4)

13　해설　동사 keep은 목적어로 동명사를 써야 하므로 to부정사 to read를 reading으로 고쳐야 한다. (▶ POINT 2)
　　해석　나는 그 식당의 후기를 읽는 것을 계속했다.

14　해설　'~하는 것, ~하기'라는 의미의 주격 보어로는 동명사 또는 to부정사를 써야 하므로 동사원형 get을 getting 또는 to get으로 고쳐야 한다. (▶ POINT 1)
　　해석　그의 관심사는 그 시험에서 좋은 점수를 받는 것이다.

15　해설　동사 postpone은 목적어로 동명사를 써야 하므로 to부정사 to do를 doing으로 고쳐야 한다. (▶ POINT 2)
　　해석　Daniel은 그의 숙제를 하는 것을 미뤘다.

16　해설　'~하는 것을 무서워하다'라는 의미의 「be afraid of + V-ing」를 써야 하므로 동사원형 touch를 touching으로 고쳐야 한다. (▶ POINT 4)
　　해석　Julia는 양을 만지는 것을 무서워했다.

17　해설　'~하느라 바쁘다'라는 의미의 「be busy + V-ing」를 써야 하므로 to부정사 to cook을 cooking으로 고쳐야 한다. (▶ POINT 4)
　　해석　나의 아빠는 저녁 식사를 요리하느라 바쁘시다.

18　해설　'~하는 것, ~하기'라는 의미의 주어로는 동명사 또는 to부정사를 써야 하므로 동사원형 Eat을 Eating 또는 To eat으로 고쳐야 한다. (▶ POINT 1)
　　해석　너무 많은 정크 푸드를 먹는 것은 너의 건강에 나쁘다.

19　해설　주어로 쓰인 동명사(구)는 단수 취급하므로 복수동사 help를 단수동사 helps로 고쳐야 한다. (▶ POINT 1)

해석 따뜻한 목욕을 하는 것은 우리가 스트레스를 푸는 것을 돕는다.

20 해설 동사 enjoy는 목적어로 동명사를 써야 하므로 to부정사 to run을 running으로 고쳐야 한다. (▶ POINT 2)

해석 그는 공원에서 달리는 것을 즐긴다.

21 해설 '~하는 것, ~하기'라는 의미의 주격 보어로는 동명사 또는 to부정사를 써야 하므로 동사원형 do를 doing 또는 to do로 고쳐야 한다. (▶ POINT 1)

해석 그녀의 꿈은 미래에 해외에서 자원봉사를 하는 것이다.

22 해설 동사 give up은 목적어로 동명사를 써야 하므로 to부정사 to look을 looking으로 고쳐야 한다. (▶ POINT 2)

해석 Ann은 네잎클로버를 찾는 것을 포기했다.

23 해설 '~하는 것에 흥미가 있다'라는 의미의 「be interested in + V-ing」를 써야 하므로 동사원형 learn을 learning으로 고쳐야 한다. (▶ POINT 4)

해석 Bruce는 새로운 운동을 배우는 것에 흥미가 있다.

24 해설 '~할 가치가 있다'라는 의미의 「be worth + V-ing」를 써야 하므로 to부정사 to hear를 hearing으로 고쳐야 한다. (▶ POINT 4)

해석 그들의 새로운 노래는 들을 가치가 있었다.

25 해설 '~하는 것, ~하기'라는 의미의 주어로는 동명사 또는 to부정사를 써야 하므로 동사원형 Live를 Living 또는 To live로 고쳐야 한다. (▶ POINT 1)

해석 새로운 룸메이트와 함께 사는 것은 나에게 어렵다.

26 해설 주어로 쓰인 동명사(구)는 단수 취급하므로 복수동사 require를 단수동사 requires로 고쳐야 한다. (▶ POINT 1)

해석 너의 목표를 달성하는 것은 많은 노력을 필요로 한다.

27 해설 동사 begin의 목적어로 동명사를 쓴다. (▶ POINT 3)

28 해설 '~하려고 노력하다'라는 의미이므로 동사 try의 목적어로 to부정사를 쓴다. (▶ POINT 3)

29 해설 '~하는 데 시간/돈을 쓰다'라는 의미의 「spend + 시간/돈 + V-ing」를 쓴다. (▶ Point 4)

30 해설 '~함으로써'라는 의미의 「by + V-ing」를 쓴다. (▶ POINT 4)

31 해설 '~하는 것, ~하기'라는 의미의 주어로 동명사를 쓴다. (▶ POINT 1)

32 해설 '~하는 것, ~하기'라는 의미의 주어로 동명사를 쓴다. (▶ POINT 1)

33 해설 동사 start의 목적어로 동명사를 쓴다. (▶ POINT 3)

34 해설 '~하려고 노력하다'라는 의미이므로 동사 try의 목적어로 to부정사를 쓴다. (▶ POINT 3)

35 해설 '~하러 가다'라는 의미의 「go + V-ing」를 쓴다. (▶ POINT 4)

36 해설 '~함으로써'라는 의미의 「by + V-ing」를 쓴다. (▶ POINT 4)

37 해설 '~하는 것, ~하기'라는 의미의 주어로 동명사를 쓴다. (▶ POINT 1)

38 해설 '~하는 것, ~하기'라는 의미의 주어로 동명사를 쓴다. (▶ POINT 1)

39 ~ 41 해석

> ─── <보기> ───
> 민호는 그 대회를 준비했다. 그는 바빴다.
> → 민호는 그 대회를 준비하느라 바빴다.

39 해설 '~하고 싶다'라는 의미의 「feel like + V-ing」를 쓴다. (▶ POINT 4)

해석 Sean은 그의 고모에게 전화했다. 그는 그것을 하고 싶었다.
→ Sean은 그의 고모에게 전화하고 싶었다.

40 해설 '~하는 것을 기대하다'라는 의미의 「look forward to + V-ing」를 쓴다. (▶ POINT 4)

해석 그녀는 이탈리아로 여행 갈 것이다. 그녀는 그것을 기대한다.
→ 그녀는 이탈리아로 여행 가는 것을 기대한다.

41 해설 '(과거에) ~한 것을 잊다'라는 의미이므로 동사 forget의 목적어로 동명사를 쓴다. (▶ POINT 3)

해석 나는 리모컨을 소파 위에 뒀다. 나는 그것을 잊었다.
→ 나는 리모컨을 소파 위에 둔 것을 잊었다.

42 ~ 44 해석

> ─── <보기> ───
> 민호는 그 대회를 준비했다. 그는 바빴다.
> → 민호는 그 대회를 준비하느라 바빴다.

42 해설 '~하는 것을 잘하다'라는 의미의 「be good at + V-ing」를 쓴다. (▶ POINT 4)

해석 Diane은 피아노를 연주한다. 그녀는 그것을 잘한다.
→ Diane은 피아노를 연주하는 것을 잘한다.

43 해설 '~에 대해 …에게 감사하다'라는 의미의 「thank … for + V-ing」를 쓴다. (▶ POINT 4)

해석 그는 그의 노트를 나에게 빌려줬다. 나는 그것에 대해 그에게 감사했다.
→ 나는 그의 노트를 나에게 빌려준 것에 대해 그에게 감사했다.

44 해설 '(과거에) ~한 것을 기억하다'라는 의미이므로 동사 remember의 목적어로 동명사를 쓴다. (▶ POINT 3)

해석 그는 여섯 살이었을 때 Amy와 함께 놀았다. 그는 그것을 기억한다.
→ 그는 여섯 살이었을 때 Amy와 함께 논 것을 기억한다.

45 해설 '(미래에) ~할 것을 잊다'라는 의미이므로 동사 forget의 목적어로 to부정사를 쓴다. (▶ POINT 3)

해석 Matt는 누군가가 그의 집에 몰래 들어오는 것을 항상 걱정한다. 그는 집을 나설 때 창문을 잠글 것을 잊는다.

46 해설 '~하는 데 어려움을 겪다'라는 의미의 「have trouble + V-ing」를 쓴다. (▶ POINT 4)

해석 M: 너는 왜 그렇게 피곤해 보이니?
W: 나는 어젯밤에 잠을 자는 데 어려움을 겪었어.
M: 어쩌면 너는 오늘 밤에 차를 좀 마시고 독서해야겠어.

47 해설 '(시험 삼아) ~해보다'라는 의미이므로 동사 try의 목적어로 동명사를 쓴다. (▶ POINT 3)

해석 Nicole은 그녀가 요리를 잘하지 않는다고 생각했다. 그녀의 친구는 그녀에게 요리 수업을 들어보라고 말했다.

48 해설 '…가 ~하지 못하게 하다'라는 의미의 「keep … from + V-ing」를 쓴다. (▶ POINT 4)

해석 M: 이봐, Julie! 무엇을 하고 있니?
W: 안녕, Mike. 나는 문을 만들고 있어.
M: 문? 무엇을 위해?
W: 나는 나의 개가 부엌 안으로 들어가지 못하게 하고 싶어.

49 해설 '~하는 것을 못하다'라는 의미의 「be bad at + V-ing」를 쓴다. (▶ POINT 4)

50 해설 '~하는 것을 생각하다'라는 의미의 「think of + V-ing」를 쓴다. (▶ POINT 4)

51 해설 '~하는 것을 좋아하다'라는 의미의 「be fond of + V-ing」를 쓴다. (▶ POINT 4)

52 해설 '~하는 것에 흥미가 있다'라는 의미의 「be interested in + V-ing」를 쓴다. (▶ POINT 4)

53 해설 동사 practice의 목적어로 동명사를 쓴다. (▶ POINT 2)

54 해설 '~하느라 바쁘다'라는 의미의 「be busy + V-ing」를 쓴다. (▶ POINT 4)

55 해설 동사 quit의 목적어로 동명사를 쓴다. (▶ POINT 2)

56 해설 '~하지 않을 수 없다'라는 의미의 「cannot help + V-ing」를 쓴다. (▶ POINT 4)

CHAPTER 07
분사

POINT 1   분사의 형태와 쓰임   p. 82

1 The baby slept well in the moving car.
2 Your song sounded amazing.
3 She removed the broken glass.
4 Who is that crying boy?
5 Sujin had her hair cut.
6 The audience looked excited.
7 I heard the phone ringing.
8 My dad got his car checked.
9 He put some noodles in the boiling water.
10 I know the man carrying a backpack.
11 We saw some children playing soccer.

POINT 2   현재분사와 과거분사   p. 83

1 They walked carefully on the frozen river.
2 The waiter serving us is very kind.
3 She read the essay written by James.
4 The boy washing his hands is my little brother.
5 We liked the room decorated by Emily.
6 We took a bus arriving at 6 P.M.
    우리는 오후 여섯 시에 도착하는 버스를 탔다.
7 These are the muffins baked by Laura.
    이것들은 Laura에 의해 구워진 머핀들이다.
8 The dog running on the grass is mine.
    잔디밭 위를 달리고 있는 그 개는 나의 것이다.
9 The dancing couple seems very happy.
    그 춤추고 있는 커플은 매우 행복해 보인다.
10 Don't touch the bench painted an hour ago.
    한 시간 전에 페인트칠 된 그 벤치에 손대지 마라.
11 I've found my lost wallet at the station.
    나는 역에서 나의 잃어버린 지갑을 찾았다.

POINT 3   감정을 나타내는 분사   p. 84

1 The field trip made me tired.
2 She found an interesting book in the library.
3 I heard surprising news about the celebrity.
4 Joshua was worried about the history test.
5 Carol drinks hot chocolate when she is depressed.
6 Rock climbing is an exciting sport.
    암벽 등반은 신이 나게 하는 운동이다.
7 I found the movie impressing.
    나는 그 영화가 감명을 준다고 생각했다.
8 We were touched by the band's performance.
    우리는 그 밴드의 공연에 감동했다.
9 The basketball team got a satisfying result in the game.
    그 농구팀은 경기에서 만족스러운 결과를 얻었다.
10 Mr. Brown was pleased with the letter from his son.
    Brown씨는 그의 아들에게서 온 편지로 기뻤다.

POINT 4   분사구문   p. 85

1 When she received the gift, she smiled.
    그녀는 그 선물을 받았을 때 미소 지었다.
    → Receiving the gift, she smiled.
2 Because she missed the bus, she was late for school.
    그녀는 그 버스를 놓쳤기 때문에 학교에 지각했다.
    → Missing the bus, she was late for school.
3 He talked on the phone while he waited for the train.
    그는 그 기차를 기다리면서 전화 통화를 했다.
    → He talked on the phone, waiting for the train.
4 Because we live near each other, we often exercise together.
    우리는 서로 가까이에 살기 때문에 자주 함께 운동한다.
    → Living near each other, we often exercise together.
5 While they had dinner, they watched the baseball game on TV.
    그들은 저녁 식사를 하면서 텔레비전으로 그 야구 경기를 시청했다.
    → Having dinner, they watched the baseball game on TV.
6 She read a comic book, lying on the sofa.
7 Arriving home, he found the door unlocked.
8 Washing the dishes, he got his clothes wet.
9 Taking your advice, I finished my homework quickly.
10 Shopping at the market, she came across her friend.

기출문제 풀고 짝문제로 마무리!   p. 86

01 His essay on life was interesting.
02 The woman walking a dog has long black hair.
03 Debra had a moving experience on the way home.
04 That smiling woman is my mother.
05 We're going to miss the train leaving at two.
06 I visited the museum designed by Mr. Johnson.
07 This Chinese class is boring.
08 The boy riding a skateboard is one of my classmates.
09 The singer gave a disappointing performance at his concert.
10 We took pictures of the rising sun.
11 They'll go to the festival starting on Friday.
12 My family lives in the house built by my grandfather.
13 We ate some boiled eggs as a snack.
14 Maria will get her car washed.
15 The bike stored in the garage is Paul's.
16 She's satisfied with her painting.
17 There is a restaurant serving Mexican food nearby.
18 He found an amazing suit in his father's closet.
19 Janet was confused by the ending of the novel.
20 She failed to catch a flying bug.
21 Jerry had his watch repaired.
22 Rachel carried a box filled with old dolls.
23 Adam is interested in Korean culture.
24 They need to find examples supporting their idea.
25 The play is popular because of its fascinating story.
26 We were shocked by the news of the earthquake.
27 Her childhood story was touching.
28 He was annoyed by her rudeness.
29 I cannot[can't] forget the terrifying moment.
30 Chopping the vegetables, I hurt my finger.
    [I hurt my finger, chopping the vegetables.]
31 The teacher's question was embarrassing.

32 We were excited about winter vacation.

33 They spent an exhausting day at work.

34 Cleaning the living room, she broke the vase.
[She broke the vase, cleaning the living room.]

35 Emma likes the photos taken in Spain.

36 She was tired after her long flight.

37 Who is that girl speaking English?

38 We were worried about the cold weather.

39 Nicole bought a necklace made of pearls.

40 They listened to Albert singing on the stage.

41 I read the poem written on the blackboard.

42 Scott was pleased to pass the test.

43 Do you know the man making pasta?

44 I was surprised at the size of the cake.

45 Jason will wipe the desk covered with dust.

46 We saw some people standing in front of the restaurant.

47 The girl talking to Joe is Kelly.

48 Sitting at a table, he's eating a sandwich.

49 The boy playing the piano is Hyunsu.

50 Listening to music, she's walking in the park.

51 Feeling hungry, I looked for food in the refrigerator.

52 Hearing the sound of thunder, she woke up in the middle of the night.

53 Catching the flu, he didn't go to school.

54 Seeing the red light, they stopped at the crosswalk.

---

01 해설 분사가 설명하는 명사가 감정을 일으키는 원인이므로 현재분사를 쓴다.
(▶ POINT 3)

02 해설 '~하는, 하고 있는'이라는 능동·진행의 의미를 나타내는 현재분사를 쓴다. 분사가 구를 이루어 명사를 수식하므로 명사 뒤에 쓴다. (▶ POINT 2)

03 해설 분사가 수식하는 명사가 감정을 일으키는 원인이므로 현재분사를 쓴다. 분사가 단독으로 명사를 수식하므로 명사 앞에 쓴다. (▶ POINT 3)

04 해설 '~하는, 하고 있는'이라는 능동·진행의 의미를 나타내는 현재분사를 쓴다. 분사가 단독으로 명사를 수식하므로 명사 앞에 쓴다. (▶ POINT 2)

05 해설 '~하는, 하고 있는'이라는 능동·진행의 의미를 나타내는 현재분사를 쓴다. 분사가 구를 이루어 명사를 수식하므로 명사 뒤에 쓴다. (▶ POINT 2)

06 해설 '~된, 당한'이라는 수동·완료의 의미를 나타내는 과거분사를 쓴다. 분사가 구를 이루어 명사를 수식하므로 명사 뒤에 쓴다. (▶ POINT 2)

07 해설 분사가 설명하는 명사가 감정을 일으키는 원인이므로 현재분사를 쓴다.
(▶ POINT 3)

08 해설 '~하는, 하고 있는'이라는 능동·진행의 의미를 나타내는 현재분사를 쓴다. 분사가 구를 이루어 명사를 수식하므로 명사 뒤에 쓴다. (▶ POINT 2)

09 해설 분사가 수식하는 명사가 감정을 일으키는 원인이므로 현재분사를 쓴다. 분사가 단독으로 명사를 수식하므로 명사 앞에 쓴다. (▶ POINT 3)

10 해설 '~하는, 하고 있는'이라는 능동·진행의 의미를 나타내는 현재분사를 쓴다. 분사가 단독으로 명사를 수식하므로 명사 앞에 쓴다. (▶ POINT 2)

11 해설 '~하는, 하고 있는'이라는 능동·진행의 의미를 나타내는 현재분사를 쓴다. 분사가 구를 이루어 명사를 수식하므로 명사 뒤에 쓴다. (▶ POINT 2)

12 해설 '~된, 당한'이라는 수동·완료의 의미를 나타내는 과거분사를 쓴다. 분사가 구를 이루어 명사를 수식하므로 명사 뒤에 쓴다. (▶ POINT 2)

13 해설 명사를 수식하는 분사가 '~된, 당한'이라는 수동·완료의 의미를 나타내므로 현재분사 boiling을 과거분사 boiled로 고쳐야 한다. (▶ POINT 2)
해석 우리는 간식으로 삶은 달걀 몇 개를 먹었다.

14 해설 동사 get의 목적격 보어로 쓰인 분사가 '~된, 당한'이라는 수동·완료의 의미를 나타내므로 현재분사 washing을 과거분사 washed로 고쳐야 한다.
(▶ POINT 2)

해석 Maria는 그녀의 자동차를 닦이게 할 것이다.

15 해설 명사를 수식하는 분사가 '~된, 당한'이라는 수동·완료의 의미를 나타내므로 현재분사 storing을 과거분사 stored로 고쳐야 한다. (▶ POINT 2)
해석 차고에 보관된 자전거는 Paul의 것이다.

16 해설 분사가 설명하는 명사가 감정을 느끼는 주체이므로 현재분사 satisfying을 과거분사 satisfied로 고쳐야 한다. (▶ POINT 3)
해석 그녀는 그녀의 그림에 만족스러워한다.

17 해설 명사를 수식하는 분사가 '~하는, 하고 있는'이라는 능동·진행의 의미를 나타내므로 과거분사 served를 현재분사 serving으로 고쳐야 한다. (▶ POINT 2)
해석 근처에 멕시코 요리를 제공하는 식당이 있다.

18 해설 분사가 수식하는 명사가 감정을 일으키는 원인이므로 과거분사 amazed를 현재분사 amazing으로 고쳐야 한다. (▶ POINT 3)
해석 그는 그의 아버지의 옷장에서 놀라운 정장을 발견했다.

19 해설 분사가 설명하는 명사가 감정을 느끼는 주체이므로 현재분사 confusing을 과거분사 confused로 고쳐야 한다. (▶ POINT 3)
해석 Janet은 그 소설의 결말에 의해 혼란스러웠다.

20 해설 명사를 수식하는 분사가 '~하는, 하고 있는'이라는 능동·진행의 의미를 나타내므로 과거분사 flown을 현재분사 flying으로 고쳐야 한다. (▶ POINT 2)
해석 그녀는 날고 있는 벌레를 잡지 못했다.

21 해설 사역동사 have의 목적격 보어로 쓰인 분사가 '~된, 당한'이라는 수동·완료의 의미를 나타내므로 현재분사 repairing을 과거분사 repaired로 고쳐야 한다.
(▶ POINT 2)
해석 Jerry는 그의 시계를 수리되게 했다.

22 해설 명사를 수식하는 분사가 '~된, 당한'이라는 수동·완료의 의미를 나타내므로 현재분사 filling을 과거분사 filled로 고쳐야 한다. (▶ POINT 2)
해석 Rachel은 오래된 인형들로 가득 찬 상자를 날랐다.

23 해설 분사가 설명하는 명사가 감정을 느끼는 주체이므로 현재분사 interesting을 과거분사 interested로 고쳐야 한다. (▶ POINT 3)
해석 Adam은 한국 문화에 흥미가 있다.

24 해설 명사를 수식하는 분사가 '~하는, 하고 있는'이라는 능동·진행의 의미를 나타내므로 과거분사 supported를 현재분사 supporting으로 고쳐야 한다.
(▶ POINT 2)
해석 그들은 그들의 생각을 뒷받침하는 예시를 찾을 필요가 있다.

25 해설 분사가 수식하는 명사가 감정을 일으키는 원인이므로 과거분사 fascinated를 현재분사 fascinating으로 고쳐야 한다. (▶ POINT 3)
해석 그 연극은 그것의 매력적인 이야기 때문에 인기 있다.

26 해설 분사가 설명하는 명사가 감정을 느끼는 주체이므로 현재분사 shocking을 과거분사 shocked로 고쳐야 한다. (▶ POINT 3)
해석 우리는 그 지진 소식에 의해 충격을 받았다.

27 해설 분사가 설명하는 명사가 감정을 일으키는 원인이므로 현재분사를 쓴다.
(▶ POINT 3)

28 해설 분사가 설명하는 명사가 감정을 느끼는 주체이므로 과거분사를 쓴다.
(▶ POINT 3)

29 해설 분사가 수식하는 명사가 감정을 일으키는 원인이므로 현재분사를 쓴다.
(▶ POINT 3)

30 해설 '야채를 써는 동안'을 부사절의 접속사와 주어를 생략하고 동사를 현재분사로 바꾼 분사구문으로 나타낸다. (▶ POINT 4)

31 해설 분사가 설명하는 명사가 감정을 일으키는 원인이므로 현재분사를 쓴다.
(▶ POINT 3)

32 해설 분사가 설명하는 명사가 감정을 느끼는 주체이므로 과거분사를 쓴다.
(▶ POINT 3)

33 해설 분사가 수식하는 명사가 감정을 일으키는 원인이므로 현재분사를 쓴다.
(▶ POINT 3)

34 해설 '거실을 청소하는 동안'을 부사절의 접속사와 주어를 생략하고 동사를 현재분사로 바꾼 분사구문으로 나타낸다. (▶ POINT 4)

35 해설 과거분사가 구를 이루어 명사를 수식하므로 명사 뒤에 쓴다. (▶ POINT 1)

37 해설 현재분사가 구를 이루어 명사를 수식하므로 명사 뒤에 쓴다. (▶ POINT 1)

38 해설 문장의 주격 보어로 과거분사를 쓴다. (▶ POINT 1)

39 해설 과거분사가 구를 이루어 명사를 수식하므로 명사 뒤에 쓴다. (▶ POINT 1)

40 해설 지각동사 listen to의 목적격 보어로 현재분사를 쓴다. (▶ POINT 1)

41 해설 과거분사가 구를 이루어 명사를 수식하므로 명사 뒤에 쓴다. (▶ POINT 1)

42 해설 문장의 주격 보어로 과거분사를 쓴다. (▶ POINT 1)

43 해설 현재분사가 구를 이루어 명사를 수식하므로 명사 뒤에 쓴다. (▶ POINT 1)

44 해설 문장의 주격 보어로 과거분사를 쓴다. (▶ POINT 1)

45 해설 과거분사가 구를 이루어 명사를 수식하므로 명사 뒤에 쓴다. (▶ POINT 1)

46 해설 지각동사 see의 목적격 보어로 현재분사를 쓴다. (▶ POINT 1)

47 해설 '~하는, 하고 있는'이라는 능동·진행의 의미를 나타내는 현재분사를 쓴다. 분사가 구를 이루어 명사를 수식하므로 명사 뒤에 쓴다. (▶ POINT 2)

해석 Joe에게 이야기하고 있는 소녀는 Kelly이다.

48 해설 '탁자에 앉아서'를 부사절의 접속사와 주어를 생략하고 동사를 현재분사로 바꾼 분사구문으로 나타낸다. (▶ POINT 4)

해석 그는 탁자에 앉아서 샌드위치를 먹고 있다.

49 해설 '~하는, 하고 있는'이라는 능동·진행의 의미를 나타내는 현재분사를 쓴다. 분사가 구를 이루어 명사를 수식하므로 명사 뒤에 쓴다. (▶ POINT 2)

해석 피아노를 연주하고 있는 소년은 현수이다.

50 해설 '음악을 들으면서'를 부사절의 접속사와 주어를 생략하고 동사를 현재분사로 바꾼 분사구문으로 나타낸다. (▶ POINT 4)

해석 그녀는 음악을 들으면서 공원을 걷고 있다.

51 해설 「접속사 + 주어 + 동사」 형태의 부사절을 접속사와 주어를 생략하고 동사를 현재분사로 바꾼 분사구문으로 바꿔 쓴다. (▶ POINT 4)

해석 나는 배고픔을 느꼈기 때문에 냉장고에서 음식을 찾았다.

52 해설 「접속사 + 주어 + 동사」 형태의 부사절을 접속사와 주어를 생략하고 부사절의 동사를 현재분사로 바꾼 분사구문으로 바꿔 쓴다. (▶ POINT 4)

해석 그녀는 천둥 소리를 들었을 때 한밤중에 깼다.

53 해설 「접속사 + 주어 + 동사」 형태의 부사절을 접속사와 주어를 생략하고 동사를 현재분사로 바꾼 분사구문으로 바꿔 쓴다. (▶ POINT 4)

해석 그는 독감에 걸렸기 때문에 학교에 가지 않았다.

54 해설 「접속사 + 주어 + 동사」 형태의 부사절을 접속사와 주어를 생략하고 동사를 현재분사로 바꾼 분사구문으로 바꿔 쓴다. (▶ POINT 4)

해석 그들은 빨간 불을 봤을 때 횡단보도에서 멈췄다.

CHAPTER 08

대명사

POINT 1 부정대명사: some, any   p. 92

1 Charles brought me some water.
2 I have some questions. Do you have any?
3 There aren't any pens in the drawer.
4 I'd like to eat some sushi. May I order some?
5 Did you find any errors in the report?
6 I'm looking for brown shoes. Please show me some.
7 Does anyone feel cold in here?
8 We'll do something for people in need.
9 Steven doesn't know anything about the event.
10 Some players are taking a break after the game.
11 Emily wants somebody to give her advice.

POINT 2 부정대명사: one, another, other   p. 93

1 This steak tastes good. I'll have another.
2 Sam lost his pen. He'll borrow one from Cathy.
3 Ms. Davis held the charity party to help others.
4 We ordered two drinks. One was apple juice, and the other was coffee.
5 She likes three sports. One is soccer, another is baseball, and the other is tennis.
6 He baked a lot of cookies. Some were round, and the others were square.
7 I read two books. One was a novel, and the other was a biography.
8 I have many friends. Some like math, and others like history.
9 There are three cups. One is black, another is green, and the other is red.
10 We saw many animals on the farm. Some were cows, and the others were pigs.

POINT 3 부정대명사: all, every, each, both   p. 94

1 All of the bread was sold out.
2 Both of us take a cooking class.
3 Everything is ready for the party tonight.
4 All the shops in town are open on weekends.
5 Everyone has to take a seat before the movie begins.
6 Each class[Each of the classes] lasts about 30 minutes.
7 Both (of) my brothers want to sleep.
8 All (of) the students like the teacher.
9 All (of) the clothes were washed by hand.
10 Every gift was wrapped with a ribbon.

POINT 4 재귀대명사   p. 95

1 I myself cooked this soup[cooked this soup myself].
2 Susan cleaned the house by herself.
3 She looked at herself in the mirror.

4 When Eric gets nervous, he talks to himself.

5 We like the game itself, but it's too expensive.

6 They were excited to watch themselves on the screen.

7 I fixed the bike myself. 나는 그 자전거를 직접 수리했다.

8 Mary was proud of herself. Mary는 그녀 자신을 자랑스러워했다.

9 Thomas himself painted the wall. Thomas는 벽을 직접 페인트칠 했다.

10 You should encourage yourself. 너는 너 자신을 격려해야 한다.

11 Lisa herself solved the problem. Lisa는 그 문제를 직접 풀었다.

12 We enjoyed ourselves at the beach.
우리는 해변가에서 즐거운 시간을 보냈다.

13 The students themselves built the dog house.
그 학생들은 개 집을 직접 지었다.

기출문제 풀고 짝문제로 마무리!
p. 96

01 He bought some snacks for his kids.

02 I don't have any plans for this vacation.

03 Each of the teas has its own smell.

04 All (of) the passengers were nervous when the plane shook.

05 Jessica enjoys working with others.

06 I like two flavors of ice cream. One is chocolate, and the other is vanilla.

07 She made some sandwiches for the picnic.

08 There were not[weren't] any problems with your car.

09 Each of them is from a different country.

10 All (of) the visitors have to bring an ID to enter the building.

11 Edward donated money to help others.

12 I found two boxes. One was made of paper, and the other was made of plastic.

13 All the trash was removed.

14 She talked with the actor himself.

15 Every dish was made by my mom.

16 I'd like to introduce myself.

17 All of the questions were answered by Melissa.

18 Everybody in town was surprised at the news.

19 All your advice was useful to me.

20 We saw the artwork itself.

21 Every student focuses on Mr. Lee's words.

22 He tried to make himself happy.

23 All of the tour guides are able to speak Spanish.

24 Everything in this book was hard to understand.

25 All of the students wear a name tag.

26 Each of the singers has a microphone.

27 Both my brothers are good at cooking.

28 Every table is covered with a white cloth.

29 They have two pets. One is a dog, and the other is a cat.

30 Jake asked Ann to collect the students' essays, but she went home early. So he collected them himself.

31 My sister has been sick a lot recently. She needs to take care of herself.

32 All my shoes are stored in this closet.

33 Each of the pens costs two dollars.

34 Both of us want to travel to France.

35 Every window was washed yesterday.

36 There are two bags. One is a suitcase, and the other is a backpack.

37 My friends didn't help me with the group project yesterday. So I had to do everything myself.

38 I saw an old woman carrying heavy bags and helped her. I was very pleased with myself.

39 Jane herself taught me English. [Jane taught me English herself.]

40 We made ourselves at home in the hotel.

41 There are many students in the classroom. Some are reading textbooks, and the others are talking to their friends.

42 I have two aunts. One is an engineer, and the other is a nurse.

43 Henry himself repaired his car. [Henry repaired his car himself.]

44 She completed the puzzle by herself.

45 The bowling club has a lot of members. Some are in the third grade, and the others are in the second grade.

46 We saw two movies. One was a horror movie, and the other was an animated movie.

47 Two people are sitting at a table. One is eating salad, and the other is drinking water.

48 Each girl[of the girls] is holding a basket.

49 Two people are under the tree. One is sleeping, and the other is taking a photo.

50 Each boy[of the boys] is wearing a cap.

51 I couldn't help laughing at myself.

52 We didn't find anything in this room.

53 She told me about herself.

54 Did you hear anything outside?

01 해설 '약간(의), 조금(의), 몇몇(의)'라는 의미의 some을 쓴다. some은 주로 긍정문과 권유·요청을 나타내는 의문문에 쓴다. (▶ POINT 1)

02 해설 '약간(의), 조금(의)'라는 의미의 any를 쓴다. any는 주로 부정문과 의문문에 쓴다. (▶ POINT 1)

03 해설 '각각(의)'라는 의미의 each를 「each of + 복수명사 + 단수동사」의 형태로 쓴다. (▶ POINT 3)

04 해설 '모든'이라는 의미의 all을 「all (of) + 복수명사 + 복수동사」의 형태로 쓴다. (▶ POINT 3)

05 해설 '(불특정한) 다른 사람들/것들'이라는 의미의 others를 쓴다. (▶ POINT 2)

06 해설 '(둘 중) 하나는 ~, 나머지 하나는 -'이라는 의미의 「one ~, the other -」를 쓴다. (▶ POINT 2)

07 해설 '약간(의), 조금(의), 몇몇(의)'라는 의미의 some을 쓴다. some은 주로 긍정문과 권유·요청을 나타내는 의문문에 쓴다. (▶ POINT 1)

08 해설 '약간(의), 조금(의), 몇몇(의)'라는 의미의 any를 쓴다. any는 주로 부정문과 의문문에 쓴다. (▶ POINT 1)

09 해설 '각각(의)'라는 의미의 each를 「each of + 복수명사 + 단수동사」의 형태로 쓴다. (▶ POINT 3)

10 해설 '모든'이라는 의미의 all을 「all (of) + 복수명사 + 복수동사」의 형태로 쓴다. (▶ POINT 3)

11 해설 '(불특정한) 다른 사람들/것들'이라는 의미의 others를 쓴다. (▶ POINT 2)

12 해설 '(둘 중) 하나는 ~, 나머지 하나는 -'이라는 의미의 「one ~, the other -」를 쓴다. (▶ POINT 2)

13 해설 '모든'이라는 의미의 all을 「all (of) + 셀 수 없는 명사 + 단수동사」의 형태로 쓴다. (▶ POINT 3)

14 해설 전치사의 목적어를 강조하기 위해 목적어 바로 뒤에 재귀대명사를 쓴다. (▶ POINT 4)

15 해설 '모든'이라는 의미의 every를 「every + 단수명사 + 단수동사」의 형태로 쓴다. (▶ POINT 3)

16 해설 동사의 목적어가 주어와 같은 대상이므로 목적어로 재귀대명사를 쓴다. (▶ POINT 4)

17 해설 '모든'이라는 의미의 all을 「all (of) + 복수명사 + 복수동사」의 형태로 쓴다. (▶ POINT 3)

18 해설 '모든 사람'이라는 의미의 everybody를 주어로 쓰고, 뒤에 단수동사를 쓴다. (▶ POINT 3)

19 해설 '모든'이라는 의미의 all을 「all (of) + 셀 수 없는 명사 + 단수동사」의 형태로 쓴다. (▶ POINT 3)

20 해설 동사의 목적어를 강조하기 위해 목적어 바로 뒤에 재귀대명사를 쓴다. (▶ POINT 4)

21 해설 '모든'이라는 의미의 every를 「every + 단수명사 + 단수동사」의 형태로 쓴다. (▶ POINT 3)

22 해설 동사의 목적어가 주어와 같은 대상이므로 목적어로 재귀대명사를 쓴다. (▶ POINT 4)

23 해설 '모든'이라는 의미의 all을 「all (of) + 복수명사 + 복수동사」의 형태로 쓴다. (▶ POINT 3)

24 해설 '모든 것'이라는 의미의 everything을 주어로 쓰고, 뒤에 단수동사를 쓴다. (▶ POINT 3)

25 해설 「all (of) + 복수명사」가 주어로 쓰이면 복수동사를 써야 하므로 단수동사 wears를 wear로 고쳐야 한다. (▶ POINT 3)
해석 모든 학생들은 명찰을 착용한다.

26 해설 「each of + 복수명사」가 주어로 쓰이면 단수동사를 써야 하므로 복수동사 have를 has로 고쳐야 한다. (▶ POINT 3)
해석 가수들 각각은 마이크를 가지고 있다.

27 해설 「both (of) + 복수명사」가 주어로 쓰이면 복수동사를 써야 하므로 단수동사 is를 are로 고쳐야 한다. (▶ POINT 3)
해석 나의 오빠들 둘 다 요리를 잘한다.

28 해설 「every + 단수명사」가 주어로 쓰이면 단수동사를 써야 하므로 복수동사 are를 is로 고쳐야 한다. (▶ POINT 3)
해석 모든 탁자는 하얀 천으로 덮여 있다.

29 해설 '(둘 중) 하나는 ~, 나머지 하나는 -'이라는 의미의 「one ~, the other -」를 써야 하므로 another를 the other로 고쳐야 한다. (▶ POINT 2)
해석 그들은 애완동물 두 마리가 있다. 한 마리는 개이고, 나머지 한 마리는 고양이이다.

30 해설 주어를 강조하기 위해 문장 맨 뒤에 쓴 재귀대명사는 주어와 수·인칭이 일치해야 하므로 herself를 himself로 고쳐야 한다. (▶ POINT 4)
해석 Jake는 Ann에게 학생들의 에세이를 걷어줄 것을 요청했지만, 그녀는 집에 일찍 갔다. 그래서 그는 그것들을 직접 걷었다.

31 해설 전치사의 목적어가 주어와 같은 대상이므로 목적어로 재귀대명사를 쓴다. (▶ POINT 4)
해석 나의 여동생은 최근에 많이 아팠다. 그녀는 그녀 자신을 돌볼 필요가 있다.

32 해설 「all (of) + 복수명사」가 주어로 쓰이면 복수동사를 써야 하므로 단수동사 is를 are로 고쳐야 한다. (▶ POINT 3)
해석 모든 나의 신발들은 이 벽장에 보관된다.

33 해설 「each of + 복수명사」가 주어로 쓰이면 단수동사를 써야 하므로 복수동사 cost를 costs로 고쳐야 한다. (▶ POINT 3)
해석 펜들 각각은 2달러이다.

34 해설 「both (of) + 복수명사」가 주어로 쓰이면 복수동사를 써야 하므로 단수동사 wants를 want로 고쳐야 한다. (▶ POINT 3)
해석 우리 둘 다 프랑스로 여행 가기를 원한다.

35 해설 「every + 단수명사」가 주어로 쓰이면 단수동사를 써야 하므로 복수동사 were를 was로 고쳐야 한다. (▶ POINT 3)
해석 모든 창문은 어제 닦였다.

36 해설 '(둘 중) 하나는 ~, 나머지 하나는 -'이라는 의미의 「one ~, the other -」를 써야 하므로 other를 the other로 고쳐야 한다. (▶ POINT 2)
해석 가방 두 개가 있다. 하나는 여행 가방이고, 다른 하나는 배낭이다.

37 해설 주어를 강조하기 위해 문장 맨 뒤에 쓴 재귀대명사는 주어와 수·인칭이 일치해야 하므로 themselves를 myself로 고쳐야 한다. (▶ POINT 4)
해석 어제 나의 친구들은 내가 조별 과제를 하는 것을 돕지 않았다. 그래서 나는

모든 것을 직접 해야 했다.

38 해설 전치사의 목적어가 주어와 같은 대상이므로 목적어로 재귀대명사를 쓴다. (▶ POINT 4)
해석 나는 나이 든 여성이 무거운 가방들을 들고 있는 것을 봤고 그녀를 도왔다. 나는 나 자신에 대해 매우 기뻤다.

39 해설 주어를 강조하기 위해 주어 바로 뒤나 문장 맨 뒤에 재귀대명사를 쓴다. (▶ POINT 4)

40 해설 '(집에서처럼) 편히 쉬다'라는 의미의 「make oneself at home」을 쓴다. (▶ POINT 4)

41 해설 '(여럿 중) 몇몇은 ~, 나머지 전부는 -'이라는 의미의 「some ~, the others -」를 쓴다. (▶ POINT 2)

42 해설 '(둘 중) 하나는 ~, 나머지 하나는 -'이라는 의미의 「one ~, the other -」를 쓴다. (▶ POINT 2)

43 해설 주어를 강조하기 위해 주어 바로 뒤나 문장 맨 뒤에 재귀대명사를 쓴다. (▶ POINT 4)

44 해설 '혼자서, 홀로'라는 의미의 「by oneself」를 쓴다. (▶ POINT 4)

45 해설 '(여럿 중) 몇몇은 ~, 나머지 전부는 -'이라는 의미의 「some ~, the others -」를 쓴다. (▶ POINT 2)

46 해설 '(둘 중) 하나는 ~, 나머지 하나는 -'이라는 의미의 「one ~, the other -」를 쓴다. (▶ POINT 2)

47 해설 '(둘 중) 하나는 ~, 나머지 하나는 -'이라는 의미의 「one ~, the other -」를 쓴다. (▶ POINT 2)
해석 두 사람이 탁자에 앉아 있다. 한 명은 샐러드를 먹고 있고, 나머지 한 명은 물을 마시고 있다.

48 해설 '각각(의)'라는 의미의 each를 「each + 단수명사 + 단수동사」 또는 「each of + 복수명사 + 단수동사」의 형태로 쓴다. (▶ POINT 3)
해석 각각의 소녀는 바구니를 들고 있다.

49 해설 '(둘 중) 하나는 ~, 나머지 하나는 -'이라는 의미의 「one ~, the other -」를 쓴다. (▶ POINT 2)
해석 두 사람이 나무 아래에 있다. 한 명은 잠자고 있고, 다른 한 명은 사진을 찍고 있다.

50 해설 '각각(의)'라는 의미의 each를 「each + 단수명사 + 단수동사」 또는 「each of + 복수명사 + 단수동사」의 형태로 쓴다. (▶ POINT 3)
해석 각각의 소년은 모자를 쓰고 있다.

51 해설 전치사의 목적어가 주어와 같은 대상이므로 목적어로 재귀대명사를 쓴다. (▶ POINT 4)

52 해설 '무언가, 어떤 것'이라는 의미의 anything을 쓴다. any와 마찬가지로 주로 부정문과 의문문에 쓴다. (▶ POINT 1)

53 해설 전치사의 목적어가 주어와 같은 대상이므로 목적어로 재귀대명사를 쓴다. (▶ POINT 4)

54 해설 '무언가, 어떤 것'이라는 의미의 anything을 쓴다. any와 마찬가지로 주로 부정문과 의문문에 쓴다. (▶ POINT 1)

CHAPTER 09

형용사와 부사

POINT 1 형용사의 쓰임   p. 102

1 Yunjung has an old watch.
2 Someone angry was shouting outside.
3 Is there anything valuable in your bag?
4 She prepared nothing special for his birthday.
5 We'd like to do something good for others.
6 My pet makes me happy.
7 They're looking for somebody[someone] smart.
8 The singer is popular among teenagers.
9 I have something important to tell you.
10 We haven't met anybody[anyone] fluent in Russian.
11 Somebody[Someone] friendly helped me to carry these boxes.

POINT 2 수량형용사: many, much, a lot of   p. 103

1 We saw many animals at the zoo.
2 Alan read many books about history.
3 I don't spend much time watching television.
4 Many people visit this city every year.
5 There wasn't much traffic at this time yesterday.
6 I drank a lot of water after exercising.
7 He took a lot of photos on the mountain.
8 It's difficult to save a lot of money.
9 Doris made a lot of friends at school.
10 My grandmother told me a lot of fairy tales[told a lot of fairy tales to me].

POINT 3 수량형용사: (a) few, (a) little   p. 104

1 Joseph bought a few cups at the store.
2 Lucy spread a little butter on the bread.
3 Few students can solve this math problem.
4 We have little time to look around the museum.
5 There is little milk in the bottle.
6 He found a few buttons in the drawer.
7 She spilled a little juice on the table.
8 May I ask you a few questions[ask a few questions of you]?
9 I'd like to add a little sugar to my tea.
10 Because of the rain, few fans attended the soccer game.
11 They came back home a few weeks later.

POINT 4 빈도부사   p. 105

1 I often get up late on weekends.
2 We hardly write letters by hand.
3 You should always be careful at crosswalks.
4 This shopping mall is usually filled with people.
5 Fred has never skipped classes before.
6 They often walk to school together.
7 Janice usually practices the violin after school.
8 I will[I'll] never forget the taste of this cake.
9 There are always many tourists in Paris.
10 We sometimes have lunch at this restaurant.

기출문제 풀고 짝문제로 마무리!   p. 106

01 Hannah is never late for school.
02 Science is my favorite subject.
03 He collected lots of foreign stamps.
04 Did you do anything exciting in Jejudo?
05 Richard will plant a few flowers in the garden.
06 They want to work with somebody[someone] honest.
07 Mr. Kim is usually busy on Mondays.
08 I enjoyed the beautiful scenery at the lake.
09 Lots of trees are cut down every year.
10 The ad showed something attractive to customers.
11 It took a few days to finish the group project.
12 Was there anybody[anyone] famous in the movie?
13 The new sneakers fit me well.
14 Nancy often takes a nap after lunch.
15 He keeps his bedroom cool.
16 I saw something shiny in the dark.
17 They got a lot of information on this website.
18 We didn't notice anything different about the living room.
19 I have always lived with my family.
20 I had a wonderful time at your party.
21 Robert sometimes watches musicals by himself.
22 She found the book funny.
23 Ms. Smith will buy something nice for her son.
24 Dad gave me a lot of advice about life.
25 You shouldn't bring anything dangerous onto this ship.
26 He has never been to London.
27 Matt ate little meat at dinner.
28 There were many cars on the road.
29 We don't have to buy much furniture.
30 A lot of students study hard to achieve their dreams.
31 She wastes little time after school.
32 My mom used many onions in the soup.
33 You had better not drink much soda.
34 We heard a lot of stories about the old house.
35 Andrew can hardly fall asleep on a plane.
36 He put a few coins into his pocket.
37 I usually play tennis in the evening.
38 A little noise helps you concentrate.
39 Many[A lot of/Lots of] leaves have fallen off the trees.
40 Someone strange was wandering around the school.
41 We should often call our grandparents.
42 A few cinemas are open late at night.
43 They sometimes cook dinner themselves.
44 I donated a little money to charity.
45 I had many[a lot of/lots of] chances to talk with foreigners.
46 We didn't come across anyone rude in that city.
47 I saw few stars in the sky.

48 There was <u>little</u> <u>snow</u> last winter.

49 <u>Few</u> <u>restaurants</u> serve dessert for free.

50 He left <u>little</u> <u>space</u> in the trunk.

51 A: What are you doing for your birthday?
B: I don't have any plans at the moment.
A: You should do <u>something special</u>.
B: You're right. I'm going to think about it.

52 A: What's your hobby?
B: I like playing basketball.
A: Do you belong to any clubs?
B: No. I <u>usually play</u> with my brothers.

53 A: I think I'm going to get my hair cut.
B: How come? Your hair looks great now.
A: I'd like to try <u>something new</u>.
B: Well, I'm sure that will look great, too.

54 A: Should I clean my computer?
B: You should clean it every week.
A: I guess I should set a schedule.
B: I <u>always clean</u> mine on Sundays.

---

01 해설 '결코 ~않다'라는 의미의 빈도부사 never를 be동사 뒤에 쓴다. (▶ POINT 4)

02 해설 명사 subject를 꾸미는 형용사 favorite을 명사 앞에 쓴다. (▶ POINT 1)

03 해설 '(수·양이) 많은'이라는 의미의 lots of 뒤에 셀 수 있는 명사의 복수형 stamps를 쓴다. (▶ POINT 2)

04 해설 -thing, -body, -one으로 끝나는 대명사를 꾸미는 형용사는 대명사 뒤에 쓴다. (▶ POINT 1)

05 해설 '꽃들을 좀 심을 것이다'라는 긍정의 의미이므로 '약간의, 조금의'라는 의미의 a few를 셀 수 있는 명사의 복수형 flowers 앞에 쓴다. (▶ POINT 3)

06 해설 -thing, -body, -one으로 끝나는 대명사를 꾸미는 형용사는 대명사 뒤에 쓴다. (▶ POINT 1)

07 해설 '보통, 대개'라는 의미의 빈도부사 usually를 be동사 뒤에 쓴다. (▶ POINT 4)

08 해설 명사 scenery를 꾸미는 형용사 beautiful을 명사 앞에 쓴다. (▶ POINT 1)

09 해설 '(수·양이) 많은'이라는 의미의 lots of 뒤에 셀 수 있는 명사의 복수형 trees를 쓴다. (▶ POINT 2)

10 해설 -thing, -body, -one으로 끝나는 대명사를 꾸미는 형용사는 대명사 뒤에 쓴다. (▶ POINT 1)

11 해설 '며칠이 걸렸다'라는 긍정의 의미이므로 '약간의, 조금의'라는 의미의 a few를 셀 수 있는 명사의 복수형 days 앞에 쓴다. (▶ POINT 3)

12 해설 -thing, -body, -one으로 끝나는 대명사를 꾸미는 형용사는 대명사 뒤에 쓴다. (▶ POINT 1)

13 해설 명사 sneakers를 꾸미는 형용사 new를 명사 앞에 쓴다. (▶ POINT 1)

14 해설 '종종, 자주'라는 의미의 빈도부사 often을 일반동사 앞에 쓴다. (▶ POINT 4)

15 해설 목적어 his bedroom을 보충 설명하는 보어로 형용사 cool을 쓴다. (▶ POINT 1)

16 해설 -thing, -body, -one으로 끝나는 대명사를 꾸미는 형용사는 대명사 뒤에 쓴다. (▶ POINT 1)

17 해설 '(수·양이) 많은'이라는 의미의 a lot of 뒤에 셀 수 없는 명사 information을 쓴다. (▶ POINT 2)

18 해설 -thing, -body, -one으로 끝나는 대명사를 꾸미는 형용사는 대명사 뒤에 쓴다. (▶ POINT 1)

19 해설 현재완료시제에서 빈도부사는 have/has와 p.p. 사이에 쓴다. (▶ POINT 4)

20 해설 명사 time을 꾸미는 형용사 wonderful을 명사 앞에 쓴다. (▶ POINT 1)

21 해설 '때때로, 가끔'이라는 의미의 빈도부사 sometimes를 일반동사 앞에 쓴다. (▶ POINT 4)

22 해설 목적어 the book을 보충 설명하는 보어로 형용사 funny를 쓴다. (▶ POINT 1)

23 해설 -thing, -body, -one으로 끝나는 대명사를 꾸미는 형용사는 대명사 뒤에 쓴

24 해설 '(수·양이) 많은'이라는 의미의 a lot of 뒤에 셀 수 없는 명사 advice를 쓴다. (▶ POINT 2)

25 해설 -thing, -body, -one으로 끝나는 대명사를 꾸미는 형용사는 명사 뒤에 쓴다. (▶ POINT 1)

26 해설 현재완료시제 문장에서 빈도부사는 have/has와 p.p. 사이에 쓴다. (▶ POINT 4)

27 해설 '고기를 거의 먹지 않았다'라는 부정의 의미이므로 '거의 없는'이라는 의미의 little을 셀 수 없는 명사 meat 앞에 쓴다. (▶ POINT 3)

28 해설 '(수가) 많은'이라는 의미의 many 뒤에 셀 수 있는 명사의 복수형 cars를 쓴다. (▶ POINT 2)

29 해설 '(양이) 많은'이라는 의미의 much 뒤에 셀 수 없는 명사 furniture를 쓴다. (▶ POINT 2)

30 해설 '(수·양이) 많은'이라는 의미의 a lot of 뒤에 셀 수 있는 명사의 복수형 students를 쓴다. (▶ POINT 2)

31 해설 '시간을 거의 낭비하지 않는다'라는 부정의 의미이므로 '거의 없는'이라는 의미의 little을 셀 수 없는 명사 time 앞에 쓴다. (▶ POINT 3)

32 해설 '(수가) 많은'이라는 의미의 many 뒤에 셀 수 있는 명사의 복수형 onions를 쓴다. (▶ POINT 2)

33 해설 '(양이) 많은'이라는 의미의 much 뒤에 셀 수 없는 명사 soda를 쓴다. (▶ POINT 2)

34 해설 '(수·양이) 많은'이라는 의미의 a lot of 뒤에 셀 수 있는 명사의 복수형 stories를 쓴다. (▶ POINT 2)

35 해설 빈도부사는 조동사 뒤, 일반동사 앞에 써야 하므로 hardly can fall을 can hardly fall로 고쳐야 한다. (▶ POINT 4)

36 해설 a little은 셀 수 있는 명사의 복수형 앞에 쓸 수 없으므로 a little을 a few로 고쳐야 한다. (▶ POINT 3)

37 해설 빈도부사는 일반동사 앞에 써야 하므로 play usually를 usually play로 고쳐야 한다. (▶ POINT 4)

38 해설 a few는 셀 수 없는 명사 앞에 쓸 수 없으므로 A few를 A little로 고쳐야 한다. (▶ POINT 3)

39 해설 much는 셀 수 있는 명사의 복수형 앞에 쓸 수 없으므로 much를 many, a lot of, 또는 lots of로 고쳐야 한다. (▶ POINT 2)

40 해설 -thing, -body, -one으로 끝나는 대명사를 꾸미는 형용사는 대명사 뒤에 써야 하므로 Strange someone을 Someone strange로 고쳐야 한다. (▶ POINT 1)

41 해설 빈도부사는 조동사 뒤, 일반동사 앞에 써야 하므로 should call often을 should often call로 고쳐야 한다. (▶ POINT 4)

42 해설 a little은 셀 수 있는 명사의 복수형 앞에 쓸 수 없으므로 a little을 a few로 고쳐야 한다. (▶ POINT 3)

43 해설 빈도부사는 일반동사 앞에 써야 하므로 cook sometimes를 sometimes cook으로 고쳐야 한다. (▶ POINT 4)

44 해설 a few는 셀 수 없는 명사 앞에 쓸 수 없으므로 a few를 a little로 고쳐야 한다. (▶ POINT 3)

45 해설 much는 셀 수 있는 명사의 복수형 앞에 쓸 수 없으므로 much를 many, a lot of, 또는 lots of로 고쳐야 한다. (▶ POINT 2)

46 해설 -thing, -body, -one으로 끝나는 대명사를 꾸미는 형용사는 대명사 뒤에 써야 하므로 rude anyone을 anyone rude로 고쳐야 한다. (▶ POINT 1)

47 해설 '별을 거의 보지 못했다'라는 부정의 의미이므로 '거의 없는'이라는 의미의 few를 셀 수 있는 명사의 복수형 stars 앞에 쓴다. (▶ POINT 3)

48 해설 '눈이 거의 없었다'라는 부정의 의미이므로 '거의 없는'이라는 의미의 little을 셀 수 없는 명사 snow 앞에 쓴다. (▶ POINT 3)

49 해설 '식당이 거의 없다'라는 부정의 의미이므로 '거의 없는'이라는 의미의 few를 셀 수 있는 명사의 복수형 restaurants 앞에 쓴다. (▶ POINT 3)

50 해설 '공간을 거의 남기지 않았다'라는 부정의 의미이므로 '거의 없는'이라는 의미의 little을 셀 수 없는 명사 space 앞에 쓴다. (▶ POINT 3)

해설 -thing, -body, -one으로 끝나는 대명사를 꾸미는 형용사는 대명사 뒤에 쓴다. (▶ POINT 1)

해석 A: 너는 너의 생일을 위해 무엇을 할 거니?
B: 나는 지금 어떠한 계획도 없어.
A: 너는 특별한 무언가를 해야 해.
B: 네 말이 맞아. 나는 그것에 대해 생각해볼게.

52 **해설** '보통, 대개'라는 의미의 빈도부사 usually를 일반동사 앞에 쓴다. (▶ POINT 4)

해석 A: 너의 취미는 무엇이니?
B: 나는 농구 하는 것을 좋아해.
A: 너는 어떤 동호회에 속해 있니?
B: 아니. 나는 보통 나의 형들과 해.

53 **해설** -thing, -body, -one으로 끝나는 대명사를 꾸미는 형용사는 대명사 뒤에 쓴다. (▶ POINT 1)

해석 A: 나는 나의 머리를 자를 생각이야.
B: 어떻게? 너의 머리는 지금 멋져 보여.
A: 나는 새로운 무언가를 해보고 싶어.
B: 음, 나는 그것도 멋져 보일 거라고 확신해.

54 **해설** '항상'이라는 의미의 빈도부사 always를 일반동사 앞에 쓴다. (▶ POINT 4)

해석 A: 내가 나의 컴퓨터를 청소해야 할까?
B: 너는 그것을 매주 청소해야 해.
A: 나는 일정을 잡아야 할 것 같네.
B: 나는 항상 일요일마다 나의 것을 청소해.

CHAPTER 10
비교구문

POINT 1   as + 원급 + as
p. 112

1 Mark is <u>as heavy as</u> Kevin.
2 Cheetahs move <u>as fast as</u> cars.
3 My dad is <u>as old as</u> Sarah's dad.
4 His sister doesn't sleep <u>as much as</u> him.
5 He explained the issue <u>as clearly as possible</u>.
6 Paul is <u>as tall as</u> his mom.
7 We studied history <u>as hard as possible</u>.
8 I don't speak English <u>as[so] well as</u> Sophia.
9 Effort is <u>as important as</u> the result.
10 The Moon is <u>four times as small as</u> Earth.

POINT 2   비교급 + than
p. 113

1 He looks <u>stronger than us</u>.
2 My pasta is <u>less delicious than your pizza</u>.
3 Dan's computer is <u>much more expensive than mine</u>.
4 His new movie was <u>less popular than the previous one</u>.
5 I can recognize <u>your handwriting better than Susan's</u>.
6 Seoul is <u>less cold than Moscow</u>.
7 Sunflowers grow <u>taller than cosmos</u>.
8 Olivia can sing <u>louder than Ann</u>.
9 The carrot cake is <u>less sweet than the chocolate cake</u>.
10 This bookshelf can hold <u>much[even/far/a lot] more books than that one</u>.

POINT 3   the + 비교급, the + 비교급
p. 114

1 When she practices piano more, she'll play it better.
그녀는 피아노를 더 많이 연습할 때 그것을 더 잘 연주할 것이다.
→ <u>The more</u> she practices piano, <u>the better</u> she'll play it.
그녀는 피아노를 많이 연습하면 할수록 더 잘 연주할 것이다.

2 When I invite more friends, my party will be more fun.
내가 더 많은 친구들을 초대할 때, 나의 파티는 더 재미있을 것이다.
→ <u>The more friends I invite, the more fun my party will be</u>.
내가 많은 친구들을 초대하면 할수록 나의 파티는 더 재미있을 것이다.

3 When it gets colder, you should dress more warmly.
더 추워질 때, 너는 더 따뜻하게 옷을 입어야 한다.
→ <u>The colder it gets, the more warmly you should dress</u>.
추워지면 추워질수록 너는 더 따뜻하게 옷을 입어야 한다.

4 When Jerry ate more bread, he became thirstier.
Jerry는 더 많은 빵을 먹었을 때 더 목 마르게 됐다.
→ <u>The more bread Jerry ate, the thirstier he became</u>.
Jerry는 많은 빵을 먹으면 먹을수록 더 목 마르게 됐다.

5 When a movie is longer, it is more difficult to concentrate on.
영화가 더 길 때, 집중하는 것은 더 어렵다.
→ <u>The longer a movie is, the more difficult it is to concentrate on</u>.
영화가 길면 길수록 집중하는 것은 더 어렵다.

6 The climate is <u>getting hotter and hotter</u>.
7 The actor <u>became more and more famous</u>.
8 <u>The more often</u> they met, <u>the closer</u> they got.
9 The band's album <u>got more and more popular</u>.

10 As winter comes, the days get shorter and shorter.
11 The more people recycle, the better the environment will become.

POINT 4 the + 최상급

p. 115

1 She knows the best way to get to the airport.
2 Canada is one of the biggest countries.
3 John is one of the most common names in the US.
4 Dorothy has the longest hair of my friends.
5 August is the most humid month of the year.
6 The light bulb is one of the greatest inventions in history.
7 They went to the nearest theater.
8 The snail is one of the slowest animals.
9 He's the best swimmer in our country.
10 She's one of the most diligent students in my class.
11 My brother is the tallest member of my family.

기출문제 풀고 짝문제로 마무리!

p. 116

01 Your desk looks dirtier than my desk.
02 Shakespeare is one of the greatest writers.
03 The new lamp is much brighter than the old lamp.
04 He'll call her back as soon as possible.
05 He took a photo of the shiniest star in the sky.
06 The higher we climb, the lower the temperature will be.
07 This sauce tastes spicier than that sauce.
08 The cobra is one of the most dangerous animals.
09 Her voice is much louder than my voice.
10 She tried to stretch as often as possible.
11 Mr. Clark thought about the saddest moment in his life.
12 The older I grew, the more important I found my family.
13 This play is as funny as that one.
14 The pine tree is three times as tall as my dad.
15 The weather is getting colder and colder.
16 The pyramid is one of the most mysterious structures.
17 Victor is much[even/far/a lot] stronger than Tommy.
18 The tourists visited the largest beach in the country.
19 The more water you use, the less salty the soup will be.
20 Jiyun can jump as high as Hajun.
21 Her car is twice as expensive as yours.
22 His speech became more and more boring.
23 The Eiffel Tower is one of the most famous landmarks.
24 Dolphins are much[even/far/a lot] smarter than I thought.
25 This restaurant serves the most delicious steak in town.
26 The more difficult a puzzle is, the more time you need to finish it.
27 The storm became weaker and weaker.
28 Texting is more convenient than calling.
29 The next bus will be less crowded than this bus.
30 The Nile River is much longer than the Thames.
31 Jack is the best dancer of my friends.
32 Mary ran to the station as fast as possible.
33 My condition got better and better.
34 Cleaning the kitchen is harder than cooking.
35 The hotel room was less comfortable than my apartment.
36 Your idea is much more helpful than mine.

37 The Internet is the best invention in modern times.
38 You need to buy a ticket as early as possible.
39 The bed is softer than the couch.
40 The more she practiced ballet, the more she liked it.
41 The more plastic we use, the worse the environment gets.
42 My diary is thicker than my smartphone.
43 The more you study for the exam, the less worried you'll be.
44 The more money you donate, the more people we can help.
45 Sophia is younger than Chris.
46 Eric takes a walk more often than Rachel does.
47 This house is newer than that house.
48 I arrived at school later than Steve did.
49 The sneakers are as cheap as the sandals.
50 The suitcase is heavier than the backpack.
51 The pencil is as long as the pen.
52 The magazine is thinner than the dictionary.
53 David is as old as Lisa.
54 Lisa is shorter than Brian.
55 Brian is lighter than David.
56 Suwon is as cool as Incheon.
57 Busan is smaller than Incheon.
58 Busan's population is bigger than Suwon's.

01 해설 '…보다 더 ~한/하게'라는 의미이므로 「비교급 + than」을 쓴다. (▶ POINT 2)

02 해설 '가장 ~한 사람들/것들 중 하나'라는 의미이므로 「one of + the + 최상급 + 복수명사」를 쓴다. (▶ POINT 4)

03 해설 '…보다 훨씬 더 ~한/하게'라는 의미이므로 「비교급 + than」 앞에 비교급을 강조하는 much를 쓴다. (▶ POINT 2)

04 해설 '가능한 한 ~한/하게'라는 의미이므로 「as + 원급 + as + possible」을 쓴다. (▶ POINT 1)

05 해설 '가장 ~한/하게'라는 의미이므로 「the + 최상급」을 쓴다. 비교 범위는 in을 써서 나타낸다. (▶ POINT 4)

06 해설 '~하면 할수록 더 …하다'라는 의미이므로 「the + 비교급, the + 비교급」을 쓴다. (▶ POINT 3)

07 해설 '…보다 더 ~한/하게'라는 의미이므로 「비교급 + than」을 쓴다. (▶ POINT 2)

08 해설 '가장 ~한 사람들/것들 중 하나'라는 의미이므로 「one of + the + 최상급 + 복수명사」를 쓴다. (▶ POINT 4)

09 해설 '…보다 훨씬 더 ~한/하게'라는 의미이므로 「비교급 + than」 앞에 비교급을 강조하는 much를 쓴다. (▶ POINT 2)

10 해설 '가능한 한 ~한/하게'라는 의미이므로 「as + 원급 + as + possible」을 쓴다. (▶ POINT 1)

11 해설 '가장 ~한/하게'라는 의미이므로 「the + 최상급」을 쓴다. 비교 범위는 in을 써서 나타낸다. (▶ POINT 4)

12 해설 '~하면 할수록 더 …하다'라는 의미이므로 「the + 비교급, the + 비교급」을 쓴다. (▶ POINT 3)

13 해설 「as + 원급 + as(…만큼 ~한/하게)」로 써야 하므로 비교급 funnier를 funny로 고쳐야 한다. (▶ POINT 1)
해석 이 연극은 저것만큼 재미있다.

14 해설 「배수사 + as + 원급 + as(…보다 -배 더 ~한/하게)」로 써야 하므로 비교급 taller를 tall로 고쳐야 한다. (▶ POINT 1)
해석 그 소나무는 나의 아빠보다 세 배 더 키가 크다.

15 해설 「비교급 + and + 비교급(점점 더 ~한/하게)」으로 써야 하므로 coldest and coldest를 colder and colder로 고쳐야 한다. (▶ POINT 3)
해석 날씨는 점점 더 추워지고 있다.

16 해설 「one of + the + 최상급 + 복수명사(가장 ~한 사람들/것들 중 하나)」로 써야 하

므로 단수명사 structure를 structures로 고쳐야 한다. (▶ POINT 4)

[해석] 피라미드는 가장 불가사의한 건축물들 중 하나이다.

17 [해설] very는 비교급을 강조할 수 없으므로 very를 much, even, far 또는 a lot으로 고쳐야 한다. (▶ POINT 2)

[해석] Victor는 Tommy보다 훨씬 더 힘이 세다.

18 [해설] 최상급 앞에는 the를 써야 하므로 largest를 the largest로 고쳐야 한다. (▶ POINT 4)

[해석] 관광객들은 그 나라에서 가장 큰 해변을 방문했다.

19 [해설] 「the + 비교급, the + 비교급(~하면 할수록 더 …하다)」의 「the + 비교급」 뒤에는 주어와 동사를 순서대로 써야 하므로 use you를 you use로 고치고, will be the soup을 the soup will be로 고쳐야 한다. (▶ POINT 3)

[해석] 네가 많은 물을 사용하면 할수록 그 수프는 덜 짤 것이다.

20 [해설] 「as + 원급 + as(…만큼 ~한/하게)」로 써야 하므로 비교급 higher를 high로 고쳐야 한다. (▶ POINT 1)

[해석] 지윤이는 하준이만큼 높이 뛸 수 있다.

21 [해설] 「배수사 + as + 원급 + as(…보다 -배 더 ~한/하게)」로 써야 하므로 비교급 more expensive를 expensive로 고쳐야 한다. (▶ POINT 1)

[해석] 그녀의 차는 너의 것보다 두 배 더 비싸다.

22 [해설] 「비교급 + and + 비교급(점점 더 ~한/하게)」으로 써야 하므로 most and most boring을 more and more boring으로 고쳐야 한다. (▶ POINT 3)

[해석] 그의 연설은 점점 더 지루해졌다.

23 [해설] 「one of + the + 최상급 + 복수명사(가장 ~한 사람들/것들 중 하나)」로 써야 하므로 단수명사 landmark를 landmarks로 고쳐야 한다. (▶ POINT 4)

[해석] 에펠탑은 가장 유명한 랜드마크들 중 하나이다.

24 [해설] too는 비교급을 강조할 수 없으므로 too를 much, even, far 또는 a lot으로 고쳐야 한다. (▶ POINT 2)

[해석] 돌고래는 내가 생각했던 것보다 훨씬 더 똑똑하다.

25 [해설] 최상급 앞에는 the를 써야 하므로 most를 the most로 고쳐야 한다. (▶ POINT 4)

[해석] 이 식당은 시내에서 가장 맛있는 스테이크를 제공한다.

26 [해설] 「the + 비교급, the + 비교급(~하면 할수록 더 …하다)」의 「the + 비교급」 뒤에는 주어와 동사를 순서대로 써야 하므로 is a puzzle을 a puzzle is로 고치고, need you를 you need로 고쳐야 한다. (▶ POINT 3)

[해석] 퍼즐이 어려우면 어려울수록 너는 그것을 완성하기 위해 더 많은 시간이 필요하다.

27 [해설] '점점 더 ~한/하게'라는 의미이므로 「비교급 + and + 비교급」을 쓴다. (▶ POINT 3)

28 [해설] '…보다 더 ~한/하게'라는 의미이므로 「비교급 + than」을 쓴다. (▶ POINT 2)

29 [해설] '…보다 덜 ~한/하게'라는 의미이므로 「less + 원급 + than」을 쓴다. (▶ POINT 2)

30 [해설] '…보다 훨씬 더 ~한/하게'라는 의미이므로 「비교급 + than」 앞에 비교급을 강조하는 much를 쓴다. (▶ POINT 2)

31 [해설] '가장 ~한/하게'라는 의미이므로 「the + 최상급」을 쓴다. 비교 범위는 of를 써서 나타낸다. (▶ POINT 4)

32 [해설] '가능한 한 ~한/하게'라는 의미이므로 「as + 원급 + as + possible」을 쓴다. (▶ POINT 1)

33 [해설] '점점 더 ~한/하게'라는 의미이므로 「비교급 + and + 비교급」을 쓴다. (▶ POINT 3)

34 [해설] '…보다 더 ~한/하게'라는 의미이므로 「비교급 + than」을 쓴다. (▶ POINT 2)

35 [해설] '…보다 덜 ~한/하게'라는 의미이므로 「less + 원급 + than」을 쓴다. (▶ POINT 2)

36 [해설] '…보다 훨씬 더 ~한/하게'라는 의미이므로 「비교급 + than」 앞에 비교급을 강조하는 much를 쓴다. (▶ POINT 2)

37 [해설] '가장 ~한/하게'라는 의미이므로 「the + 최상급」을 쓴다. 비교 범위는 in을 써서 나타낸다. (▶ POINT 4)

38 [해설] '가능한 한 ~한/하게'라는 의미이므로 「as + 원급 + as + possible」을 쓴다. (▶ POINT 1)

39 [해설] 「not + as[so] + 원급 + as (…만큼 ~하지 않은/않게)」는 「비교급 + than(…보다 더 ~한/하게)」으로 바꿔 쓸 수 있다. (▶ POINT 2)

[해석] 그 소파는 그 침대만큼 푹신하지 않다.
→ 그 침대는 그 소파보다 더 푹신하다.

40 [해설] '그녀는 발레를 더 많이 연습했을 때 그것을 더 좋아했다'라는 의미는 「the + 비교급, the + 비교급(~하면 할수록 더 …하다)」을 이용하여 바꿔 쓸 수 있다. (▶ POINT 3)

[해석] 그녀는 발레를 더 많이 연습했을 때 그것을 더 좋아했다.
→ 그녀는 발레를 많이 연습하면 할수록 그것을 더 좋아했다.

41 [해설] '우리가 더 많은 플라스틱을 사용할 때, 환경은 더 나빠진다'라는 의미는 「the + 비교급, the + 비교급(~하면 할수록 더 …하다)」을 이용하여 바꿔 쓸 수 있다. (▶ POINT 3)

[해석] 우리가 더 많은 플라스틱을 사용할 때, 환경은 더 나빠진다.
→ 우리가 많은 플라스틱을 사용하면 할수록 환경은 더 나빠진다.

42 [해설] 「not + as[so] + 원급 + as (…만큼 ~하지 않은/않게)」는 「비교급 + than(…보다 더 ~한/하게)」으로 바꿔 쓸 수 있다. (▶ POINT 2)

[해석] 나의 스마트폰은 나의 일기장만큼 두껍지 않다.
→ 나의 일기장은 나의 스마트폰보다 더 두껍다.

43 [해설] '너는 더 많이 공부할 때 덜 걱정스러울 것이다'라는 의미는 「the + 비교급, the + 비교급(~하면 할수록 더 …하다)」을 이용하여 바꿔 쓸 수 있다. (▶ POINT 3)

[해석] 너는 그 시험을 위해 더 많이 공부할 때 덜 걱정스러울 것이다.
→ 너는 그 시험을 위해 많이 공부하면 할수록 덜 걱정스러울 것이다.

44 [해설] '네가 더 많은 돈을 기부할 때, 우리는 더 많은 사람들을 도울 수 있다'라는 의미는 「the + 비교급, the + 비교급(~하면 할수록 더 …하다)」을 이용하여 바꿔 쓸 수 있다. (▶ POINT 3)

[해석] 네가 더 많은 돈을 기부할 때, 우리는 더 많은 사람들을 도울 수 있다.
→ 네가 많은 돈을 기부하면 할수록 우리는 더 많은 사람들을 도울 수 있다.

45 [해설] Sophia가 Chris보다 더 어리므로 '…보다 더 ~한/하게'라는 의미의 「비교급 + than」을 쓴다. (▶ POINT 2)

[해석] Sophia는 1995년에 태어났다. Chris는 1990년에 태어났다.
→ Sophia는 Chris보다 더 어리다.

46 [해설] Eric이 Rachel보다 더 자주 산책을 하므로 '…보다 더 ~한/하게'라는 의미의 「비교급 + than」을 쓴다. (▶ POINT 2)

[해석] Eric은 매일 산책을 한다. Rachel은 일주일에 세 번 산책을 한다.
→ Eric은 Rachel이 하는 것보다 더 자주 산책을 한다.

47 [해설] 이 집이 저 집보다 더 새 것이므로 '…보다 더 ~한/하게'라는 의미의 「비교급 + than」을 쓴다. (▶ POINT 2)

[해석] 이 집은 작년에 지어졌다. 저 집은 5년 전에 지어졌다.
→ 이 집은 저 집보다 더 새 것이다.

48 [해설] 내가 Steve보다 학교에 더 늦게 도착했으므로 '…보다 더 ~한/하게'라는 의미의 「비교급 + than」을 쓴다. (▶ POINT 2)

[해석] 나는 8시 15분에 학교에 도착했다. Steve는 7시 50분에 학교에 도착했다.
→ 나는 Steve가 한 것보다 더 늦게 학교에 도착했다.

49 [해설] 운동화가 샌들만큼 저렴하므로 '…만큼 ~한/하게'라는 의미의 「as + 원급 + as」를 쓴다. (▶ POINT 1)

[해석] 운동화는 샌들만큼 저렴하다.

50 [해설] 여행 가방이 배낭보다 더 무거우므로 '…보다 더 ~한/하게'라는 의미의 「비교급 + than」을 쓴다. (▶ POINT 2)

[해석] 여행 가방은 배낭보다 더 무겁다.

51 [해설] 연필이 펜만큼 기므로 '…만큼 ~한/하게'라는 의미의 「as + 원급 + as」를 쓴다. (▶ POINT 1)

[해석] 연필은 펜만큼 길다.

52 [해설] 잡지가 사전보다 더 얇으므로 '…보다 더 ~한/하게'라는 의미의 「비교급 + than」을 쓴다. (▶ POINT 2)

[해석] 잡지는 사전보다 더 얇다.

53
55 [해석]

	David	Lisa	Brian
나이	20	20	23
키	178 cm	163 cm	181 cm
체중	75 kg	58 kg	70 kg

접속사

53
[해설] David와 Lisa의 나이가 같으므로 '…만큼 ~한/하게'라는 의미의 「as + 원급 + as」를 쓴다. (▶ POINT 1)

[해석] David는 Lisa만큼 나이 들었다.

54
[해설] Lisa가 Brian보다 키가 더 작으므로 '…보다 더 ~한/하게'라는 의미의 「비교급 + than」을 쓴다. (▶ POINT 2)

[해석] Lisa는 Brian보다 키가 더 작다.

55
[해설] Brian이 David보다 더 가벼우므로 '…보다 더 ~한/하게'라는 의미의 「비교급 + than」을 쓴다. (▶ POINT 2)

[해석] Brian은 David보다 더 가볍다.

56 [해석]
58

도시	수원	인천	부산
평균 기온	13.4 °C	13.4 °C	15.7 °C
면적	121 ㎢	1,066 ㎢	770 ㎢
인구	1,190,368	2,962,388	3,322,286

56
[해설] 수원이 인천만큼 시원하므로 '…만큼 ~한/하게'라는 의미의 「as + 원급 + as」를 쓴다. (▶ POINT 1)

[해석] 수원은 인천만큼 시원하다.

57
[해설] 부산이 인천보다 면적이 더 작으므로 '…보다 더 ~한/하게'라는 의미의 「비교급 + than」을 쓴다. (▶ POINT 2)

[해석] 부산은 인천보다 더 작다.

58
[해설] 부산이 수원보다 인구가 더 많으므로 '…보다 더 ~한/하게'라는 의미의 「비교급 + than」을 쓴다. (▶ POINT 2)

[해석] 부산의 인구는 수원의 것보다 더 많다.

CHAPTER 11
접속사

POINT 1 등위접속사와 상관접속사 p. 122

1 She likes baseball as well as soccer.
2 I hate cucumber, but my mom likes it.
3 Go to bed now, or you'll be tired tomorrow.
4 He takes a walk or watches TV in the evening.
5 There was a car accident, so the road was closed.
6 Their coffee was expensive but tasty.
7 She wore both a muffler and gloves.
8 Changhee went home and did his homework.
9 It snowed a lot, so all flights were canceled.
10 Take this medicine, and you will[you'll] get well soon.

POINT 2 부사절을 이끄는 접속사: 조건, 양보 p. 123

1 If we take a taxi, we won't be late.
2 Though this oven is old, it still works well.
3 Unless it's cold outside, I'll open the windows.
4 He'll buy a new wallet if he gets some money.
5 Even though I ate three hamburgers, I'm still hungry.
6 If we run regularly, we'll be healthier.
7 If the weather is fine, I'll ride my bike.
8 Turn off the lights if you leave the room.
9 Though I woke up late, I didn't miss the school bus.
10 Unless they have a ticket, they can't enter the museum.

POINT 3 부사절을 이끄는 접속사: 이유, 결과 p. 124

1 Because of the rain, the picnic was delayed.
2 Since she lost her cell phone, she felt bad.
3 As you weren't home, I put the letter on your desk.
4 We won the singing contest because we practiced a lot.
5 I went to the doctor because of a terrible headache.
6 I'm tired. I won't play basketball tonight.
나는 피곤하다. 나는 오늘 밤에 농구를 하지 않을 것이다.
→ I'm so tired that I won't play basketball tonight.
나는 너무 피곤해서 오늘 밤에 농구를 하지 않을 것이다.
7 Steven is kind. Everyone likes him.
Steven은 친절하다. 모두가 그를 좋아한다.
→ Steven is so kind that everyone likes him.
Steven은 너무 친절해서 모두가 그를 좋아한다.
8 You're strong. You can carry these boxes.
너는 힘이 세다. 너는 이 상자들을 나를 수 있다.
→ You're so strong that you can carry these boxes.
너는 힘이 너무 세서 이 상자들을 나를 수 있다.
9 Betty was thirsty. She drank three cups of juice.
Betty는 목이 말랐다. 그녀는 주스 세 컵을 마셨다.
→ Betty was so thirsty that she drank three cups of juice.
Betty는 너무 목이 말라서 주스 세 컵을 마셨다.
10 This math problem was hard. I couldn't solve it.
이 수학 문제는 어려웠다. 나는 그것을 풀 수 없었다.
→ This math problem was so hard that I couldn't solve it.

이 수학 문제는 너무 어려워서 나는 그것을 풀 수 없었다.

POINT 4 부사절을 이끄는 접속사: 시간 p. 125

1 I felt better as I talked with her.
2 She wrapped the gift before she met John.
3 Daniel fell asleep while he watched the movie.
4 When she got off the train, it began to rain.
5 The town has changed a lot since I lived there.
6 I'll wait until he calls me.
7 While I study, I don't listen to music.
8 Laura took a shower before she went out.
9 Indians use their hands when they eat food.
10 As soon as he ended his speech, the audience clapped.

POINT 5 명사절을 이끄는 접속사: that p. 126

1 I think that she'll like the necklace.
2 It is interesting that dogs can become jealous.
3 I can't believe that Kyle baked this cake.
4 Kate knows that the bag is too expensive to buy.
5 The issue is that air pollution is getting worse.
6 The fact is that Carol lied to us.
7 They know that I am[I'm] scared of birds.
8 He said that he finished the essay last night.
9 It was disappointing that she forgot our appointment.
10 I don't think that learning Chinese is easy.

POINT 6 간접의문문 p. 127

1 Do you know? + Where is Michael from?
너는 아니? + Michael은 어디 출신이니?
→ Do you know where Michael is from?
너는 Michael이 어디 출신인지 아니?

2 I want to know. + How can we help you?
나는 알고 싶다. + 우리가 너를 어떻게 도울 수 있니?
→ I want to know how we can help you.
나는 우리가 너를 어떻게 도울 수 있는지 알고 싶다.

3 I'm not sure. + When will the sun rise?
나는 확실히 알지 못한다. + 해는 언제 뜰 것이니?
→ I'm not sure when the sun will rise.
나는 해가 언제 뜰지 확실히 알지 못한다.

4 I don't know. + Why was she absent from school?
나는 알지 못한다. + 그녀는 왜 학교에 결석했니?
→ I don't know why she was absent from school.
나는 그녀가 왜 학교에 결석했는지 알지 못한다.

5 Do you know? + What color does he like?
너는 아니? + 그는 무슨 색을 좋아하니?
→ Do you know what color he likes?
너는 그가 무슨 색을 좋아하는지 아니?

6 Can you tell me? + Who wrote this poem?
너는 나에게 말해줄 수 있니? + 누가 이 시를 썼니?
→ Can you tell me who wrote this poem?
너는 나에게 누가 이 시를 썼는지 말해줄 수 있니?

7 I'm not sure. + Is there a park nearby?
나는 확실히 알지 못한다. + 근처에 공원이 있니?
→ I'm not sure if[whether] there is a park nearby.
나는 근처에 공원이 있는지 확실히 알지 못한다.

8 I wonder. + Did she have her car fixed?
나는 궁금하다. 그녀는 그녀의 차를 수리하게 했니?

→ I wonder if[whether] she had her car fixed.
나는 그녀가 그녀의 차를 수리되게 했는지 궁금하다.

9 I want to know. + How many hours do you exercise each day?
나는 알고 싶다. + 너는 매일 몇 시간 운동하니?
→ I want to know how many hours you exercise each day.
나는 네가 매일 몇 시간 운동하는지 알고 싶다.

10 I wonder. + Did Jenny bring a lunch box?
나는 궁금하다. + Jenny는 도시락을 가져왔니?
→ I wonder if[whether] Jenny brought a lunch box.
나는 Jenny가 도시락을 가져왔는지 궁금하다.

11 Can you tell me? + Does that bus go to city hall?
너는 나에게 말해줄 수 있니? + 저 버스는 시청으로 가니?
→ Can you tell me if[whether] that bus goes to city hall?
너는 나에게 저 버스가 시청으로 가는지 말해줄 수 있니?

12 Do you know? + Is the library open this evening?
너는 아니? + 도서관은 오늘 저녁에 열려 있니?
→ Do you know if[whether] the library is open this evening?
너는 도서관이 오늘 저녁에 열려 있는지 아니?

기출문제 풀고 짝문제로 마무리! p. 128

01 If you're free today, let's go to the zoo together.
02 Susan cried because[since/as] the story was sad.
03 I think (that) respecting others' opinions is important.
04 Dad bought me a balloon when my family went to the amusement park.
05 Though[Although/Even though] his speech was short, it was very impressive.
06 If you feel hot, turn on the air conditioner.
07 Because[Since/As] the classroom is noisy, Richard can't concentrate.
08 Emily thinks (that) swimming is more interesting than running.
09 When I was an elementary school student, I hoped to become an astronaut.
10 Though[Although/Even though] she ordered the dress last week, it hasn't arrived yet.
11 We'll visit either London or Rome.
12 Sumi and Jinho were in their seats until the movie ended.
13 The shoes don't fit me, so I'll exchange them for smaller ones.
14 We believe that we can make the world better.
15 It's a pity that you lost the chance to meet the actor.
16 Linda turned back to me as soon as I called her name.
17 I'll buy either grapes or melons.
18 Your parents will wait until you come back home.
19 The restaurant serves great food and drink, so it is crowded with people.
20 I know that you did your best to prepare for the presentation.
21 It was surprising that he finished writing the report so quickly.
22 Frank opened the letter as soon as he received it.
23 After she takes a shower, she'll drink a cup of tea.
24 He washed his hands with soap before he cooked dinner.
25 Unless the weather is too cold tomorrow, we'll go hiking.
26 Unless I have homework today, I'll play tennis.
27 The truck is so large that it can carry all of our furniture.
28 Ms. Jones is not only a teacher but (also) a popular writer.
29 After I do the laundry, I'll clean the living room.
30 She returned to Korea before she published her new novel.
31 Unless they miss the train, they'll arrive on time.
32 Unless you exercise regularly, you won't stay healthy.

33 Juhee was <u>so</u> smart <u>that</u> she could answer all of my questions.

34 Justin collects <u>not only</u> stamps <u>but (also)</u> foreign coins.

35 Do you know <u>what the teacher talked about</u>?

36 I don't know <u>when the festival will take place</u>.

37 I wonder <u>if[whether] he was invited to the wedding</u>.

38 Tony is <u>so</u> tall <u>that</u> he can reach the top shelf.

39 <u>After</u> she chopped the vegetables, she fried them.

40 <u>Since</u> his birthday is coming, his friends are planning a party.

41 I wonder <u>what you will[you'll] do during winter vacation</u>.

42 I'm not sure <u>when I will[I'll] finish my homework</u>.

43 I'm not sure <u>if[whether] the store sells pet food</u>.

44 This book is <u>so</u> big <u>that</u> I can't put it in my bag.

45 <u>Before</u> he played a video game, he walked his dog.

46 <u>As</u> the song was sung by her favorite singer, she listened to it all day.

47 He has a blue pen <u>as well as</u> a red pen.

48 Mark is <u>so</u> hungry <u>that</u> he wants to eat a whole pizza.

49 She speaks English <u>as well as</u> French.

50 Sarah is <u>so</u> tired <u>that</u> she wants to sleep right now.

51 <u>Bring an umbrella, or you'll get wet.</u>

52 <u>Use a reusable cup, and you can reduce waste.</u>

---

01 해설 '만약 ~한다면'이라는 의미의 접속사 if를 쓴다. (▶ POINT 2)

02 해설 '~하기 때문에'라는 의미의 접속사 because, since, 또는 as를 쓴다. (▶ POINT 3)

03 해설 동사 think의 목적어로 쓰인 명사절을 이끄는 접속사 that을 쓴다. 이때 that은 생략할 수 있다. (▶ POINT 5)

04 해설 '~할 때'라는 의미의 접속사 when을 쓴다. (▶ POINT 4)

05 해설 '비록 ~이지만'이라는 의미의 접속사 though, although 또는 even though를 쓴다. (▶ POINT 2)

06 해설 '만약 ~한다면'이라는 의미의 접속사 if를 쓴다. (▶ POINT 2)

07 해설 '~하기 때문에'라는 의미의 접속사 because, since, 또는 as를 쓴다. (▶ POINT 3)

08 해설 동사 think의 목적어로 쓰인 명사절을 이끄는 접속사 that을 쓴다. 이때 that은 생략할 수 있다. (▶ POINT 5)

09 해설 '~할 때'라는 의미의 접속사 when을 쓴다. (▶ POINT 4)

10 해설 '비록 ~이지만'이라는 의미의 접속사 though, although 또는 even though를 쓴다. (▶ POINT 2)

11 해설 'A나 B 둘 중 하나'라는 의미의 either A or B를 쓴다. (▶ POINT 1)

12 해설 '~할 때까지'라는 의미의 접속사 until을 쓴다. (▶ POINT 4)

13 해설 '그래서'라는 의미로 절과 절을 연결하는 등위접속사 so를 쓴다. (▶ POINT 1)

14 해설 동사 believe의 목적어로 쓰인 명사절을 이끄는 접속사 that을 쓴다. (▶ POINT 5)

15 해설 주어로 쓰인 명사절을 이끄는 접속사 that을 쓴다. 이때 주어 자리에 가주어 it을 쓰고 진주어인 that절은 문장 뒤로 보낸다. (▶ POINT 5)

16 해설 '~하자마자'라는 의미의 접속사 as soon as를 쓴다. (▶ POINT 4)

17 해설 'A나 B 둘 중 하나'라는 의미의 either A or B를 쓴다. (▶ POINT 1)

18 해설 '~할 때까지'라는 의미의 접속사 until을 쓴다. (▶ POINT 4)

19 해설 '그래서'라는 의미로 절과 절을 연결하는 등위접속사 so를 쓴다. (▶ POINT 1)

20 해설 동사 know의 목적어로 쓰인 명사절을 이끄는 접속사 that을 쓴다. (▶ POINT 5)

21 해설 주어로 쓰인 명사절을 이끄는 접속사 that을 쓴다. 이때 주어 자리에 가주어 it을 쓰고 진주어인 that절은 문장 뒤로 보낸다. (▶ POINT 5)

22 해설 '~하자마자'라는 의미의 접속사 as soon as를 쓴다. (▶ POINT 4)

23 해설 '차 한 잔을 마시기 전에 샤워를 할 것이다'라는 의미는 접속사 after(~한 후에)를 사용하여 바꿔 쓸 수 있다. 시간을 나타내는 부사절에서는 미래의 일을 나타내도 현재시제를 쓴다. (▶ POINT 4)

해석 그녀는 차 한 잔을 마시기 전에 샤워를 할 것이다.
→ 그녀는 샤워를 한 후에 차 한 잔을 마실 것이다.

24 해설 '비누로 손을 씻은 후에 저녁 식사를 요리했다'라는 의미는 접속사 before (~하기 전에)를 사용하여 바꿔 쓸 수 있다. (▶ POINT 4)

해석 그는 비누로 손을 씻은 후에 저녁 식사를 요리했다.
→ 그는 저녁 식사를 요리하기 전에 비누로 손을 씻었다.

25 해설 '만약 ~하지 않는다면'이라는 의미의 if ~ not은 unless로 바꿔 쓸 수 있다. (▶ POINT 2)

해석 만약 내일 날씨가 너무 춥지 않다면, 우리는 하이킹하러 갈 것이다.

26 해설 '만약 ~하지 않는다면'이라는 의미의 if ~ not은 unless로 바꿔 쓸 수 있다. (▶ POINT 2)

해석 만약 내가 오늘 숙제가 없다면, 나는 테니스를 칠 것이다.

27 해설 「형용사/부사 + enough + to부정사(…할 만큼 충분히 ~한)」는 「so + 형용사/부사 + that + 주어 + can(너무 ~해서 …할 수 있다)」으로 바꿔 쓸 수 있다. (▶ POINT 3)

해석 그 트럭은 우리의 모든 가구를 실어 나를 만큼 충분히 크다.
→ 그 트럭은 너무 커서 우리의 모든 가구를 실어 나를 수 있다.

28 해설 'A뿐만 아니라 B도'라는 의미의 B as well as A는 not only A but (also) B로 바꿔 쓸 수 있다. (▶ POINT 1)

해석 Jones씨는 선생님일 뿐만 아니라 유명한 작가이기도 하다.

29 해설 '거실을 청소하기 전에 빨래를 할 것이다'라는 의미는 접속사 after(~한 후에)를 사용하여 바꿔 쓸 수 있다. 시간을 나타내는 부사절에서는 미래의 일을 나타내도 현재시제를 쓴다. (▶ POINT 4)

해석 나는 거실을 청소하기 전에 빨래를 할 것이다.
→ 나는 빨래를 한 후에 거실을 청소할 것이다.

30 해설 '한국으로 돌아온 후에 그녀의 새 소설을 출판했다'라는 의미는 접속사 before(~하기 전에)를 사용하여 바꿔 쓸 수 있다. (▶ POINT 4)

해석 그녀는 한국으로 돌아온 후에 그녀의 새 소설을 출판했다.
→ 그녀는 그녀의 새 소설을 출판하기 전에 한국으로 돌아왔다.

31 해설 '만약 ~하지 않는다면'이라는 의미의 if ~ not은 unless로 바꿔 쓸 수 있다. (▶ POINT 2)

해석 만약 그들이 그 기차를 놓치지 않는다면, 그들은 제시간에 도착할 것이다.

32 해설 if ~ not은 '만약 ~하지 않는다면'이라는 의미의 unless로 바꿔 쓸 수 있다. (▶ POINT 2)

해석 만약 네가 규칙적으로 운동하지 않는다면, 너는 건강을 유지하지 못할 것이다.

33 해설 「형용사/부사 + enough + to부정사(…할 만큼 충분히 ~한)」는 「so + 형용사/부사 + that + 주어 + can(너무 ~해서 …할 수 있다)」으로 바꿔 쓸 수 있다. (▶ POINT 3)

해석 주희는 모든 나의 질문에 대답할 만큼 충분히 똑똑했다.
→ 주희는 너무 똑똑해서 모든 나의 질문에 대답할 수 있었다.

34 해설 'A뿐만 아니라 B도'라는 의미의 B as well as A는 not only A but (also) B로 바꿔 쓸 수 있다. (▶ POINT 1)

해석 Justin은 우표뿐만 아니라 외국 동전도 수집한다.

35 해설 두 번째 문장이 첫 번째 문장의 일부로 쓰이는 간접의문문이 되어야 하고 의문사가 있으므로 「의문사 + 주어 + 동사」의 형태로 쓴다. (▶ POINT 6)

해석 • 너는 아니?
• 그 선생님이 무엇에 대해 말하셨니?
→ 너는 그 선생님이 무엇에 대해 말하셨는지 아니?

36 해설 두 번째 문장이 첫 번째 문장의 일부로 쓰이는 간접의문문이 되어야 하고 의문사가 있으므로 「의문사 + 주어 + 동사」의 형태로 쓴다. (▶ POINT 6)

해석 • 나는 알지 못한다.
• 그 축제는 언제 열릴 것이니?
→ 나는 그 축제가 언제 열릴 것인지 알지 못한다.

37 해설 두 번째 문장이 첫 번째 문장의 일부로 쓰이는 간접의문문이 되어야 하고 의문사가 없으므로 「if[whether] + 주어 + 동사」의 형태로 쓴다. (▶ POINT 6)

해석 ・나는 궁금하다.
   ・그는 그 결혼식에 초대되었니?
   → 나는 그가 그 결혼식에 초대되었는지 궁금하다.

38 해설 'Tony는 키가 크다. 그는 맨 위 선반에 닿을 수 있다'라는 의미는 「so + 형용사 + that + 주어 + can(너무 ~해서 …할 수 있다)」을 사용하여 나타낼 수 있다. (▶ POINT 3)

해설 ・Tony는 키가 크다.
   ・그는 맨 위 선반에 닿을 수 있다.
   → Tony는 너무 키가 커서 맨 위 선반에 닿을 수 있다.

39 해설 '그녀는 야채들을 다졌다. 그러고 나서, 그녀는 그것들을 볶았다'라는 의미는 접속사 after(~한 후에)를 사용하여 나타낼 수 있다. (▶ POINT 4)

해설 ・그녀는 야채들을 다졌다.
   ・그러고 나서, 그녀는 그것들을 볶았다.
   → 그녀는 야채들을 다진 후에 그것들을 볶았다.

40 해설 '그의 생일이 다가오고 있다. 그래서 그의 친구들은 파티를 계획하고 있다'라는 의미는 접속사 since(~하기 때문에)를 사용하여 나타낼 수 있다. (▶ POINT 3)

해설 ・그의 생일이 다가오고 있다.
   ・그래서 그의 친구들은 파티를 계획하고 있다.
   → 그의 생일이 다가오고 있기 때문에, 그의 친구들은 파티를 계획하고 있다.

41 해설 두 번째 문장이 첫 번째 문장의 일부로 쓰이는 간접의문문이 되어야 하고 의문사가 있으므로 「의문사 + 주어 + 동사」의 형태로 쓴다. (▶ POINT 6)

해설 ・나는 궁금하다.
   ・너는 겨울 방학 동안에 무엇을 할 것이니?
   → 나는 네가 겨울 방학 동안에 무엇을 할 것인지 궁금하다.

42 해설 두 번째 문장이 첫 번째 문장의 일부로 쓰이는 간접의문문이 되어야 하고 의문사가 있으므로 「의문사 + 주어 + 동사」의 형태로 쓴다. (▶ POINT 6)

해설 ・나는 확실히 알지 못한다.
   ・나는 언제 나의 숙제를 끝낼까?
   → 나는 내가 언제 나의 숙제를 끝낼 것인지 확실히 알지 못한다.

43 해설 두 번째 문장이 첫 번째 문장의 일부로 쓰이는 간접의문문이 되어야 하고 의문사가 없으므로 「if[whether] + 주어 + 동사」의 형태로 쓴다. (▶ POINT 6)

해설 ・나는 확실히 알지 못한다.
   ・그 가게는 애완동물 먹이를 파니?
   → 나는 그 가게가 애완동물 먹이를 파는지 확실히 알지 못한다.

44 해설 '이 책은 크다. 나는 그것을 나의 가방에 넣을 수 없다'라는 의미는 「so + 형용사/부사 + that + 주어 + can't(너무 ~해서 …할 수 없다)」를 사용하여 나타낼 수 있다. (▶ POINT 3)

해설 ・이 책은 크다.
   ・나는 그것을 나의 가방에 넣을 수 없다.
   → 이 책은 너무 커서 나는 그것을 나의 가방에 넣을 수 없다.

45 해설 '그는 그의 개를 산책시켰다. 그러고 나서, 그는 비디오 게임을 했다'라는 의미는 접속사 before(~하기 전에)를 사용하여 나타낼 수 있다. (▶ POINT 4)

해설 ・그는 그의 개를 산책시켰다.
   ・그러고 나서, 그는 비디오 게임을 했다.
   → 그는 비디오 게임을 하기 전에 그의 개를 산책시켰다.

46 해설 '그 노래는 그녀가 가장 좋아하는 가수에 의해 불렸다. 그래서 그녀는 그것을 하루 종일 들었다'라는 의미는 접속사 as(~하기 때문에)를 사용하여 나타낼 수 있다. (▶ POINT 3)

해설 ・그 노래는 그녀가 가장 좋아하는 가수에 의해 불렸다.
   ・그래서 그녀는 그것을 하루 종일 들었다.
   → 그 노래는 그녀가 가장 좋아하는 가수에 의해 불렸기 때문에, 그녀는 그것을 하루 종일 들었다.

47 해설 'A뿐만 아니라 B'라는 의미의 B as well as A를 쓴다. (▶ POINT 1)

해설 그는 빨간 펜뿐만 아니라 파란 펜도 가지고 있다.

48 해설 '너무 ~해서 …하다'라는 의미의 「so + 형용사/부사 + that …」을 쓴다. (▶ POINT 3)

해설 Mark는 너무 배고파서 피자 한 판을 먹기를 원한다.

49 해설 'A뿐만 아니라 B'라는 의미의 B as well as A를 쓴다. (▶ POINT 1)

해설 그녀는 프랑스어뿐만 아니라 영어도 말한다.

50 해설 '너무 ~해서 …하다'라는 의미의 「so + 형용사/부사 + that …」을 쓴다. (▶ POINT 3)

해설 Sarah는 너무 피곤해서 지금 당장 자기를 원한다.

51 해설 '…해라, 그렇지 않으면 ~'이라는 의미의 「명령문 + or ~」를 쓴다. (▶ POINT 1)

52 해설 '…해라, 그러면 ~'이라는 의미의 「명령문 + and ~」를 쓴다. (▶ POINT 1)

CHAPTER 12
관계사

POINT 1 관계대명사의 역할과 종류 p. 134

1 He ate the soup. I made it. 그는 그 수프를 먹었다. 나는 그것을 만들었다.
→ <u>He ate the soup which I made.</u> 그는 내가 만든 수프를 먹었다.

2 There is a store. It sells organic products.
가게가 있다. 그곳은 유기농 제품들을 판매한다.
→ <u>There is a store which sells organic products.</u>
유기농 제품들을 판매하는 가게가 있다.

3 The woman will sing at the party. She works with me.
그 여자는 파티에서 노래할 것이다. 그녀는 나와 함께 일한다.
→ <u>The woman who works with me will sing at the party.</u>
나와 함께 일하는 그 여자는 파티에서 노래할 것이다.

4 He invited the students to the wedding. He taught them.
그는 그 학생들을 결혼식에 초대했다. 그는 그들을 가르쳤다.
→ <u>He invited the students who[whom] he taught to the wedding.</u>
그는 그가 가르친 학생들을 결혼식에 초대했다.

5 I have <u>a friend who lives near my house.</u>

6 <u>The photo which I took yesterday</u> will be framed.

7 She doesn't like <u>drinks which contain sugar.</u>

8 <u>The bus which goes to the airport</u> will arrive soon.

9 We went to <u>the restaurant whose owner is my aunt.</u>

POINT 2 주격 관계대명사 p. 135

1 I know a man. He studies Japanese.
나는 남자를 안다. 그는 일본어를 공부한다.
→ <u>I know a man who studies Japanese.</u>
나는 일본어를 공부하는 남자를 안다.

2 The shirt is expensive. It is made of silk.
그 셔츠는 비싸다. 그것은 실크로 만들어진다.
→ <u>The shirt which is made of silk is expensive.</u>
실크로 만들어진 그 셔츠는 비싸다.

3 We'll meet a professor. He teaches history.
우리는 교수님을 만날 것이다. 그는 역사를 가르친다.
→ <u>We'll meet a professor who teaches history.</u>
우리는 역사를 가르치는 교수님을 만날 것이다.

4 There is a café. It is open until midnight.
카페가 있다. 그곳은 자정까지 열려 있다.
→ <u>There is a café which is open until midnight.</u>
자정까지 열려 있는 카페가 있다.

5 The girl is my sister. She is wearing a red dress.
그 소녀는 나의 여동생이다. 그녀는 빨간 드레스를 입고 있다.
→ <u>The girl who is wearing a red dress is my sister.</u>
빨간 드레스를 입고 있는 그 소녀는 나의 여동생이다.

6 She likes the actor. He appeared in this movie.
그녀는 그 배우를 좋아한다. 그는 이 영화에 출연했다.
→ <u>She likes the actor who appeared in this movie.</u>
그녀는 이 영화에 출연한 배우를 좋아한다.

7 <u>The car which is parked here</u> is my mom's.

8 I called <u>my uncle who works</u> at the bank.

9 Bears are <u>animals which sleep</u> during winter.

10 We stayed at <u>the hotel which looks</u> like a castle.

11 <u>The boys who are playing soccer</u> are my classmates.

POINT 3 목적격 관계대명사 p. 136

1 He is the teacher. I respect him.
그는 선생님이다. 나는 그를 존경한다.
→ <u>He is the teacher who[whom] I respect.</u>
그는 내가 존경하는 선생님이다.

2 I'm eating a sandwich. My mom made it.
나는 샌드위치를 먹고 있다. 나의 엄마가 그것을 만들었다.
→ <u>I'm eating a sandwich which my mom made.</u>
나는 나의 엄마가 만든 샌드위치를 먹고 있다.

3 The boy is my brother. Jenny is dancing with him.
그 소년은 나의 남동생이다. Jenny는 그와 함께 춤을 추고 있다.
→ <u>The boy who[whom] Jenny is dancing with is my brother.</u>
Jenny가 함께 춤을 추고 있는 소년은 나의 남동생이다.

4 The book is about planets. She borrowed it yesterday.
그 책은 행성에 대한 것이다. 그녀는 그것을 어제 빌렸다.
→ <u>The book which she borrowed yesterday is about planets.</u>
그녀가 어제 빌린 책은 행성에 대한 것이다.

5 This is the ticket for the exhibition. I want to see it.
이것은 전시회의 입장권이다. 나는 그것을 구경하고 싶다.
→ <u>This is the ticket for the exhibition which I want to see.</u>
이것은 내가 구경하고 싶은 전시회의 입장권이다.

6 They liked <u>the muffins which I baked.</u>

7 This is <u>the woman who[whom] he'll marry.</u>

8 I still have <u>the doll which you bought</u> for me.

9 He's fond of <u>the pictures which Picasso painted.</u>

10 Thomas is <u>the boy who[whom] she introduced</u> to me.

11 Do you know the name of <u>the girl who[whom] I met</u> at the party?

POINT 4 소유격 관계대명사 p. 137

1 Nancy is the girl. Her eyes are blue.
Nancy는 소녀이다. 그녀의 눈은 파랗다.
→ <u>Nancy is the girl whose eyes are blue.</u>
Nancy는 눈이 파란 소녀이다.

2 The car is mine. Its door is broken.
그 자동차는 나의 것이다. 그것의 문은 망가져 있다.
→ <u>The car whose door is broken is mine.</u>
문이 망가져 있는 그 자동차는 나의 것이다.

3 He is the man. His daughter is a lawyer.
그는 남자이다. 그의 딸은 변호사이다.
→ <u>He is the man whose daughter is a lawyer.</u>
그는 딸이 변호사인 남자이다.

4 Kevin is my friend. His hobby is running.
Kevin은 나의 친구이다. 그의 취미는 달리기이다.
→ <u>Kevin is my friend whose hobby is running.</u>
Kevin은 취미가 달리기인 나의 친구이다.

5 I like the author. You're reading her book now.
나는 그 작가를 좋아한다. 너는 지금 그녀의 책을 읽고 있다.
→ <u>I like the author whose book you're reading now.</u>
나는 네가 지금 읽고 있는 책의 작가를 좋아한다.

6 We have <u>a dog whose hair is brown.</u>

7 This is <u>my cousin whose name is Anne.</u>

8 She planted <u>trees whose fruit is sweet.</u>

9 He met <u>a woman whose voice is wonderful.</u>

10 I know <u>a boy whose parents live</u> overseas.

11 They bought <u>a house whose garden has many flowers.</u>

POINT 5　관계대명사 that, what

p. 138

1　All that I can do now is to wait for their reply.
2　Please write down what I'm saying.
3　He uses the same computer that I use.
4　I can't remember what he wore yesterday.
5　I'm thinking about what I'll eat for dinner.
6　She read the first poem that was written by Sandra.
7　This juice isn't what I ordered.
8　Tell me what you want to learn more about.
9　There were two boys and a dog that ran in the rain.
10　We don't believe what we heard about you.
11　Minji bought everything that she needed for the event.
12　Billy is the smartest person that I've ever met.

POINT 6　관계부사

p. 139

1　I don't know the reason. You're angry for that reason.
　나는 그 이유를 모른다. 너는 그 이유 때문에 화나 있다.
　→ I don't know (the reason) why you're angry.
　　나는 네가 화나 있는 이유를 모른다.
2　Tomorrow is the day. Emily is leaving for Norway on that day.
　내일은 그날이다. Emily는 그날 노르웨이로 떠날 것이다.
　→ Tomorrow is (the day) when Emily is leaving for Norway.
　　내일은 Emily가 노르웨이로 떠날 날이다.
3　I remember the place. I used to play with my friends in that place.
　나는 그 장소를 기억한다. 나는 그 장소에서 나의 친구들과 함께 놀곤 했다.
　→ I remember (the place) where I used to play with my friends.
　　나는 나의 친구들과 함께 놀곤 했던 장소를 기억한다.
4　She explained the reason. She was late for school for that reason.
　그녀는 그 이유를 설명했다. 그녀는 그 이유 때문에 학교에 지각했다.
　→ She explained (the reason) why she was late for school.
　　그녀는 그녀가 학교에 지각한 이유를 설명했다.
5　Eric showed me the way. He solved the math problem that way.
　Eric은 나에게 그 방법을 보여줬다. 그는 그 방법으로 그 수학 문제를 풀었다.
　→ Eric showed me how he solved the math problem.
　　Eric은 나에게 그가 그 수학 문제를 푼 방법을 보여줬다.
6　This is the hospital. My dad worked for five years at this hospital.
　이곳은 그 병원이다. 나의 아빠는 이 병원에서 5년 동안 근무하셨다.
　→ This is the hospital where my dad worked for five years.
　　이곳은 나의 아빠가 5년 동안 근무하셨던 병원이다.
7　Four o'clock is (the time) when the class ends.
8　I'd like to know how he controls his emotions.
9　The park where I exercise every day has a lake.
10　The book is about how we can protect the environment.
11　Can you tell me (the reason) why they canceled the picnic?

기출문제 풀고 짝문제로 마무리!

p. 140

01　I'll buy a sweater whose color is grey.
02　Sam is my cousin who[that] studies art in the US.
03　We're waiting for a train which[that] will arrive at noon.
04　This is a house which[that] my grandfather built last year.
05　There are some sheep and a girl that are walking in the field.
06　James interviewed a boy who[that] won the speech competition.
07　I saw a movie whose theme was friendship.
08　I visited my aunt who[that] is a great composer.
09　They go to the school which[that] has a large playground.

10　The subject which[that] Mr. Davis teaches is social studies.
11　Look at the man and the dog that are swimming in the lake.
12　The woman who[that] picked up a wallet went to the police station.
13　The book which is on the table is mine.
14　Mom found the watch which I lost yesterday.
15　Tim is my friend who[whom] I like the most.
16　I want to find the man who helped me on the way home.
17　He's a writer whose first book was published last year.
18　This museum has many portraits which were painted in the 19th century.
19　Penguins are animals which live in groups.
20　The bike which I used to ride is broken.
21　Sara knows the celebrity who[whom] I met last week.
22　These are students who enjoy playing instruments.
23　There are many children whose dream is to be an athlete.
24　Ms. White is reading the letters which were written by her students.
25　The woman whom I talked to was my teacher.
26　The jacket which Brian bought was expensive.
27　He took notes of everything that the teacher said.
28　Do you know what Andrew will do this weekend?
29　He's the firefighter who saved the people in the fire.
30　Minsu ate an ice cream which tasted like honey.
31　I don't know the boy whom Lisa sang with.
32　The magazine which I borrowed from you was interesting.
33　Everybody that came to the party had a good time.
34　Tell me what you saw at the history museum.
35　She's a famous chef who cooks Italian food.
36　He gave me pants which looked too long for me.
37　I bought a cup which[that] looked like a boot.
38　The nurse who[that] took care of me was kind.
39　They discovered what[the thing which/that] caused the accident.
40　She is the architect who[that] designed this building.
41　Is there a restaurant which serves Indian dishes?
42　The boy who[whom/that] Jihee likes is good at dancing.
43　The town which[that] we'll move to has a big shopping mall.
44　We're on the bus which[that] goes to Sokcho.
45　My neighbor who[that] lives next door is noisy.
46　What[The thing which/that] impressed me was the size of the statue.
47　We know the man who[that] drives our school bus.
48　I took a photo of birds which were flying in the sky.
49　I miss a friend who[whom/that] I met in France last year.
50　The gloves which[that] I'm wearing are made of wool.
51　They met farmers who grow watermelons and strawberries.
52　The cat which is sitting on the sofa is cute.
53　I know a woman who does yoga every morning.
54　The chair which was made by Dad is comfortable.
55　She understands why they felt tired.
56　This stadium is where the soccer match will be held.
57　I wonder why you woke up so early.
58　He recommended the hotel where he stayed last month.

01　[해설] 첫 번째 문장의 a sweater를 대신하면서 소유격 역할을 하는 소유격 관계대명사 whose를 쓴다. (▶ POINT 4)

해석 나는 스웨터를 살 것이다. 그것의 색상은 회색이다.
→ 나는 색상이 회색인 스웨터를 살 것이다.

02 해설 첫 번째 문장의 my cousin을 대신하면서 주어 역할을 하는 주격 관계대명사 who 또는 that을 쓴다. (▶ POINT 2)

해석 Sam은 나의 사촌이다. 그는 미국에서 예술을 공부한다.
→ Sam은 미국에서 예술을 공부하는 나의 사촌이다.

03 해설 첫 번째 문장의 a train을 대신하면서 주어 역할을 하는 주격 관계대명사 which 또는 that을 쓴다. (▶ POINT 2)

해석 우리는 기차를 기다리고 있다. 그것은 정오에 도착할 것이다.
→ 우리는 정오에 도착할 기차를 기다리고 있다.

04 해설 첫 번째 문장의 a house를 대신하면서 목적어 역할을 하는 목적격 관계대명사 which 또는 that을 쓴다. (▶ POINT 3)

해석 이것은 집이다. 나의 할아버지가 작년에 그것을 지으셨다.
→ 이것은 나의 할아버지가 작년에 지으신 집이다.

05 해설 첫 번째 문장의 some sheep and a girl을 대신하면서 주어 역할을 하는 관계대명사 that을 쓴다. 선행사가 「사람 + 동물」이면 who나 which는 쓸 수 없다. (▶ POINT 5)

해석 양 몇 마리와 소녀 한 명이 있다. 그들은 들판에서 걷고 있다.
→ 들판에서 걷고 있는 양 몇 마리와 소녀 한 명이 있다.

06 해설 첫 번째 문장의 a boy를 대신하면서 주어 역할을 하는 주격 관계대명사 who 또는 that을 쓴다. (▶ POINT 2)

해석 James는 소년을 인터뷰했다. 그는 연설 대회에서 우승했다.
→ James는 연설 대회에서 우승한 소년을 인터뷰했다.

07 해설 첫 번째 문장의 a movie를 대신하면서 소유격 역할을 하는 소유격 관계대명사 whose를 쓴다. (▶ POINT 4)

해석 나는 영화를 봤다. 그것의 주제는 우정이었다.
→ 나는 주제가 우정인 영화를 봤다.

08 해설 첫 번째 문장의 my aunt를 대신하면서 주어 역할을 하는 주격 관계대명사 who 또는 that을 쓴다. (▶ POINT 2)

해석 나는 나의 고모를 방문했다. 그녀는 훌륭한 작곡가이다.
→ 나는 훌륭한 작곡가인 나의 고모를 방문했다.

09 해설 첫 번째 문장의 the school을 대신하면서 주어 역할을 하는 주격 관계대명사 which 또는 that을 쓴다. (▶ POINT 2)

해석 그들은 학교에 다닌다. 그곳에는 큰 운동장이 있다.
→ 그들은 큰 운동장이 있는 학교에 다닌다.

10 해설 첫 번째 문장의 The subject를 대신하면서 목적어 역할을 하는 목적격 관계대명사 which 또는 that을 쓴다. (▶ POINT 3)

해석 그 과목은 사회이다. Davis 선생님은 그것을 가르친다.
→ Davis 선생님이 가르치는 과목은 사회이다.

11 해설 첫 번째 문장의 the man and the dog을 대신하면서 주어 역할을 하는 관계대명사 that을 쓴다. 선행사가 「사람 + 동물」이면 who나 which는 쓸 수 없다. (▶ POINT 5)

해석 그 남자와 개를 보라. 그들은 호수에서 수영하고 있다.
→ 호수에서 수영하고 있는 그 남자와 개를 보라.

12 해설 첫 번째 문장의 The woman을 대신하면서 주어 역할을 하는 주격 관계대명사 who 또는 that을 쓴다. (▶ POINT 2)

해석 그 여자는 경찰서에 갔다. 그녀는 지갑을 주웠다.
→ 지갑을 주운 그 여자는 경찰서에 갔다.

13 해설 선행사(The book)가 사물이고 관계대명사가 이끄는 절 안에서 주어 역할을 하므로 주격 관계대명사 which를 쓴다. (▶ POINT 2)

14 해설 선행사(the watch)가 사물이고 관계대명사가 이끄는 절 안에서 목적어 역할을 하므로 목적격 관계대명사 which를 쓴다. (▶ POINT 3)

15 해설 선행사(my friend)가 사람이고 관계대명사가 이끄는 절 안에서 목적어 역할을 하므로 목적격 관계대명사 who 또는 whom을 쓴다. (▶ POINT 3)

16 해설 선행사(the man)가 사람이고 관계대명사가 이끄는 절 안에서 주어 역할을 하므로 주격 관계대명사 who를 쓴다. (▶ POINT 2)

17 해설 선행사(a writer)가 관계대명사가 이끄는 절 안에서 소유격 역할을 하므로 소유격 관계대명사 whose를 쓴다. (▶ POINT 4)

18 해설 선행사(many portraits)가 사물이고 관계대명사가 이끄는 절 안에서 주어 역할을 하므로 주격 관계대명사 which를 쓴다. (▶ POINT 2)

19 해설 선행사(animals)가 동물이고 관계대명사가 이끄는 절 안에서 주어 역할을 하므로 주격 관계대명사 which를 쓴다. (▶ POINT 2)

20 해설 선행사(The bike)가 사물이고 관계대명사가 이끄는 절 안에서 목적어 역할을 하므로 목적격 관계대명사 which를 쓴다. (▶ POINT 3)

21 해설 선행사(the celebrity)가 사람이고 관계대명사가 이끄는 절 안에서 목적어 역할을 하므로 목적격 관계대명사 who 또는 whom을 쓴다. (▶ POINT 3)

22 해설 선행사(students)가 사람이고 관계대명사가 이끄는 절 안에서 주어 역할을 하므로 주격 관계대명사 who를 쓴다. (▶ POINT 2)

23 해설 선행사(many children)가 관계대명사가 이끄는 절 안에서 소유격 역할을 하므로 소유격 관계대명사 whose를 쓴다. (▶ POINT 4)

24 해설 선행사(the letters)가 사물이고 관계대명사가 이끄는 절 안에서 주어 역할을 하므로 주격 관계대명사 which를 쓴다. (▶ POINT 2)

25 해설 '내가 이야기한 여자'라는 의미이므로 선행사 The woman 뒤에 목적격 관계대명사 whom을 쓴다. (▶ POINT 3)

26 해설 'Brian이 산 재킷'이라는 의미이므로 선행사 The jacket 뒤에 목적격 관계대명사 which를 쓴다. (▶ POINT 3)

27 해설 '선생님이 말하시는 모든 것'이라는 의미이므로 선행사 everything 뒤에 관계대명사 that을 쓴다. (▶ POINT 5)

28 해설 'Andrew가 이번 주말에 할 것'이라는 의미이므로 선행사를 포함하여 '~한 것'이라는 의미의 관계대명사 what을 쓴다. (▶ POINT 5)

29 해설 '그 화재에서 사람들을 구했던 소방관'이라는 의미이므로 선행사 the firefighter 뒤에 주격 관계대명사 who를 쓴다. (▶ POINT 2)

30 해설 '꿀 같은 맛이 나는 아이스크림'이라는 의미이므로 선행사 an ice cream 뒤에 주격 관계대명사 which를 쓴다. (▶ POINT 2)

31 해설 'Lisa와 함께 노래했던 소년'이라는 의미이므로 선행사 the boy 뒤에 목적격 관계대명사 whom을 쓴다. (▶ POINT 3)

32 해설 '내가 빌린 잡지'라는 의미이므로 선행사 The magazine 뒤에 목적격 관계대명사 which를 쓴다. (▶ POINT 3)

33 해설 '파티에 온 모든 사람'이라는 의미이므로 선행사 Everybody 뒤에 관계대명사 that을 쓴다. (▶ POINT 5)

34 해설 '네가 역사 박물관에서 봤던 것'이라는 의미이므로 선행사를 포함하여 '~한 것'이라는 의미의 관계대명사 what을 쓴다. (▶ POINT 5)

35 해설 '이탈리아 음식을 요리하는 유명한 요리사'라는 의미이므로 선행사 a famous chef 뒤에 주격 관계대명사 who를 쓴다. (▶ POINT 2)

36 해설 '나에게 너무 길어 보이는 바지'라는 의미이므로 선행사 pants 뒤에 주격 관계대명사 which를 쓴다. (▶ POINT 2)

37 해설 선행사(a cup)가 사물이고 관계대명사가 이끄는 절 안에서 주어 역할을 하므로 관계대명사 who를 which 또는 that으로 고쳐야 한다. (▶ POINT 2)

해석 나는 부처처럼 보이는 컵을 샀다.

38 해설 선행사(The nurse)가 사람이고 관계대명사가 이끄는 절 안에서 주어 역할을 하므로 관계대명사 which를 who 또는 that으로 고쳐야 한다. (▶ POINT 2)

해석 나를 돌봐준 간호사는 친절했다.

39 해설 관계대명사 what은 선행사를 포함하고 있으므로 the thing what을 what 또는 the thing which[that]로 고쳐야 한다. (▶ POINT 5)

해석 그들은 그 사고를 일으킨 것을 발견했다.

40 해설 선행사(the architect)가 사람이고 관계대명사가 이끄는 절 안에서 주어 역할을 하므로 관계대명사 which를 who 또는 that으로 고쳐야 한다. (▶ POINT 2)

해석 그녀는 이 건물을 설계했던 건축가이다.

41 해설 주격 관계대명사절의 동사는 선행사(a restaurant)에 수일치시켜야 하므로 복수동사 serve를 단수동사 serves로 고쳐야 한다. (▶ POINT 2)

해석 인도 요리를 제공하는 식당이 있니?

42 해설 선행사(The boy)가 사람이고 관계대명사가 이끄는 절 안에 목적어 역할을 하므로 관계대명사 which를 who, whom, 또는 that으로 고쳐야 한다. (▶ POINT 3)

해석 지희가 좋아하는 소년은 춤을 잘 춘다.

43 해설 선행사(The town)가 사물이고 관계대명사가 이끄는 절 안에서 목적어 역할을 하므로 관계대명사 who를 which 또는 that으로 고쳐야 한다. (▶ POINT 3)

해석 우리가 이사할 도시에는 큰 쇼핑몰이 있다.

44 해설 선행사(the bus)가 사물이고 관계대명사가 이끄는 절 안에서 주어 역할을 하므로 관계대명사 who를 which 또는 that으로 고쳐야 한다. (▶ POINT 2)

해석 우리는 속초로 가는 버스에 있다.

45 해설 선행사(My neighbor)가 사람이고 관계대명사가 이끄는 절 안에서 주어 역할을 하므로 관계대명사 which를 who 또는 that으로 고쳐야 한다.
(▶ POINT 2)

해석 옆집에 사는 나의 이웃은 시끄럽다.

46 해설 관계대명사 what은 선행사를 포함하고 있으므로 The thing what을 What 또는 The thing which[that]로 고쳐야 한다. (▶ POINT 5)

해석 나를 감명시킨 것은 그 조각상의 크기였다.

47 해설 선행사(the man)가 사람이고 관계대명사가 이끄는 절 안에서 주어 역할을 하므로 관계대명사 which를 who 또는 that으로 고쳐야 한다. (▶ POINT 2)

해석 우리는 우리의 통학 버스를 운전하는 남자를 안다.

48 해설 주격 관계대명사절의 동사는 선행사(birds)에 수일치시켜야 하므로 단수동사 was를 복수동사 were로 고쳐야 한다. (▶ POINT 2)

해석 나는 하늘을 날고 있는 새들의 사진을 찍었다.

49 해설 선행사(a friend)가 사람이고 관계대명사가 이끄는 절 안에서 목적어 역할을 하므로 관계대명사 which를 who, whom, 또는 that으로 고쳐야 한다.
(▶ POINT 3)

해석 나는 작년에 프랑스에서 만났던 친구가 그립다.

50 해설 선행사(The gloves)가 사물이고 관계대명사가 이끄는 절 안에서 목적어 역할을 하므로 관계대명사 who를 which 또는 that으로 고쳐야 한다.
(▶ POINT 3)

해석 내가 끼고 있는 장갑은 양모로 만들어진다.

51 해설 선행사(farmers)가 사람이고 관계대명사가 이끄는 절 안에서 주어 역할을 하므로 주격 관계대명사 who를 쓴다. (▶ POINT 2)

52 해설 선행사(The cat)가 동물이고 관계대명사가 이끄는 절 안에서 주어 역할을 하므로 주격 관계대명사 which를 쓴다. (▶ POINT 2)

53 해설 선행사(a woman)가 사람이고 관계대명사가 이끄는 절 안에서 주어 역할을 하므로 주격 관계대명사 who를 쓴다. (▶ POINT 2)

54 해설 선행사(The chair)가 사물이고 관계대명사가 이끄는 절 안에서 주어 역할을 하므로 주격 관계대명사 which를 쓴다. (▶ POINT 2)

55 해설 '그들이 피곤하게 느꼈던 이유'라는 의미이므로 이유를 나타내는 관계부사 why를 쓴다. 6단어로 써야 하므로 선행사(the reason)를 생략한다.
(▶ POINT 6)

56 해설 '그 축구 시합이 열릴 곳'이라는 의미이므로 장소를 나타내는 관계부사 where를 쓴다. 10단어로 써야 하므로 선행사(the place)를 생략한다.
(▶ POINT 6)

57 해설 '네가 그렇게 일찍 일어났던 이유'라는 의미이므로 이유를 나타내는 관계부사 why를 쓴다. 8단어로 써야 하므로 선행사(the reason)를 생략한다.
(▶ POINT 6)

58 해설 '그가 지난달에 묵었던 그 호텔'이라는 의미이므로 장소를 나타내는 관계부사 where를 쓴다. (▶ POINT 6)

해커스
쓰기 자신감 Level 2

정답 및 해설